#시험대비
#핵심정복

7일 끝
중간고사
기말고사

Chunjae
Makes
Chunjae

[7일 끝] 중학 수학 3-2

저자	최용준, 해법수학연구회
제작	황성진, 조규영
발행일	2021년 6월 15일 초판 2021년 6월 15일 1쇄
발행인	(주)천재교육
주소	서울시 금천구 가산로9길 54
신고번호	제2001-000018호
고객센터	1577-0902
교재 내용문의	(02)3282-8852

※ 정답 분실 시에는 천재교육 홈페이지에서 내려받으세요.

7일 끝으로 끝내자!

중학 **수학 3-2**

BOOK 1

중 간 고 사 대 비

구성과 활용

시험 공부 시작

생각 열기

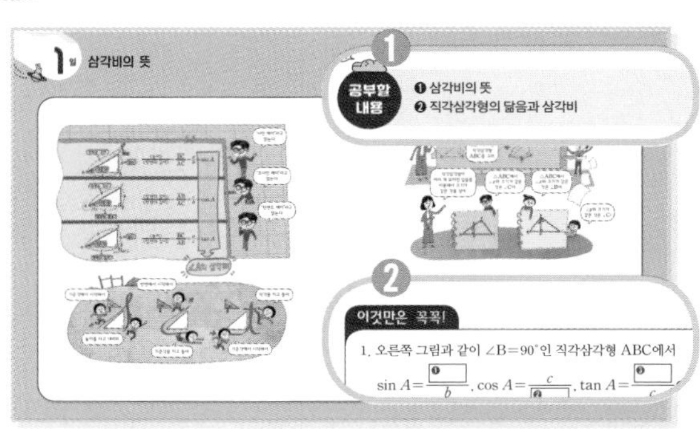

공부할 내용을 만화로 가볍게 살펴보며 학습을 준비해 보세요.

❶ 공부할 내용을 살피며 핵심 학습 요소를 확인해 보세요.
❷ 이것만은 꼭꼭!을 통해 실수하기 쉬운 개념을 짚어 보세요.

본격 공부 중

교과서 핵심 정리 + 시험지 속 개념 문제

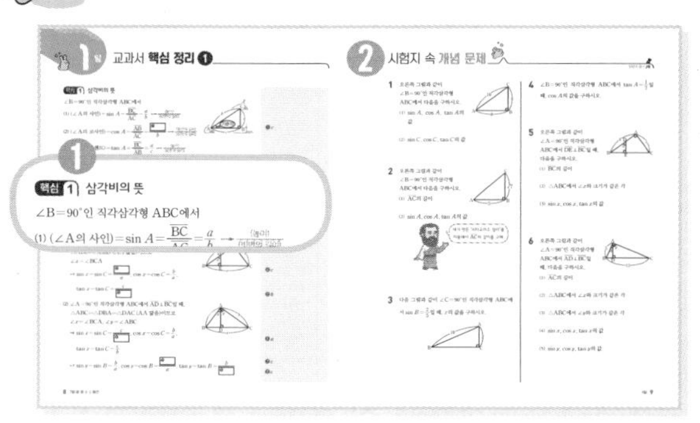

꼭 알아야 할 교과서 핵심 내용을 익히고 시험지 속 개념 문제를 풀며 제대로 이해했는지 확인해 보세요.

❶ 빈칸을 채우며 교과서 핵심 내용을 다시 한번 확인해 보세요.
❷ 교과서 핵심과 관련된 시험지 속 개념 문제를 풀며 공부한 내용을 확인해 보세요.

교과서 기출 베스트 1회, 2회

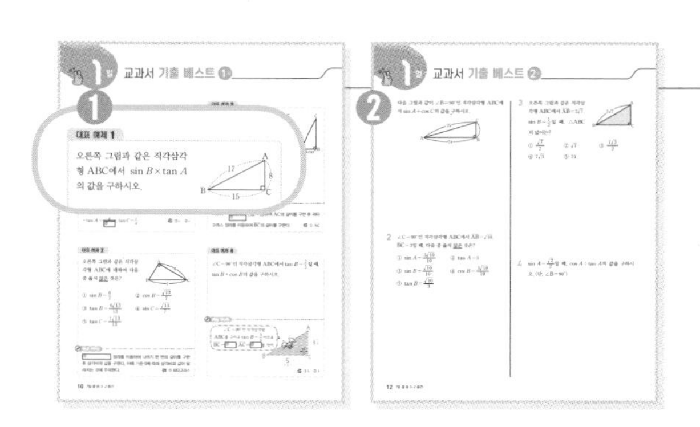

다양한 유형의 문제를 풀어 보며 공부한 내용을 점검해 보세요.

❶ 교과서 기출 베스트 1회에서는 대표 예제 문제를 풀며 시험에 자주 나오는 문제를 확인해 보세요.
❷ 교과서 기출 베스트 1회와 쌍둥이 문제로 구성된 교과서 기출 베스트 2회를 한번 더 풀면서 실력을 다져 보세요.

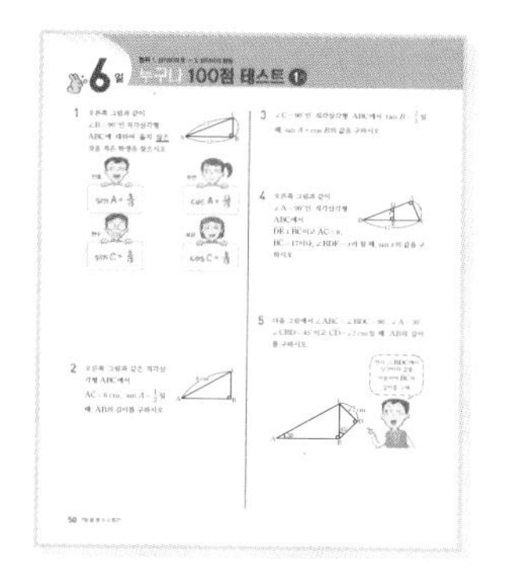

누구나 100점 테스트 1회, 2회

앞에서 공부한 개념을 이해했는지 문제를 풀어 점검해 보세요.

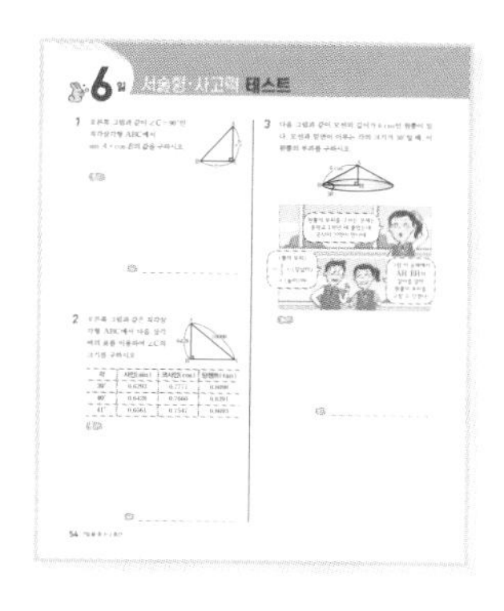

서술형·사고력 테스트

서술형·사고력 문제를 집중적으로 풀며 서술형·사고력 문제에 대한 적응력을 높여 보세요.

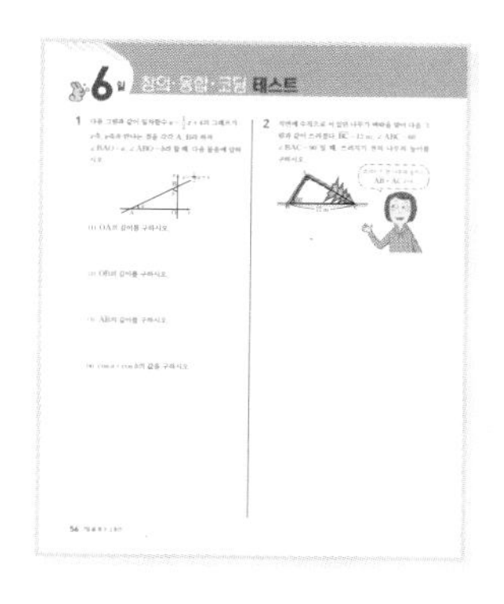

창의·융합·코딩 테스트

앞에서 공부한 개념이 어떻게 이용되는지 알고 문제 해결력을 키워 보세요.

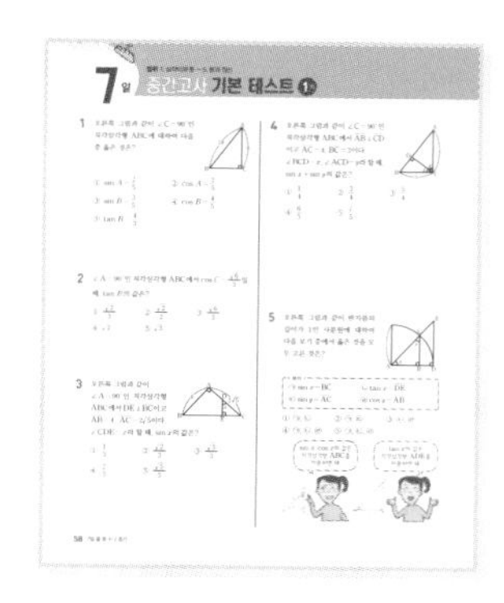

중간고사 기본 테스트 1회, 2회

시험 문제에 가까운 예상 문제를 풀며 실전에 대비해 보세요.

튼튼이·짝짝이 공부하기

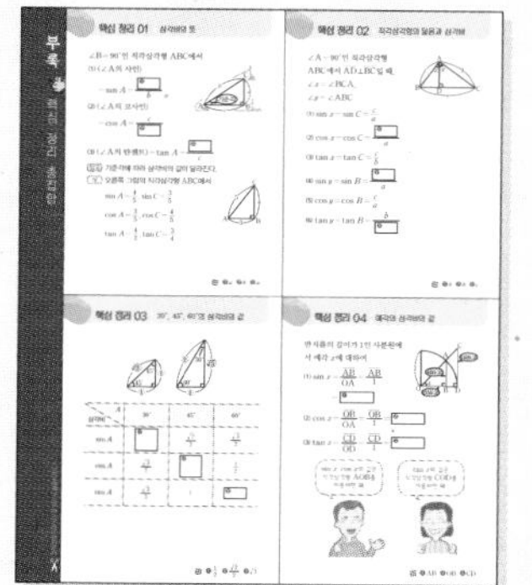

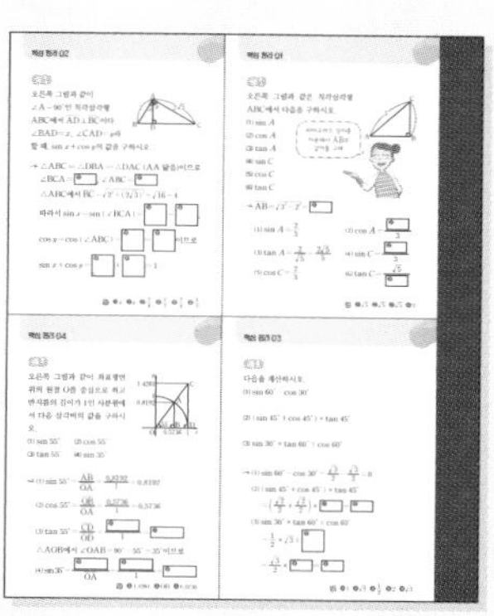

핵심 정리 총집합 카드를 휴대하며 이동하는 중이나 시험 직전에 활용해 보세요.

7일 끝 중학 수학 3-2 중간

차례

삼각비의 뜻 06

삼각비의 값 14

삼각비의 활용 24

원과 현 34

원과 접선 42

누구나 **100점 테스트** 1회 50

누구나 **100점 테스트** 2회 52

서술형 · 사고력 **테스트** 54

창의 · 융합 · 코딩 **테스트** 56

중간고사 **기본 테스트** 1회 58

중간고사 **기본 테스트** 2회 62

1일 삼각비의 뜻

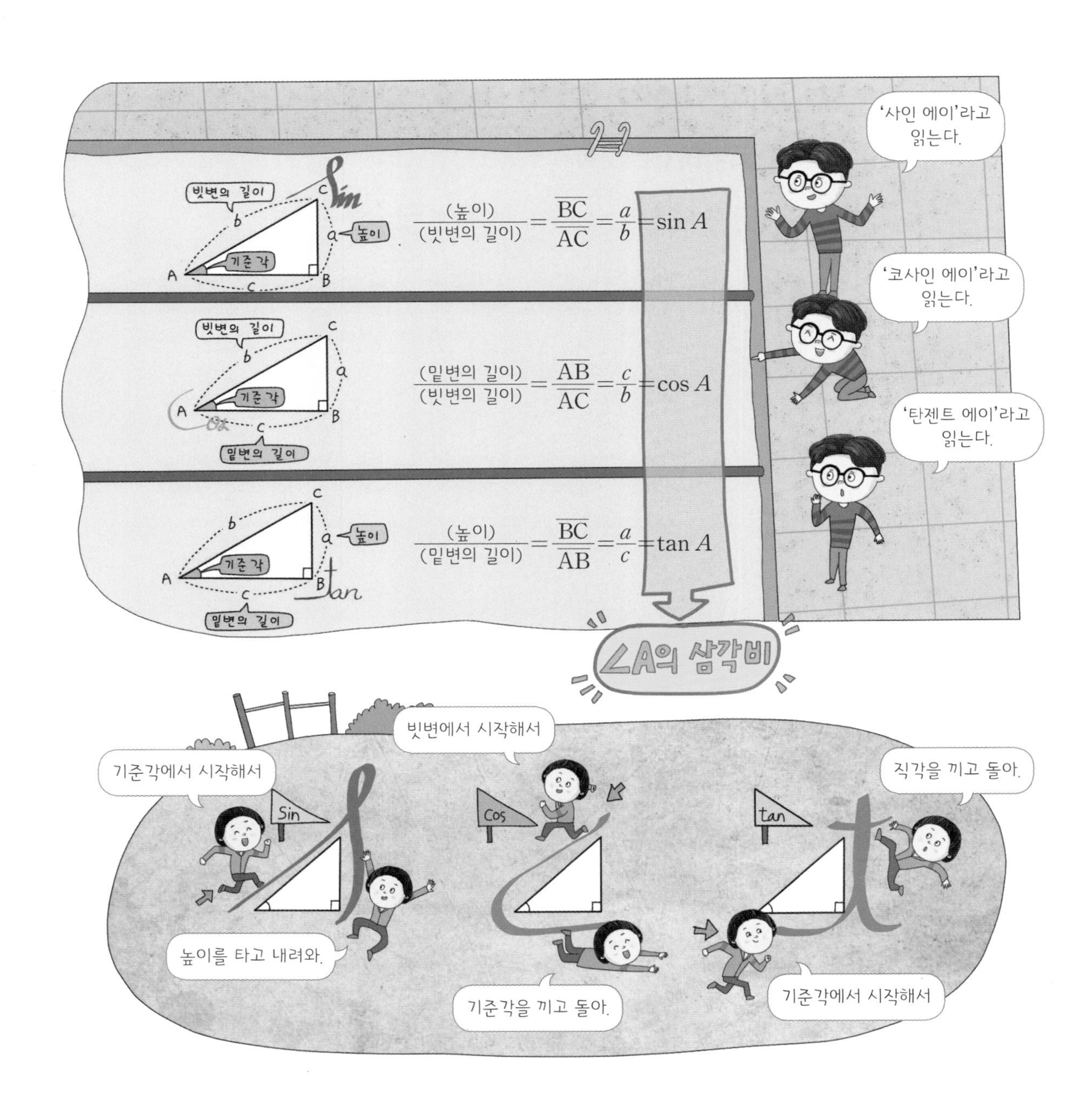

'사인 에이'라고 읽는다.
빗변의 길이
높이
기준각
$\frac{(\text{높이})}{(\text{빗변의 길이})}=\frac{\overline{BC}}{\overline{AC}}=\frac{a}{b}=\sin A$
'코사인 에이'라고 읽는다.
빗변의 길이
기준각
밑변의 길이
$\frac{(\text{밑변의 길이})}{(\text{빗변의 길이})}=\frac{\overline{AB}}{\overline{AC}}=\frac{c}{b}=\cos A$
'탄젠트 에이'라고 읽는다.
높이
기준각
밑변의 길이
$\frac{(\text{높이})}{(\text{밑변의 길이})}=\frac{\overline{BC}}{\overline{AB}}=\frac{a}{c}=\tan A$
∠A의 삼각비
기준각에서 시작해서
높이를 타고 내려와.
빗변에서 시작해서
기준각을 끼고 돌아.
직각을 끼고 돌아.
기준각에서 시작해서

공부할 내용

❶ 삼각비의 뜻
❷ 직각삼각형의 닮음과 삼각비

이것만은 꼭꼭!

1. 오른쪽 그림과 같이 ∠B=90°인 직각삼각형 ABC에서

$\sin A=\frac{❶\square}{b}$, $\cos A=\frac{c}{❷\square}$, $\tan A=\frac{❸\square}{c}$이다.

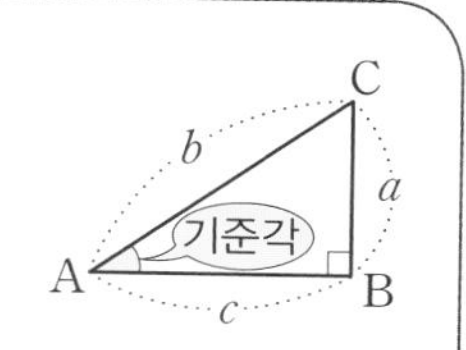

2. 오른쪽 그림과 같이 ∠A=90°인 직각삼각형 ABC에서 $\overline{AD}\perp\overline{BC}$일 때,
∠x=∠BCA, ∠y=∠ABC이므로

$\sin x=\sin C=\frac{c}{a}$, $\cos x=\cos C=\frac{❹\square}{a}$, $\tan x=\tan C=\frac{c}{b}$

$\sin y=\sin B=\frac{b}{❺\square}$, $\cos y=\cos B=\frac{c}{a}$, $\tan y=\tan B=\frac{b}{❻\square}$

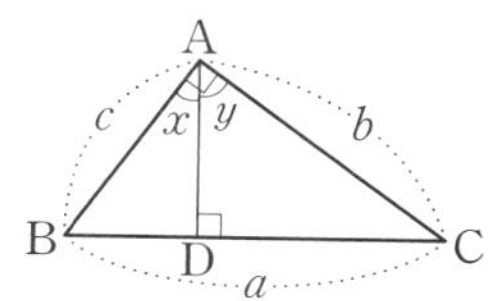

답 ❶ a ❷ b ❸ a ❹ b ❺ a ❻ c

1일 교과서 핵심 정리 ❶

핵심 1 삼각비의 뜻

$\angle B=90^\circ$인 직각삼각형 ABC에서

(1) ($\angle A$의 사인)$=\sin A=\dfrac{\overline{BC}}{\overline{AC}}=\dfrac{a}{b}$ → $\dfrac{\text{(높이)}}{\text{(빗변의 길이)}}$

(2) ($\angle A$의 코사인)$=\cos A=\dfrac{\overline{AB}}{\overline{AC}}=\dfrac{\boxed{❶\ }}{b}$ → $\dfrac{\text{(밑변의 길이)}}{\text{(빗변의 길이)}}$

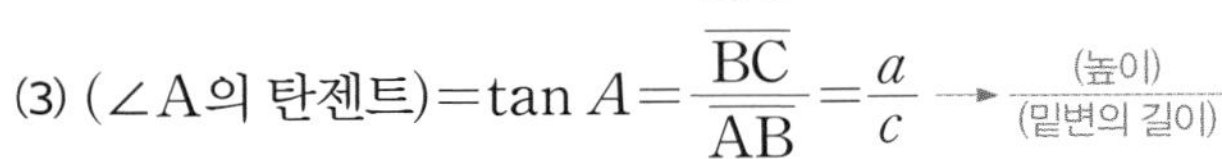

(3) ($\angle A$의 탄젠트)$=\tan A=\dfrac{\overline{BC}}{\overline{AB}}=\dfrac{a}{c}$ → $\dfrac{\text{(높이)}}{\text{(밑변의 길이)}}$

→ $\sin A$, $\cos A$, $\tan A$를 통틀어 $\angle A$의 삼각비라 한다. → 기준각에 따라 삼각비의 값이 달라진다.

예 오른쪽 그림의 직각삼각형 ABC에서

$\sin A=\dfrac{\overline{BC}}{\overline{AC}}=\dfrac{\boxed{❷\ }}{5}$, $\cos A=\dfrac{\boxed{❸\ }}{\overline{AC}}=\dfrac{3}{5}$, $\tan A=\dfrac{\overline{BC}}{\overline{AB}}=\dfrac{4}{3}$

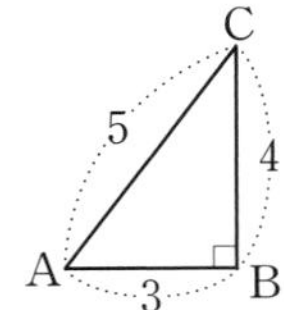

❶ c
❷ 4
❸ $\overline{AB}$

핵심 2 직각삼각형의 닮음과 삼각비

(1) $\angle A=90^\circ$인 직각삼각형 ABC에서 $\overline{DE}\perp\overline{BC}$일 때,
$\triangle ABC \backsim \triangle EBD$ (AA 닮음)이므로
$\angle x=\angle BCA$

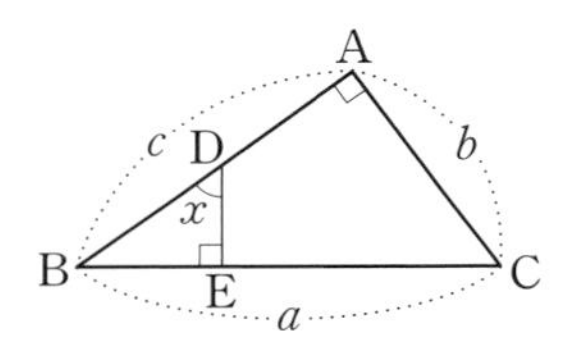

→ $\sin x=\sin C=\dfrac{\boxed{❹\ }}{a}$, $\cos x=\cos C=\dfrac{b}{a}$,

$\tan x=\tan C=\dfrac{c}{\boxed{❺\ }}$

(2) $\angle A=90^\circ$인 직각삼각형 ABC에서 $\overline{AD}\perp\overline{BC}$일 때,
$\triangle ABC \backsim \triangle DBA \backsim \triangle DAC$ (AA 닮음)이므로
$\angle x=\angle BCA$, $\angle y=\angle ABC$

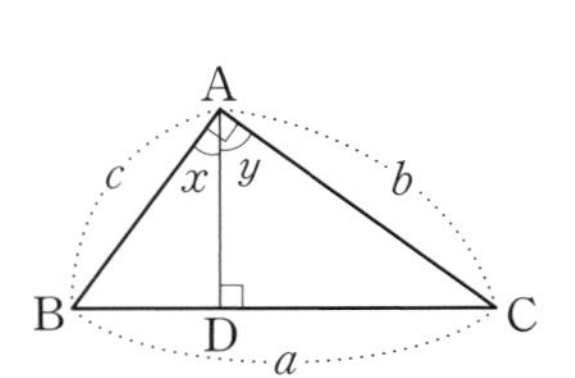

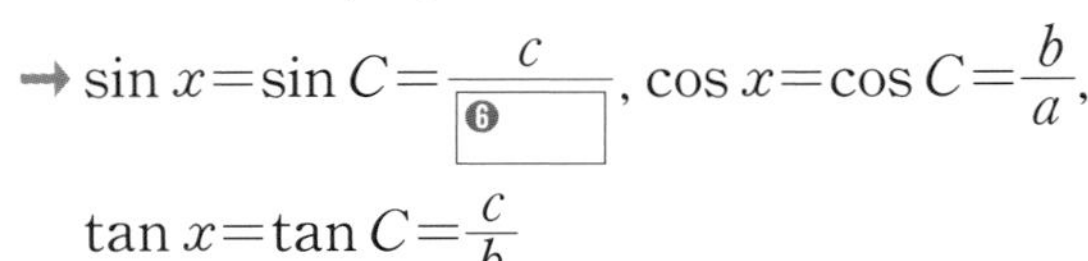

→ $\sin x=\sin C=\dfrac{c}{\boxed{❻\ }}$, $\cos x=\cos C=\dfrac{b}{a}$,

$\tan x=\tan C=\dfrac{c}{b}$

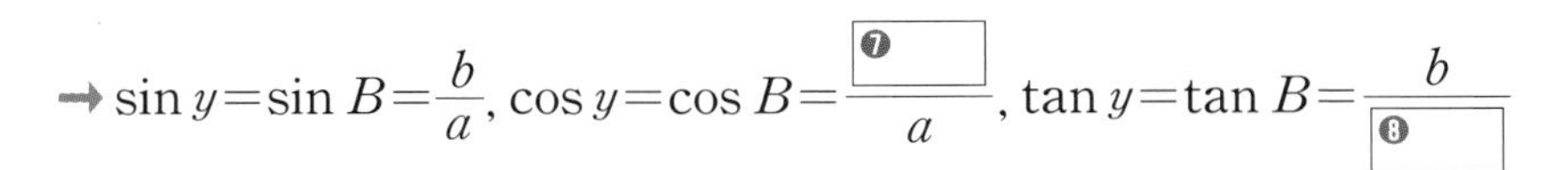

→ $\sin y=\sin B=\dfrac{b}{a}$, $\cos y=\cos B=\dfrac{\boxed{❼\ }}{a}$, $\tan y=\tan B=\dfrac{b}{\boxed{❽\ }}$

❹ c
❺ b
❻ a
❼ c
❽ c

시험지 속 개념 문제

정답과 풀이 2쪽

1 오른쪽 그림과 같이 $\angle B=90^\circ$인 직각삼각형 ABC에서 다음을 구하시오.

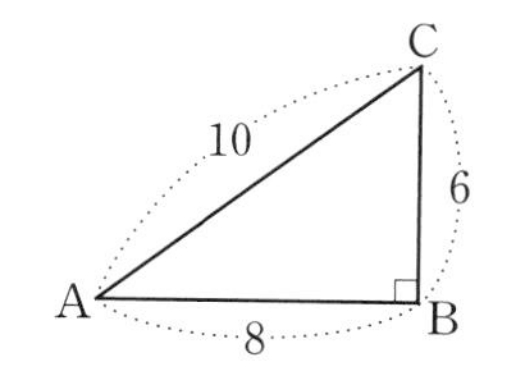

(1) $\sin A$, $\cos A$, $\tan A$의 값

(2) $\sin C$, $\cos C$, $\tan C$의 값

2 오른쪽 그림과 같이 $\angle B=90^\circ$인 직각삼각형 ABC에서 다음을 구하시오.

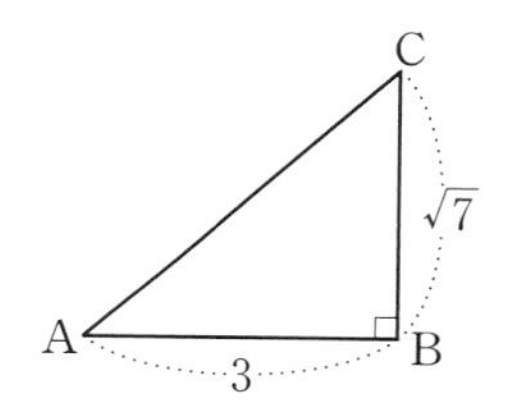

(1) $\overline{AC}$의 길이

(2) $\sin A$, $\cos A$, $\tan A$의 값

3 다음 그림과 같이 $\angle C=90^\circ$인 직각삼각형 ABC에서 $\sin B=\frac{2}{5}$일 때, x의 값을 구하시오.

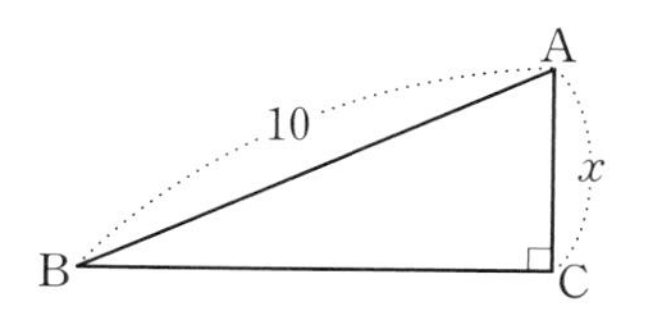

4 $\angle B=90^\circ$인 직각삼각형 ABC에서 $\tan A=\frac{1}{2}$일 때, $\cos A$의 값을 구하시오.

5 오른쪽 그림과 같이 $\angle A=90^\circ$인 직각삼각형 ABC에서 $\overline{DE}\perp\overline{BC}$일 때, 다음을 구하시오.

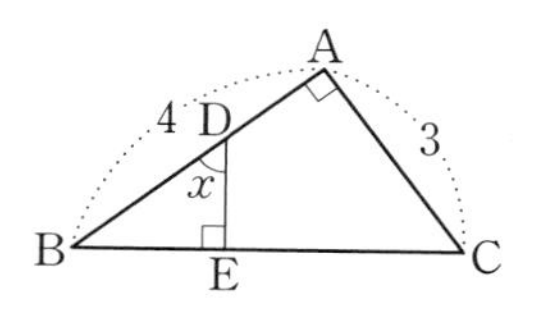

(1) $\overline{BC}$의 길이

(2) $\triangle ABC$에서 $\angle x$와 크기가 같은 각

(3) $\sin x$, $\cos x$, $\tan x$의 값

6 오른쪽 그림과 같이 $\angle A=90^\circ$인 직각삼각형 ABC에서 $\overline{AD}\perp\overline{BC}$일 때, 다음을 구하시오.

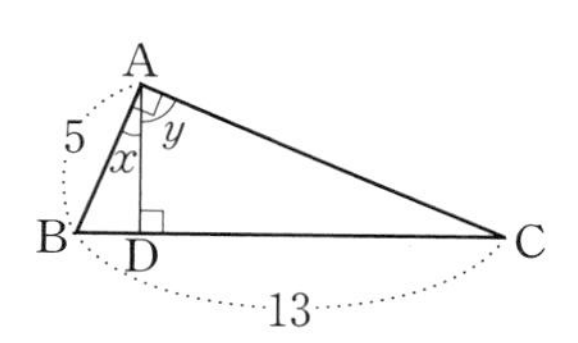

(1) $\overline{AC}$의 길이

(2) $\triangle ABC$에서 $\angle x$와 크기가 같은 각

(3) $\triangle ABC$에서 $\angle y$와 크기가 같은 각

(4) $\sin x$, $\cos x$, $\tan x$의 값

(5) $\sin y$, $\cos y$, $\tan y$의 값

1일 교과서 기출 베스트 1회

대표 예제 1

오른쪽 그림과 같은 직각삼각형 ABC에서 $\sin B \times \tan A$의 값을 구하시오.

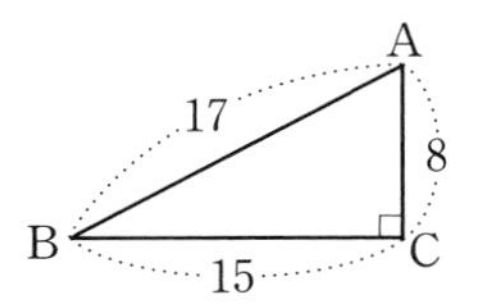

개념 가이드

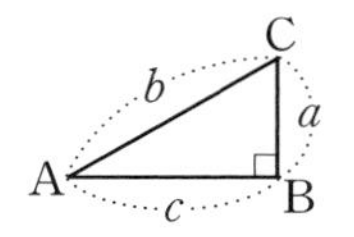

- $\sin A=\frac{a}{b}$, $\sin C=\frac{①}{b}$
- $\cos A=\frac{c}{b}$, $\cos C=\frac{a}{b}$
- $\tan A=\frac{a}{②}$, $\tan C=\frac{c}{a}$

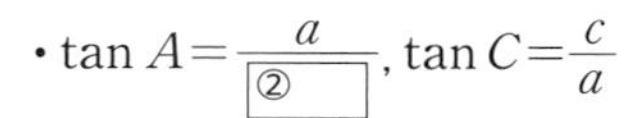

답 ① c ② c

대표 예제 2

오른쪽 그림과 같은 직각삼각형 ABC에 대하여 다음 중 옳지 않은 것은?

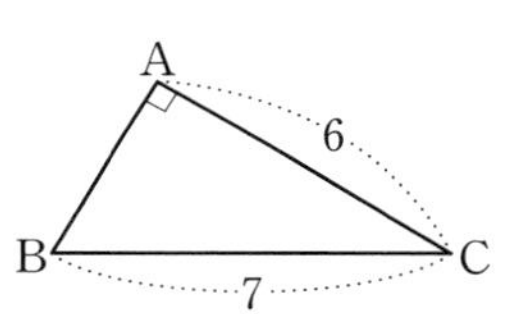

① $\sin B=\frac{6}{7}$ ② $\cos B=\frac{\sqrt{13}}{7}$

③ $\tan B=\frac{6\sqrt{13}}{13}$ ④ $\sin C=\frac{\sqrt{13}}{7}$

⑤ $\tan C=\frac{7\sqrt{13}}{13}$

개념 가이드

① 정리를 이용하여 나머지 한 변의 길이를 구한 후 삼각비의 값을 구한다. 이때 기준각에 따라 삼각비의 값이 달라지는 것에 주의한다.

답 ① 피타고라스

대표 예제 3

오른쪽 그림과 같은 직각삼각형 ABC에서 $\cos A=\frac{\sqrt{5}}{5}$일 때, $\overline{BC}$의 길이를 구하시오.

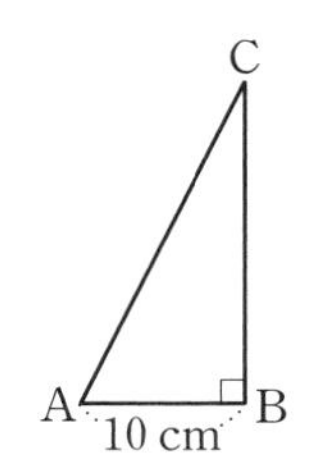

개념 가이드

$\cos A=\frac{\overline{AB}}{①}$임을 이용하여 $\overline{AC}$의 길이를 구한 후 피타고라스 정리를 이용하여 $\overline{BC}$의 길이를 구한다.

답 ① $\overline{AC}$

대표 예제 4

$\angle C=90^\circ$인 직각삼각형 ABC에서 $\tan B=\frac{3}{5}$일 때, $\sin B \times \cos B$의 값을 구하시오.

개념 가이드

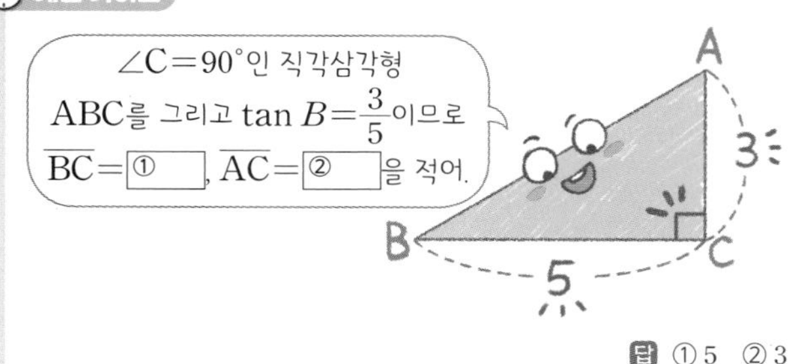

답 ① 5 ② 3

대표 예제 5

오른쪽 그림과 같이 $\angle C=90^\circ$인 직각삼각형 ABC에서 $\overline{AB}\perp\overline{DE}$이고 $\overline{BD}=12$ cm, $\overline{DE}=8$ cm이다. $\angle A=x$라 할 때, $\tan x$의 값을 구하시오.

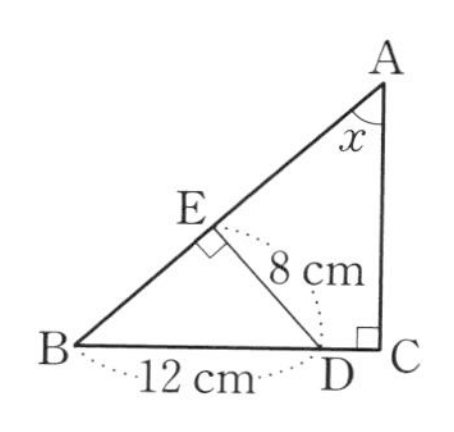

개념 가이드

$\triangle ABC \backsim \triangle$ ① (AA 닮음)임을 이용하여 $\triangle BDE$에서 x와 크기가 같은 각을 찾는다.

답 ① DBE

대표 예제 6

오른쪽 그림과 같이 $\angle A=90^\circ$인 직각삼각형 ABC에서 $\overline{AD}\perp\overline{BC}$이고 $\overline{AC}=8$, $\overline{BC}=10$이다. $\angle BAD=x$, $\angle CAD=y$라 할 때, $\tan x\times\cos y$의 값을 구하시오.

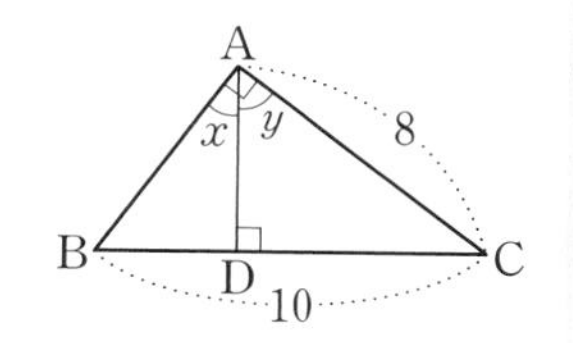

개념 가이드

$\triangle ABC \backsim \triangle DBA \backsim \triangle DAC$ (AA 닮음)이므로

$\angle B=\angle$ ①,

$\angle C=\angle$ ②

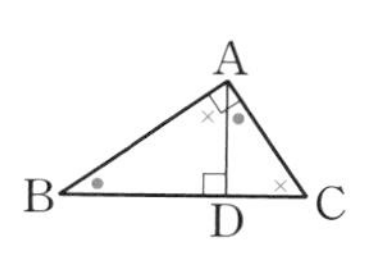

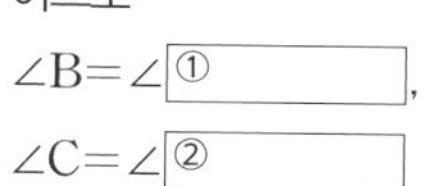

답 ① CAD ② BAD

대표 예제 7

오른쪽 그림과 같은 직사각형 ABCD에서 $\overline{BD}\perp\overline{CH}$이고 $\overline{AB}=9$, $\overline{BC}=12$이다. $\angle DCH=x$라 할 때, $\cos x-\sin x$의 값을 구하시오.

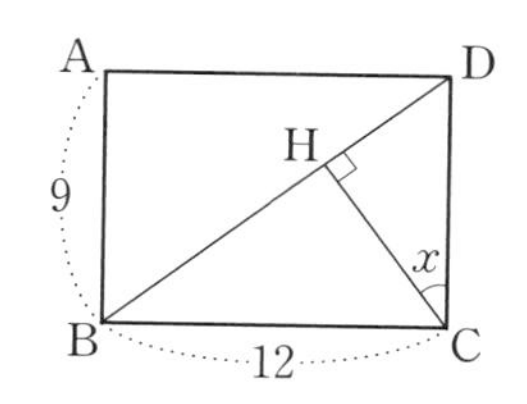

개념 가이드

$\triangle BCD \backsim \triangle$ ① (AA 닮음)임을 이용하여 $\triangle BCD$에서 x와 크기가 같은 각을 찾는다.

답 ① CHD

대표 예제 8

오른쪽 그림과 같은 직육면체에서 $\angle DFH=x$라 할 때, $\sin x\times\cos x$의 값을 구하시오.

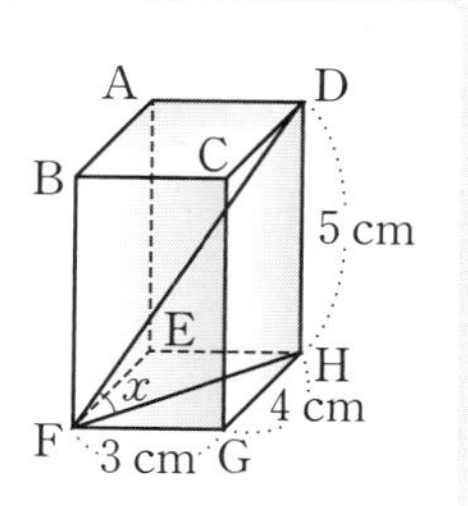

개념 가이드

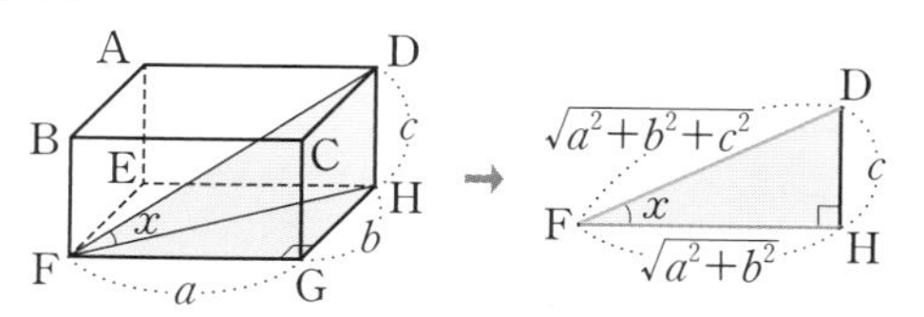

입체도형에서 삼각비의 값을 구할 때에는 ① 을 찾아 피타고라스 정리를 이용하여 변의 길이를 구한 후 삼각비의 값을 구한다.

답 ① 직각삼각형

1일 교과서 기출 베스트 2회

1 다음 그림과 같이 $\angle B=90^\circ$인 직각삼각형 ABC에서 $\sin A+\cos C$의 값을 구하시오.

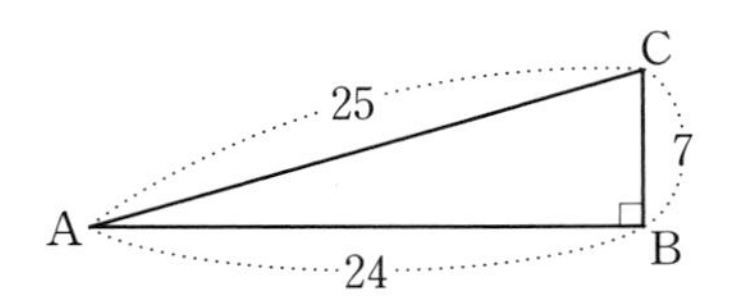

2 $\angle C=90^\circ$인 직각삼각형 ABC에서 $\overline{AB}=\sqrt{10}$, $\overline{BC}=3$일 때, 다음 중 옳지 않은 것은?

① $\sin A=\dfrac{3\sqrt{10}}{10}$　② $\tan A=3$

③ $\sin B=\dfrac{\sqrt{10}}{10}$　④ $\cos B=\dfrac{3\sqrt{10}}{10}$

⑤ $\tan B=\dfrac{\sqrt{10}}{3}$

3 오른쪽 그림과 같은 직각삼각형 ABC에서 $\overline{AB}=2\sqrt{7}$, $\sin B=\dfrac{1}{2}$일 때, △ABC의 넓이는?

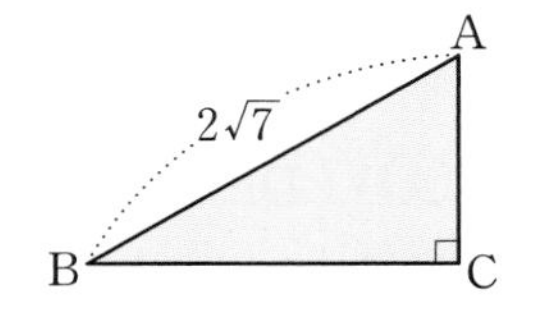

① $\dfrac{\sqrt{7}}{2}$　② $\sqrt{7}$　③ $\dfrac{7\sqrt{3}}{2}$

④ $7\sqrt{3}$　⑤ 21

4 $\sin A=\dfrac{\sqrt{2}}{2}$일 때, $\cos A\div\tan A$의 값을 구하시오. (단, $\angle B=90^\circ$)

5 오른쪽 그림과 같은 직각삼각형 ABC에서 $\overline{AC}\perp\overline{DE}$이고 $\overline{CD}=3$, $\overline{CE}=2$이다. $\angle BAC=x$라 할 때, $\tan x$의 값은?

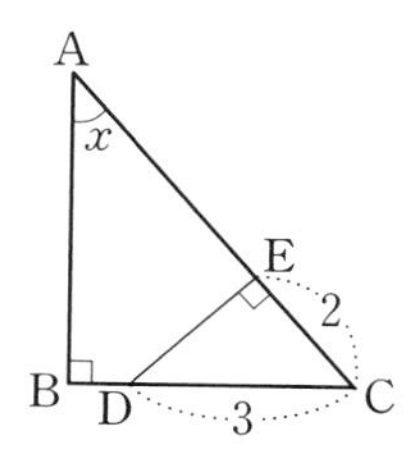

① $\frac{1}{5}$ ② $\frac{\sqrt{5}}{5}$ ③ $\frac{2}{3}$

④ $\frac{2\sqrt{5}}{5}$ ⑤ $\frac{3}{2}$

△ABC에서 y와 크기가 같은 각은 ∠B야.

6 오른쪽 그림과 같이 $\angle A=90^\circ$인 직각삼각형 ABC에서 $\overline{AD}\perp\overline{BC}$이고 $\overline{AB}=4$, $\overline{AC}=3$이다. $\angle BAD=x$, $\angle CAD=y$라 할 때, $\sin x+\cos y$의 값을 구하시오.

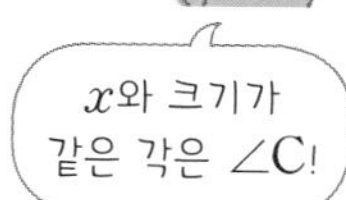

7 오른쪽 그림과 같은 직사각형 ABCD에서 $\overline{AH}\perp\overline{BD}$이고 $\overline{AB}=8$, $\overline{BC}=15$이다. $\angle DAH=x$라 할 때, $\tan x\times\cos x$의 값을 구하시오.

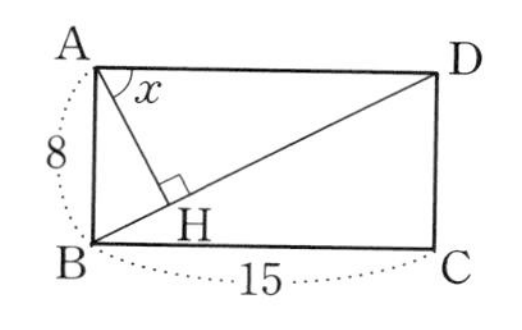

8 오른쪽 그림과 같이 한 모서리의 길이가 2인 정육면체에서 $\angle AGE=x$라 할 때, $\sin x\times\tan x$의 값은?

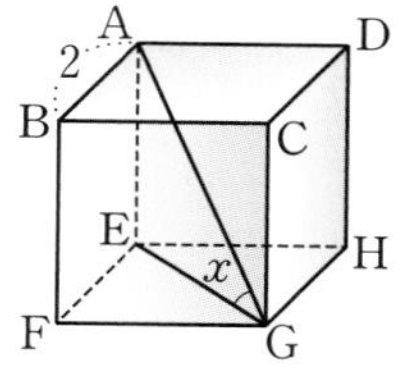
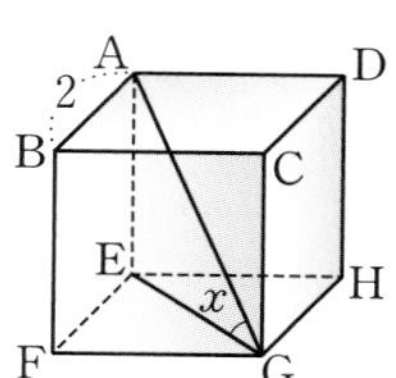

① $\frac{\sqrt{3}}{6}$ ② $\frac{\sqrt{6}}{6}$ ③ 1

④ $\frac{\sqrt{3}}{2}$ ⑤ $\frac{\sqrt{6}}{3}$

2일 삼각비의 값

삼각비 \ A	$0°$	$30°$	$45°$	$60°$	$90°$
$\sin A$	0	$\frac{1}{2}$	$\frac{\sqrt{2}}{2}$	$\frac{\sqrt{3}}{2}$	1
$\cos A$	1	$\frac{\sqrt{3}}{2}$	$\frac{\sqrt{2}}{2}$	$\frac{1}{2}$	0
$\tan A$	0	$\frac{\sqrt{3}}{3}$	1	$\sqrt{3}$	╳

공부할 내용

❶ 0°, 30°, 45°, 60°, 90°의 삼각비의 값
❷ 예각의 삼각비의 값
❸ 삼각비의 표
❹ 직각삼각형의 변의 길이

이것만은 꼭꼭!

1. 특수한 각의 삼각비의 값은 다음 표와 같다.

삼각비 \ A	0°	30°	45°	60°	90°
$\sin A$	0	❶	$\frac{\sqrt{2}}{2}$	$\frac{\sqrt{3}}{2}$	❷
$\cos A$	❸	$\frac{\sqrt{3}}{2}$	❹	$\frac{1}{2}$	0
$\tan A$	0	❺	1	$\sqrt{3}$	

2. 오른쪽 그림과 같이 반지름의 길이가 1인 사분원에서 예각 x에 대하여

(1) $\sin x=$ ❻

(2) $\cos x=\overline{\mathrm{OB}}$

(3) $\tan x=$ ❼

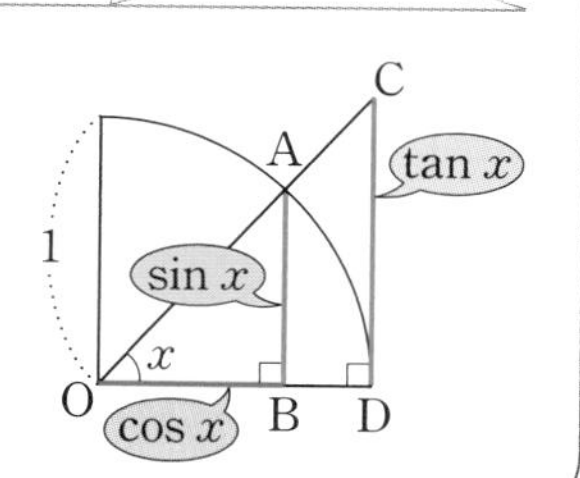

답 ❶ $\frac{1}{2}$ ❷ 1 ❸ 1 ❹ $\frac{\sqrt{2}}{2}$ ❺ $\frac{\sqrt{3}}{3}$ ❻ $\overline{\mathrm{AB}}$ ❼ $\overline{\mathrm{CD}}$

2일 교과서 핵심 정리 1

핵심 1 30°, 45°, 60°의 삼각비의 값

30°, 45°, 60°의 삼각비의 값은 다음과 같다.

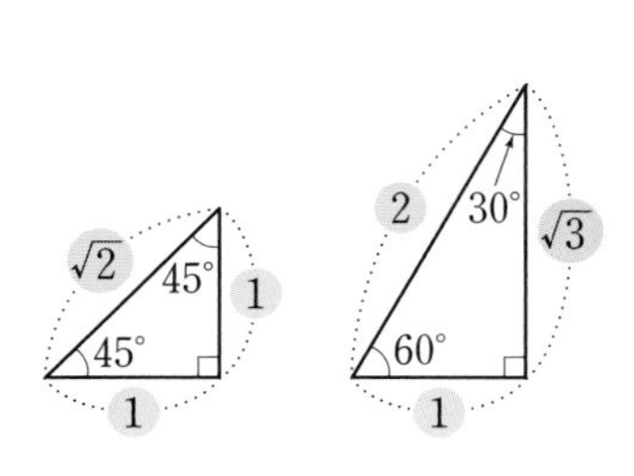

삼각비 \ A	30°	45°	60°	
$\sin A$	$\frac{1}{2}$	$\frac{\sqrt{2}}{2}$	❶ ☐	→ sin의 값은 증가
$\cos A$	$\frac{\sqrt{3}}{2}$	❷ ☐	$\frac{1}{2}$	→ cos의 값은 감소
$\tan A$	$\frac{\sqrt{3}}{3}$	❸ ☐	$\sqrt{3}$	→ tan의 값은 증가

❶ $\frac{\sqrt{3}}{2}$ ❷ $\frac{\sqrt{2}}{2}$ ❸ 1

참고 직각삼각형의 한 예각의 크기가 30° 또는 45° 또는 60°일 때, 한 변의 길이가 주어지면 위의 삼각비의 값을 이용하여 나머지 두 변의 길이를 구할 수 있다.

핵심 2 예각의 삼각비의 값

반지름의 길이가 1인 사분원에서 예각 x에 대하여

(1) $\sin x=\frac{\overline{AB}}{\overline{OA}}=\frac{\overline{AB}}{1}=\overline{AB}$

(2) $\cos x=\frac{❹ \square}{\overline{OA}}=\frac{\overline{OB}}{1}=\overline{OB}$

(3) $\tan x=\frac{\overline{CD}}{❺ \square}=\frac{\overline{CD}}{1}=\overline{CD}$

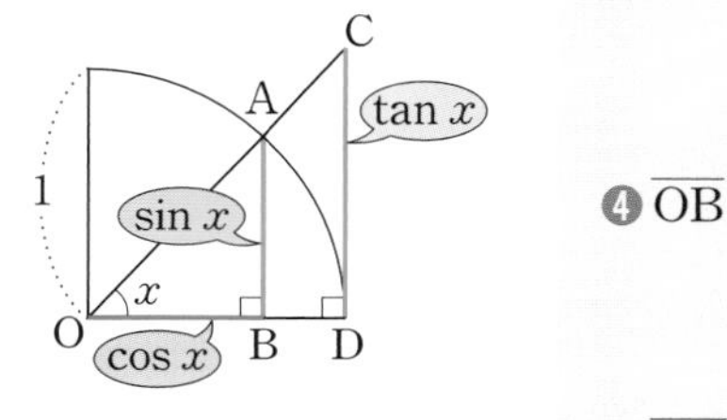

❹ $\overline{OB}$ ❺ $\overline{OD}$

예 오른쪽 그림과 같이 좌표평면 위의 원점 O를 중심으로 하고 반지름의 길이가 1인 사분원에서

$\sin 40^\circ=\frac{\overline{AB}}{\overline{OA}}=\frac{\overline{AB}}{1}=\overline{AB}=0.6428$

$\cos 40^\circ=\frac{\overline{OB}}{\overline{OA}}=\frac{\overline{OB}}{1}=\overline{OB}=$ ❻ ☐

$\tan 40^\circ=\frac{\overline{CD}}{\overline{OD}}=\frac{\overline{CD}}{1}=\overline{CD}=$ ❼ ☐

△AOB에서 ∠OAB=180°−(40°+90°)=50°이므로

$\sin 50^\circ=\frac{\overline{OB}}{\overline{OA}}=\frac{\overline{OB}}{1}=\overline{OB}=0.7660$

$\cos 50^\circ=\frac{\overline{AB}}{\overline{OA}}=\frac{\overline{AB}}{1}=\overline{AB}=$ ❽ ☐

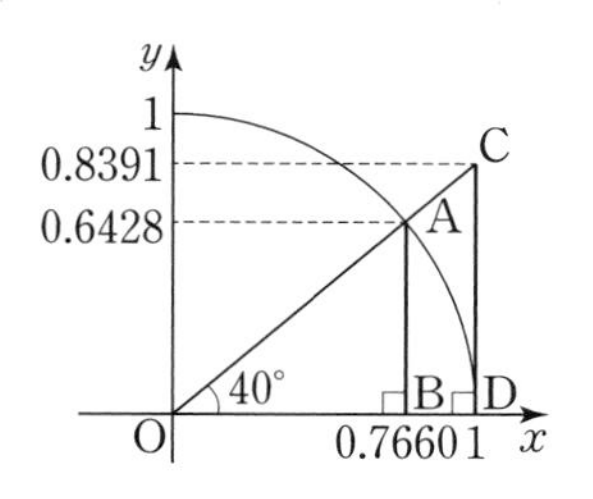

❻ 0.7660 ❼ 0.8391 ❽ 0.6428

시험지 속 개념 문제

정답과 풀이 5쪽

1 다음을 계산하시오.

(1) $\sin 30^\circ + \cos 60^\circ$

(2) $\sin 60^\circ - \tan 30^\circ$

(3) $\tan 45^\circ \times \sin 60^\circ$

(4) $\sin 45^\circ + \cos 45^\circ$

(5) $\sin 30^\circ \times \tan 60^\circ \div \cos 30^\circ$

2 다음 그림과 같은 직각삼각형 ABC에서 삼각비의 값을 이용하여 x, y의 값을 각각 구하시오.

(1)

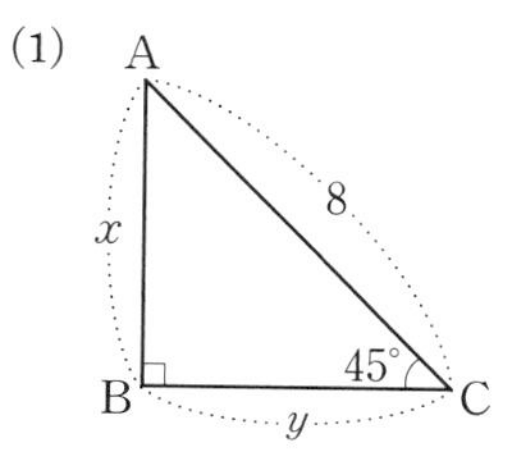

(2)

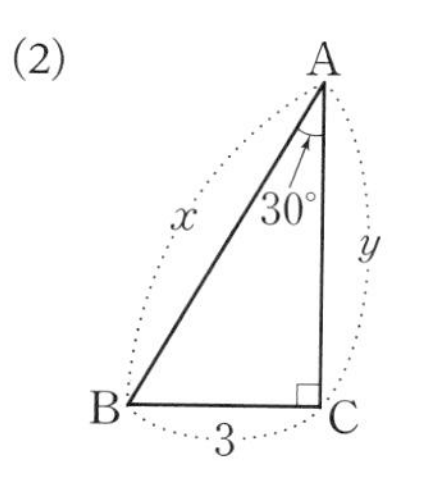

3 오른쪽 그림과 같이 좌표평면 위의 원점 O를 중심으로 하고 반지름의 길이가 1인 사분원에서 다음 삼각비의 값을 구하시오.

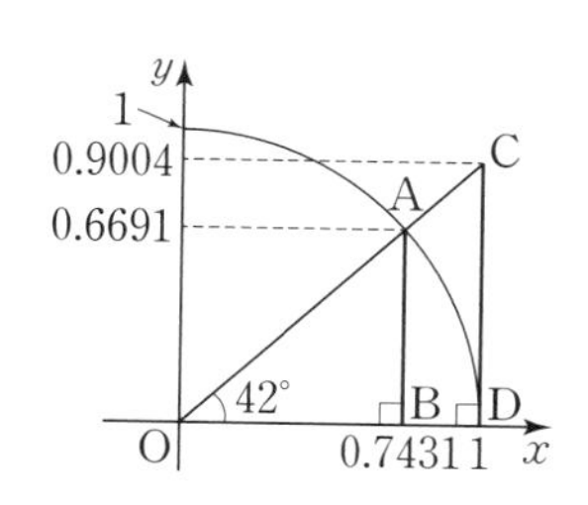

(1) $\sin 42^\circ$

(2) $\cos 42^\circ$

(3) $\tan 42^\circ$

(4) $\sin 48^\circ$

(5) $\cos 48^\circ$

4 오른쪽 그림과 같이 반지름의 길이가 1인 사분원에서 다음 보기 중 옳은 것을 모두 고르시오.

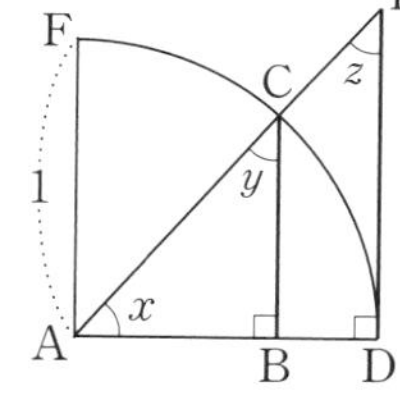

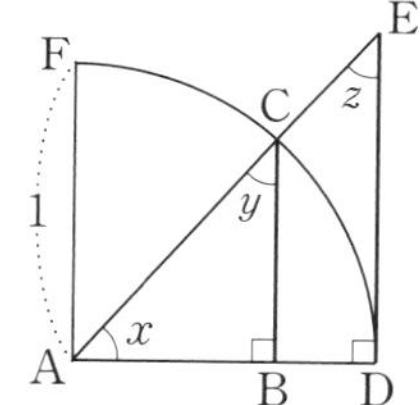

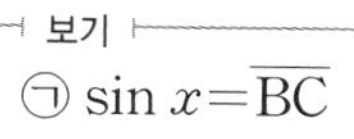

보기

㉠ $\sin x = \overline{BC}$

㉡ $\tan y = \overline{DE}$

㉢ $\cos z = \overline{BC}$

$\angle ABC = \angle ADE = 90^\circ$ 이므로 $\overline{BC} /\!/ \overline{DE}$이구나!

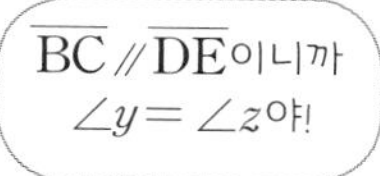

2일 교과서 핵심 정리 ❷

핵심 3 0°, 90°의 삼각비의 값

(1) $\sin 0^\circ=0$, $\cos 0^\circ=1$, $\tan 0^\circ=$ ❶ ☐

(2) $\sin 90^\circ=$ ❷ ☐, $\cos 90^\circ=0$, $\tan 90^\circ$의 값은 정할 수 없다.

참고 $0^\circ \le x \le 90^\circ$인 범위에서 x의 크기가 커지면

① $\sin x$의 값은 0에서 1까지 ❸ ☐

② $\cos x$의 값은 1에서 0까지 ❹ ☐

③ $\tan x$의 값은 0에서 한없이 증가 (단, $x \ne 90^\circ$)

핵심 4 삼각비의 표

삼각비의 표 : 0°에서 90°까지의 각을 1° 간격으로 나누어 삼각비의 값을 반올림하여 소수점 아래 넷째 자리까지 나타낸 표

예 오른쪽 삼각비의 표에서

$\sin 15^\circ=$ ❺ ☐

$\cos 17^\circ=$ ❻ ☐

$\tan 16^\circ=0.2867$

각	사인 (sin)	코사인 (cos)	탄젠트 (tan)
⋮	⋮	⋮	⋮
15°	0.2588	0.9659	0.2679
16°	0.2756	0.9613	0.2867
17°	0.2924	0.9563	0.3057
⋮	⋮	⋮	⋮

핵심 5 직각삼각형의 변의 길이

$\angle B=90^\circ$인 직각삼각형 ABC에서

(1)

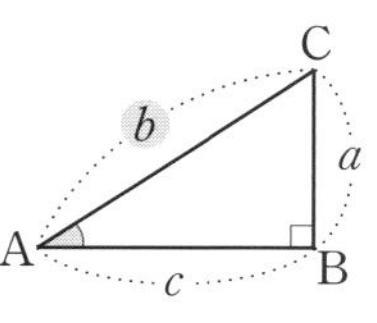

① $a=b\sin A$

② $c=$ ❼ ☐

(2)

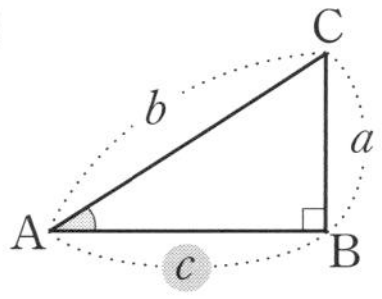

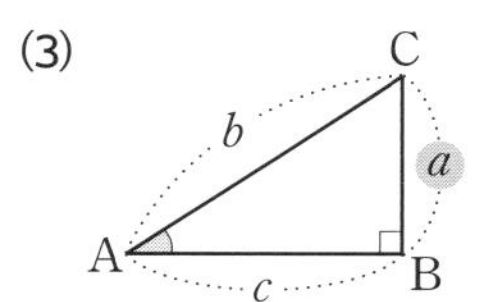

① $a=c\tan A$

② $b=\dfrac{c}{\cos A}$

(3)

① $b=\dfrac{a}{\sin A}$

② $c=\dfrac{a}{❽ ☐}$

예 오른쪽 그림과 같은 직각삼각형 ABC에서 $\overline{AB}$, $\overline{BC}$의 길이를 $\overline{AC}$의 길이와 삼각비를 사용하여 각각 나타내면

$\overline{AB}=10\cos 36^\circ$

$\overline{BC}=10\sin 36^\circ$

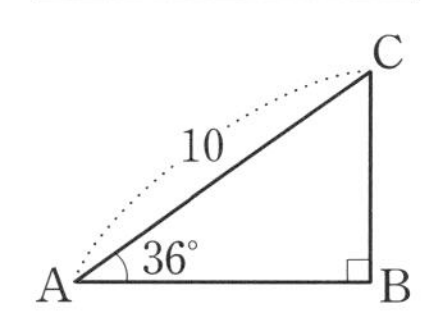

❶ 0
❷ 1
❸ 증가
❹ 감소
❺ 0.2588
❻ 0.9563
❼ $b\cos A$
❽ $\tan A$

시험지 속 개념 문제

정답과 풀이 5쪽

5 다음 삼각비의 값을 작은 것부터 차례대로 나열하시오.

㉠ $\cos 0°$ ㉡ $\sin 0°$ ㉢ $\cos 30°$ ㉣ $\tan 60°$

6 다음을 계산하시오.

(1) $\sin 90° + \sin 60° \times \tan 30°$

(2) $\cos 0° \times \sin 30° + \sin 90° \times \cos 60°$

7 다음 삼각비의 표를 보고 $\sin x = 0.7880$일 때, $\tan x$의 값을 구하시오.

각	사인(sin)	코사인(cos)	탄젠트(tan)
52°	0.7880	0.6157	1.2799
53°	0.7986	0.6018	1.3270
54°	0.8090	0.5878	1.3764

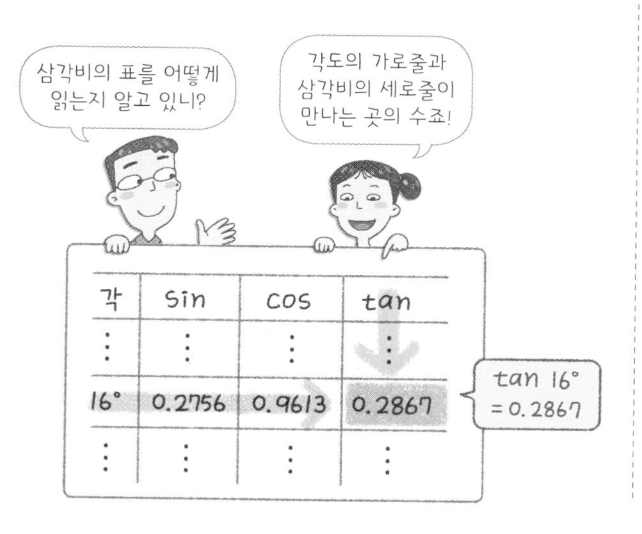

8 $\cos x° = 0.8910$, $\tan y° = 0.5317$일 때, 다음 삼각비의 표를 보고 $x+y$의 값을 구하시오.

각	사인(sin)	코사인(cos)	탄젠트(tan)
26°	0.4384	0.8988	0.4877
27°	0.4540	0.8910	0.5095
28°	0.4695	0.8829	0.5317

9 오른쪽 그림과 같은 직각삼각형 ABC에서 x, y의 값을 각각 구하시오.
(단, $\sin 44° = 0.69$, $\cos 44° = 0.72$로 계산한다.)

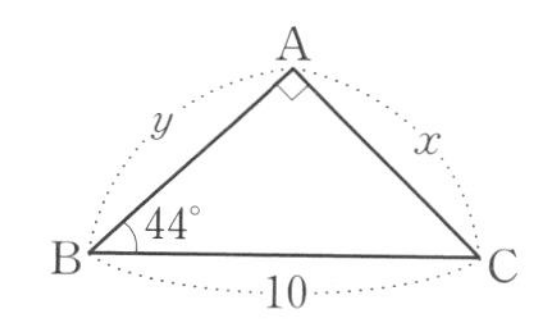

10 오른쪽 그림과 같은 직각삼각형 ABC에서 다음 중 옳은 것은?

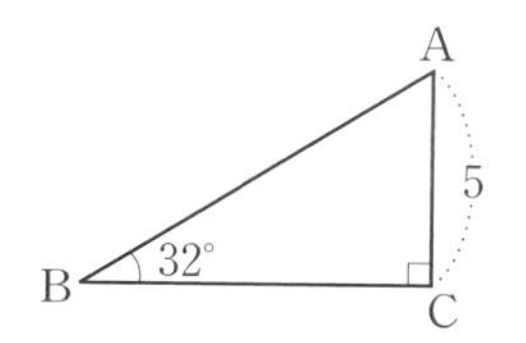

① $\overline{AB} = 5\sin 32°$ ② $\overline{AB} = \dfrac{5}{\cos 32°}$

③ $\overline{AB} = \dfrac{5}{\sin 58°}$ ④ $\overline{BC} = 5\tan 58°$

⑤ $\overline{BC} = 5\tan 32°$

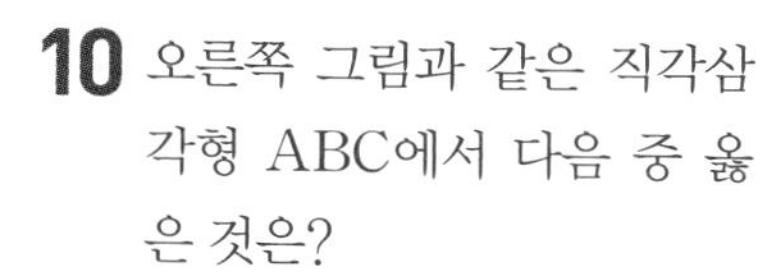

대표 예제 1

$\cos 45^\circ \times \sin 45^\circ + \tan 45^\circ$를 계산하시오.

개념 가이드

삼각비 \ A	30°	45°	60°
$\sin A$	$\frac{1}{2}$	①	$\frac{\sqrt{3}}{2}$
$\cos A$	②	$\frac{\sqrt{2}}{2}$	$\frac{1}{2}$
$\tan A$	$\frac{\sqrt{3}}{3}$	1	③

답 ① $\frac{\sqrt{2}}{2}$ ② $\frac{\sqrt{3}}{2}$ ③ $\sqrt{3}$

대표 예제 3

오른쪽 그림에서 $\angle ABC = \angle BCD = 90^\circ$, $\angle BAC = 60^\circ$, $\angle BDC = 45^\circ$이고 $\overline{AB} = \sqrt{3}$일 때, $\overline{BD}$의 길이를 구하시오.

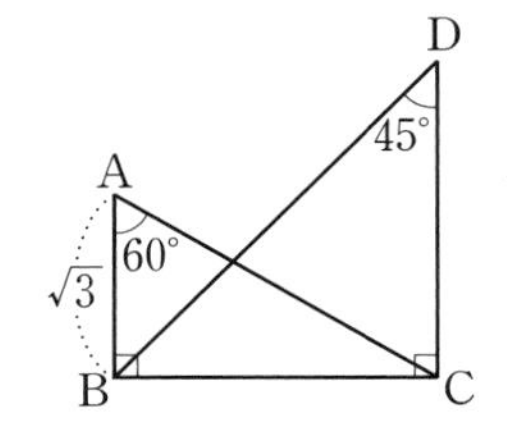

개념 가이드

$\triangle ABC$에서 tan ① 의 값을 이용하여 $\overline{BC}$의 길이를 구한 후 $\triangle BCD$에서 sin ② 의 값을 이용하여 $\overline{BD}$의 길이를 구한다.

답 ① 60° ② 45°

대표 예제 2

$\sin(2x - 15^\circ) = \frac{\sqrt{2}}{2}$를 만족하는 x의 크기를 구하시오. (단, $10^\circ < x < 50^\circ$)

개념 가이드

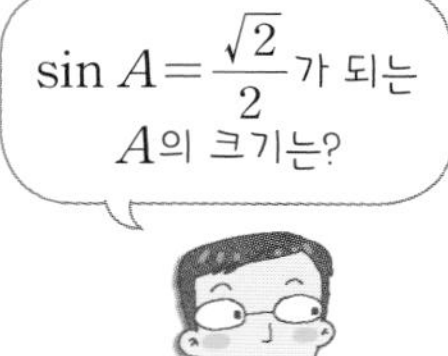

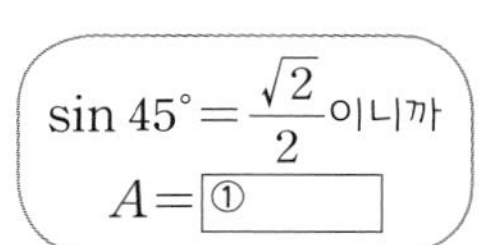

답 ① 45°

대표 예제 4

오른쪽 그림과 같이 반지름의 길이가 1인 사분원에서 다음 중 옳지 않은 것을 모두 고르면?

(정답 2개)

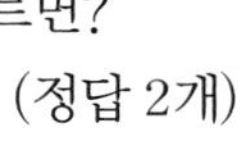

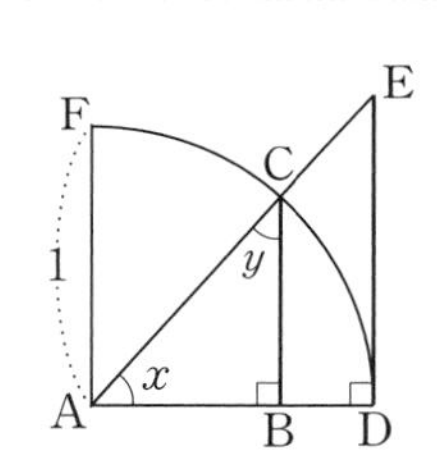

① $\sin x = \overline{BC}$
② $\tan x = \overline{DE}$
③ $\sin y = \overline{AC}$
④ $\cos y = \overline{BC}$
⑤ $\tan y = \overline{AB}$

개념 가이드

반지름의 길이가 1인 사분원에서 삼각비의 값을 구할 때에는 분모가 되는 변의 길이가 ① 인 직각삼각형을 찾는다.

답 ① 1

대표 예제 5

$\sin 45^\circ \times \cos 90^\circ + \cos 30^\circ \times \tan 60^\circ + \tan 0^\circ$를 계산하면?

① $\frac{\sqrt{2}}{2}$　② $\frac{\sqrt{3}}{2}$　③ 1　④ $\frac{\sqrt{6}}{2}$　⑤ $\frac{3}{2}$

개념 가이드

- $\sin 0^\circ = 0$, $\sin 90^\circ =$ ①
- $\cos 0^\circ = 1$, $\cos 90^\circ =$ ②
- $\tan 0^\circ =$ ③, $\tan 90^\circ$의 값은 정할 수 없다.

답 ① 1 ② 0 ③ 0

대표 예제 6

다음 삼각비의 표를 이용하여 $\tan 40^\circ + \cos 39^\circ - \sin 41^\circ$의 값을 구하시오.

각	사인(sin)	코사인(cos)	탄젠트(tan)
39°	0.6293	0.7771	0.8098
40°	0.6428	0.7660	0.8391
41°	0.6561	0.7547	0.8693

개념 가이드

삼각비의 표에서 각도의 ① 과 삼각비의 ② 이 만나는 곳의 수를 읽는다.

답 ① 가로줄 ② 세로줄

대표 예제 7

오른쪽 그림과 같은 직각삼각형 ABC에서 다음 중 x의 값을 나타내는 것을 모두 고르면? (정답 2개)

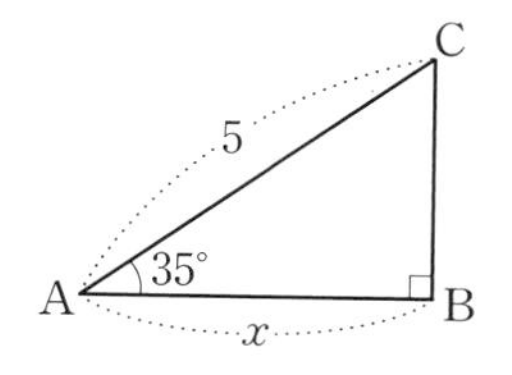

① $5\sin 35^\circ$　② $5\cos 35^\circ$　③ $5\sin 55^\circ$　④ $5\cos 55^\circ$　⑤ $\frac{5}{\tan 55^\circ}$

개념 가이드

직각삼각형에서 한 예각의 크기와 한 변의 길이를 알면 ① 를 이용하여 나머지 두 변의 길이를 구할 수 있다.

답 ① 삼각비

대표 예제 8

오른쪽 그림에서 연을 날리고 있는 하준이의 손의 높이가 1.5 m, 하준이의 손에서 연까지의 거리는 60 m이다. 하준이의 손의 위치에서 연을 올려본각의 크기가 29°일 때, 지면으로부터 연까지의 높이 $\overline{AD}$의 길이를 구하시오.
(단, $\sin 29^\circ = 0.48$, $\cos 29^\circ = 0.87$, $\tan 29^\circ = 0.55$로 계산한다.)

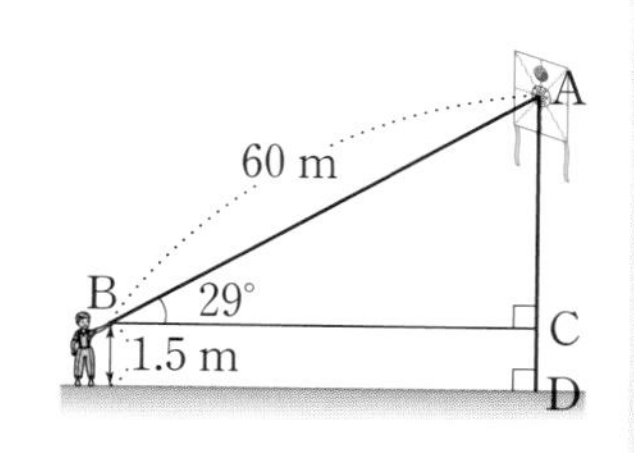

개념 가이드

주어진 그림에서 길이를 구하려는 변을 포함한 ① 을 찾아 삼각비를 이용한다.

답 ① 직각삼각형

1 $(\tan 30° - \cos 30°) \div \tan 60°$를 계산하면?

① $-\frac{\sqrt{3}}{6}$ ② $-\frac{\sqrt{2}}{6}$ ③ $-\frac{1}{6}$

④ $\frac{1}{6}$ ⑤ $\frac{\sqrt{2}}{6}$

2 $\tan(x+15°)=\sqrt{3}$일 때, $\sin x + \cos x$의 값을 구하시오. (단, $0° < x < 75°$)

3 다음 그림과 같은 △ABC에서 $\overline{AD} \perp \overline{BC}$이고 $\angle B = 45°$, $\angle C = 30°$, $\overline{AB} = 4\sqrt{2}$이다. 이때 $\overline{AC}$의 길이를 구하시오.

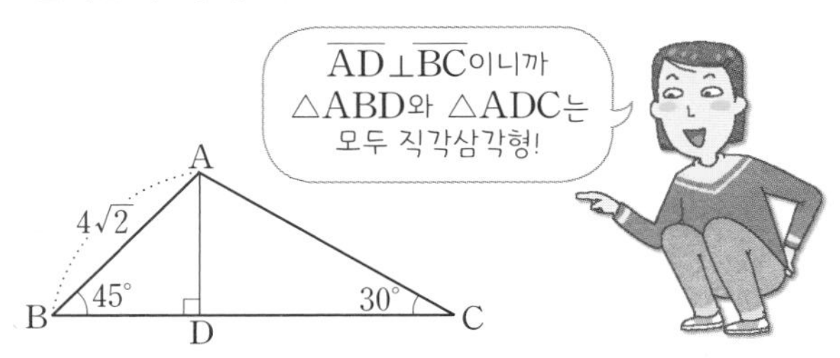

4 오른쪽 그림과 같이 좌표평면 위의 원점 O를 중심으로 하고 반지름의 길이가 1인 사분원에서 $\sin 50° + \cos 50° - \tan 50°$의 값을 구하시오.

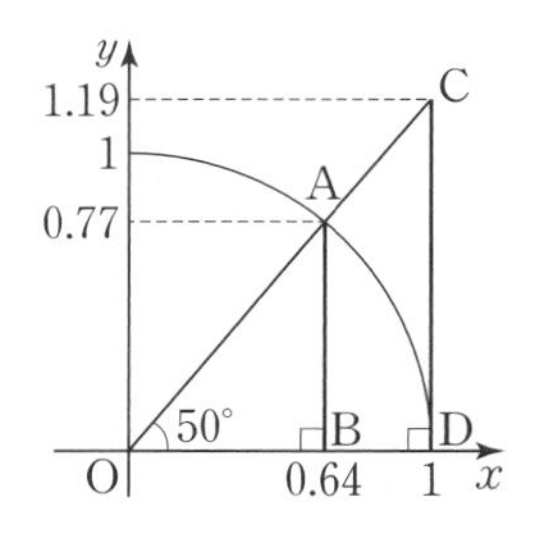

5 다음 중 옳은 것은?

① $\tan 0° = \sin 90°$

② $\sin 0° + \cos 0° = 1$

③ $\sin 0° \times \tan 45° = 1$

④ $\tan 30° \times \cos 60° = \frac{3}{2}$

⑤ $\cos 0° \times \sin 30° = 0$

6 $\sin x = 0.5878$, $\cos y = 0.8387$일 때, 다음 삼각비의 표를 이용하여 $\tan x + \sin y$의 값을 구하시오.

각	사인(sin)	코사인(cos)	탄젠트(tan)
33°	0.5446	0.8387	0.6494
34°	0.5592	0.8290	0.6745
35°	0.5736	0.8192	0.7002
36°	0.5878	0.8090	0.7265

7 오른쪽 그림과 같은 직각삼각형 ABC에서 $\angle A = 67°$, $\overline{AB} = 10$일 때, 다음 삼각비의 표를 이용하여 $x - y$의 값을 구하시오.

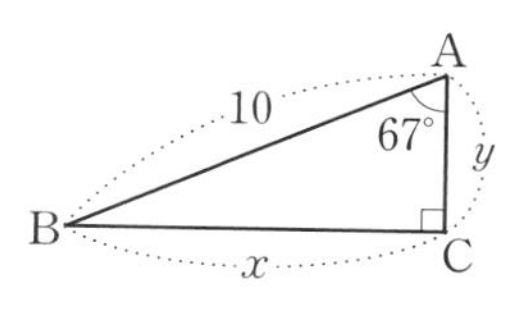

각	사인(sin)	코사인(cos)	탄젠트(tan)
22°	0.3746	0.9272	0.4040
23°	0.3907	0.9205	0.4245
24°	0.4067	0.9135	0.4452

8 다음 그림과 같이 60 m만큼 떨어진 병원과 아파트가 있다. 병원 옥상에서 아파트를 올려본각의 크기는 30°이고, 내려본각의 크기는 45°일 때, 아파트의 높이 $\overline{CD}$의 길이를 구하시오.

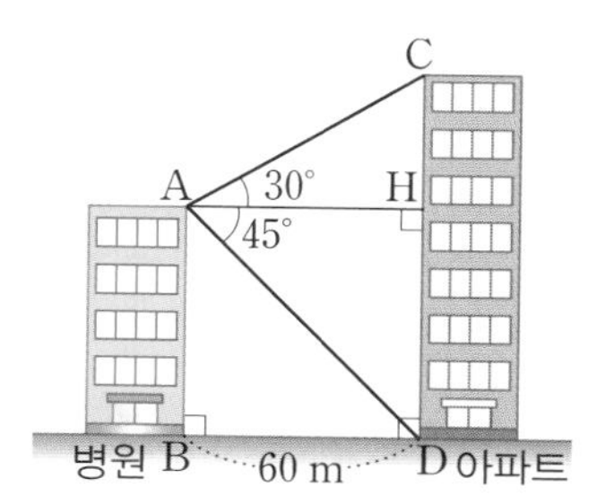

3일 삼각비의 활용

△ABC에서 두 변의 길이 a, c와 그 끼인각 ∠B의 크기를 알 때, 변의 길이를 구해볼까?
삼각비를 이용해서 $\overline{AH}$, $\overline{BH}$의 길이를 구해.
$\overline{CH}$의 길이를 구하고 피타고라스 정리를 이용하여 $\overline{AC}$의 길이를 구하면 돼.
c sin B
c cos B
a−c cos B
△ABC에서 한 변의 길이 a와 그 양 끝 각 ∠B, ∠C의 크기를 알 때, 변의 길이는요?
삼각비를 이용하여 $\overline{CH}$의 길이를 구해.
∠A의 크기를 구하고 삼각비를 이용하여 $\overline{AC}$의 길이를 구하면 돼.
180° − (∠B + ∠C)
a sin B
삼각형의 한 변의 길이와 그 양 끝 각의 크기를 알 때, 삼각형의 높이는?
$\overline{BH}$의 길이와 $\overline{CH}$의 길이를 tan의 값을 이용해서 나타내.

공부할 내용

❶ 일반 삼각형의 변의 길이
❷ 삼각형의 높이
❸ 삼각형의 넓이
❹ 사각형의 넓이

이것만은 꼭꼭!

1. 삼각형의 넓이

(1) ∠B가 예각인 경우

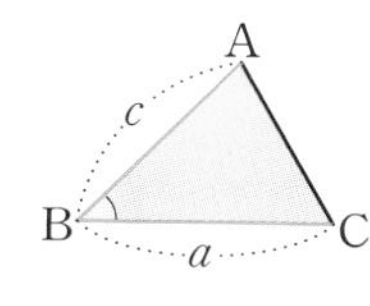

$S=$ ❶ $ac\sin B$

(2) ∠B가 둔각인 경우

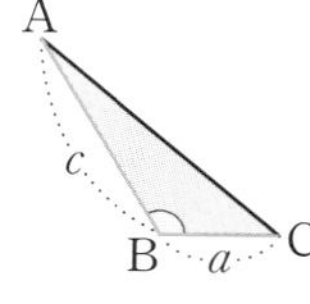

$S=\frac{1}{2}ac\sin($ ❷ $)$

2. 평행사변형의 넓이

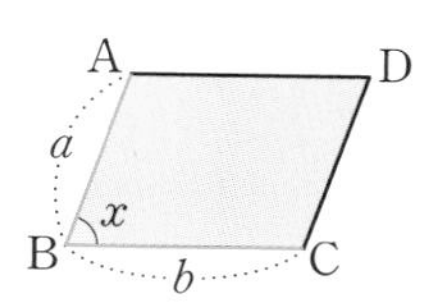

$S=$ ❸ $\sin x$

3. 사각형의 넓이

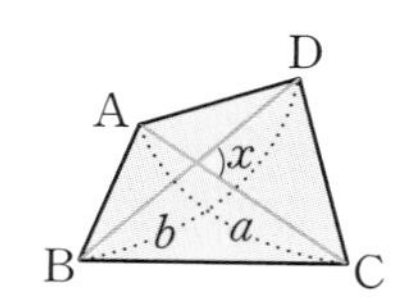

$S=\frac{1}{2}ab$ ❹

(단, 둔각일 때는 x 대신 $180°-x$)

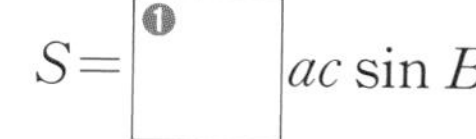

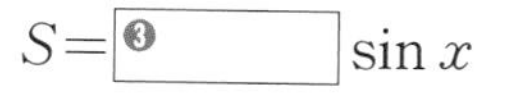

답 ❶ $\frac{1}{2}$ ❷ $180°-B$ ❸ ab ❹ $\sin x$

3일 교과서 핵심 정리 ①

핵심 1 일반 삼각형의 변의 길이

(1) △ABC에서 두 변의 길이 a, c와 그 끼인각 ∠B의 크기를 알 때

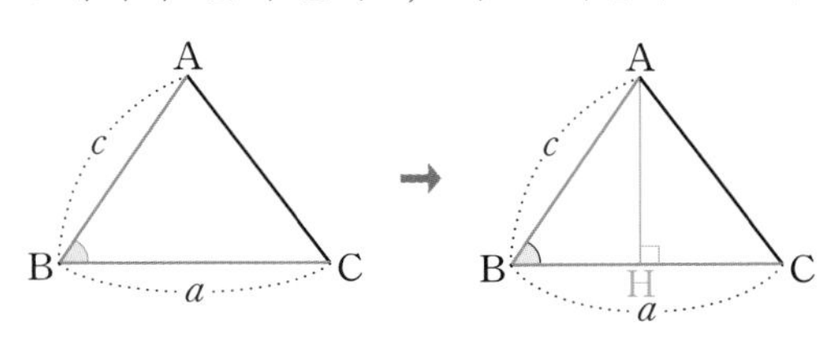

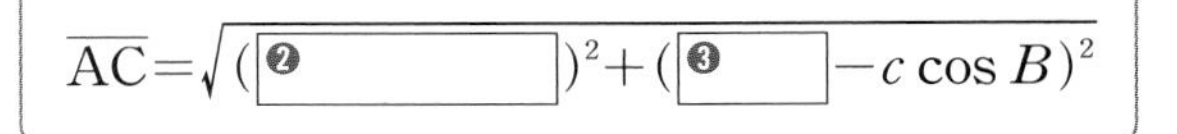

$\overline{AC}=\sqrt{(\text{❷}\ \square)^2+(\text{❸}\ \square - c\cos B)^2}$

(2) △ABC에서 한 변의 길이 a와 그 양 끝 각 ∠B, ∠C의 크기를 알 때

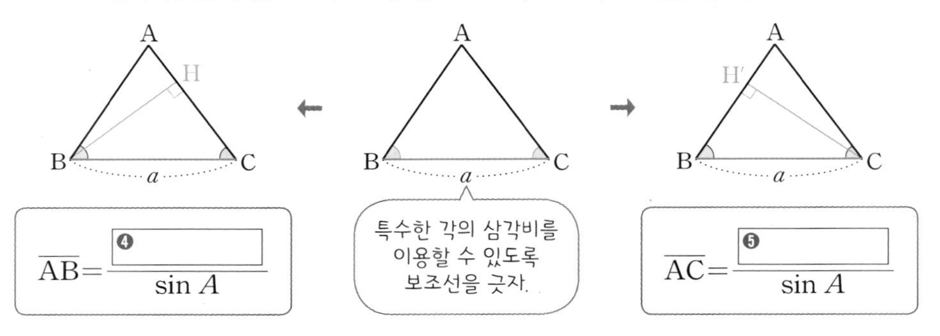

$\overline{AB}=\dfrac{\text{❹}\ \square}{\sin A}$

$\overline{AC}=\dfrac{\text{❺}\ \square}{\sin A}$

핵심 2 삼각형의 높이

△ABC에서 한 변의 길이 a와 그 양 끝 각 ∠B, ∠C의 크기를 알 때, 높이 h는

(1) 주어진 각이 모두 예각일 때

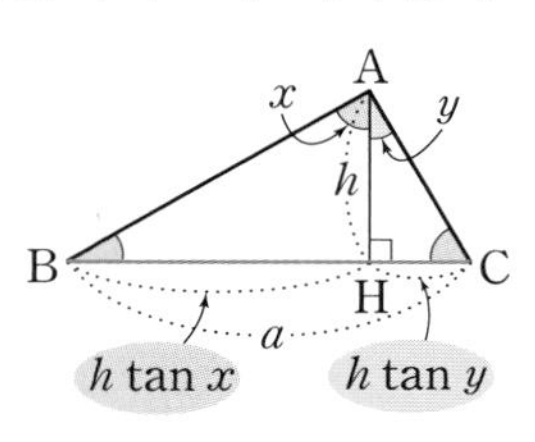

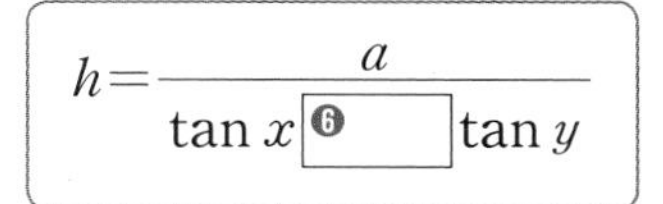

$h=\dfrac{a}{\tan x\ \text{❻}\ \square\ \tan y}$

(2) 주어진 각 중 한 각이 둔각일 때

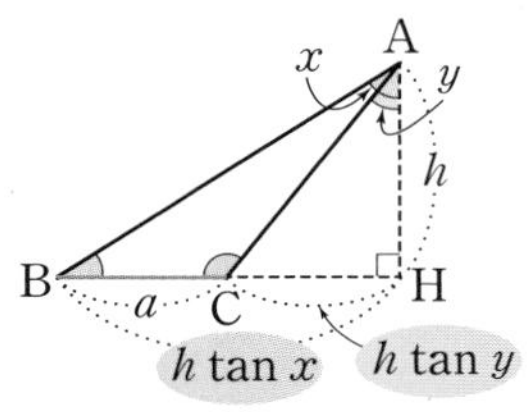

$h=\dfrac{\text{❼}\ \square}{\tan x\ \text{❽}\ \square\ \tan y}$

❶ AH

❷ $c\sin B$
❸ a

❹ $a\sin C$
❺ $a\sin B$

❻ $+$
❼ a
❽ $-$

시험지 속 개념 문제

정답과 풀이 8쪽

1 아래 그림과 같이 $\overline{AB}=4\sqrt{2}$, $\overline{BC}=10$, $\angle B=45°$인 $\triangle ABC$에서 $\overline{AC}$의 길이를 구하기 위하여 꼭짓점 A에서 $\overline{BC}$에 수선을 그었다. 다음 보기 중 옳은 것을 모두 고르시오.

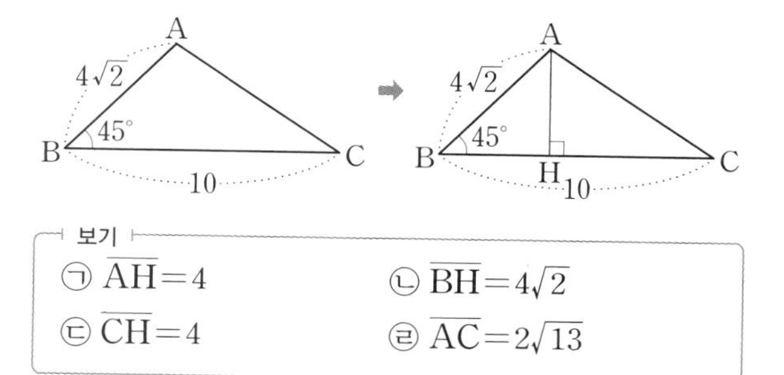

보기

ㄱ $\overline{AH}=4$　　ㄴ $\overline{BH}=4\sqrt{2}$

ㄷ $\overline{CH}=4$　　ㄹ $\overline{AC}=2\sqrt{13}$

2 아래 그림과 같이 $\overline{BC}=8$, $\angle B=75°$, $\angle C=45°$인 $\triangle ABC$에서 $\overline{AB}$의 길이를 구하기 위하여 꼭짓점 B에서 $\overline{AC}$에 수선을 그었다. 다음을 구하시오.

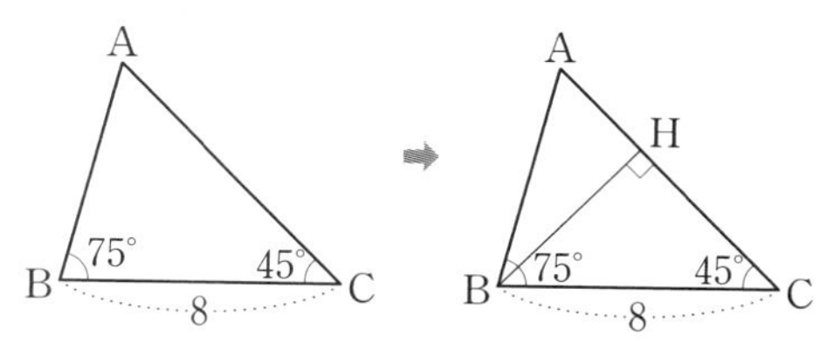

(1) $\overline{BH}$의 길이

(2) $\angle A$의 크기

(3) $\overline{AB}$의 길이

3 오른쪽 그림과 같이 $\overline{BC}=4$, $\angle B=30°$, $\angle C=45°$인 $\triangle ABC$의 높이 h의 값을 구하려고 한다. 다음 물음에 답하시오.

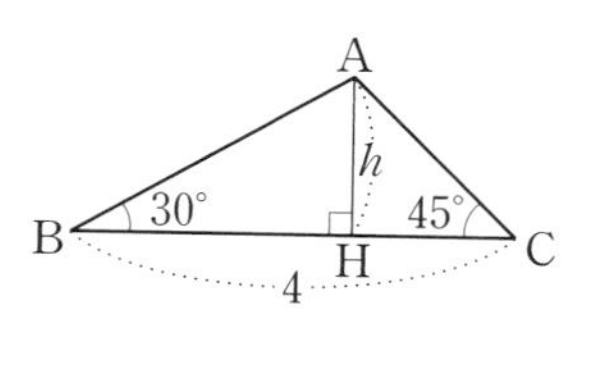

(1) $\overline{BH}$의 길이를 h를 사용하여 나타내시오.

(2) $\overline{CH}$의 길이를 h를 사용하여 나타내시오.

(3) $\overline{BC}=4$임을 이용하여 높이 h의 값을 구하시오.

4 오른쪽 그림과 같이 $\overline{BC}=2$, $\angle B=45°$, $\angle C=120°$인 $\triangle ABC$의 높이 h의 값을 구하려고 한다. 다음 물음에 답하시오.

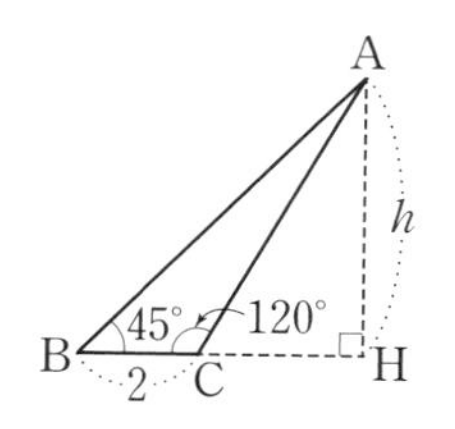

(1) $\overline{BH}$의 길이를 h를 사용하여 나타내시오.

(2) $\overline{CH}$의 길이를 h를 사용하여 나타내시오.

(3) $\overline{BC}=2$임을 이용하여 높이 h의 값을 구하시오.

교과서 **핵심 정리 ❷**

핵심 3 삼각형의 넓이

$\triangle$ABC에서 두 변의 길이 a, c와 그 끼인각 $\angle$B의 크기를 알 때, 삼각형의 넓이 S는

(1) $\angle$B가 예각인 경우

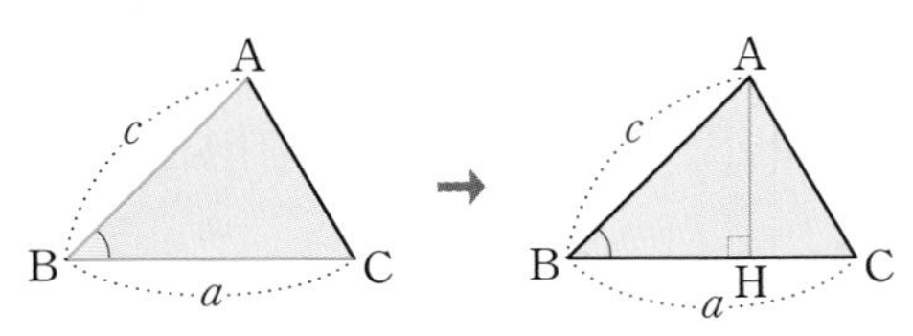

$S=\frac{1}{2}\times\overline{BC}\times\overline{AH}$

$=\frac{1}{2}ac$ ❶ [　　　]

(2) $\angle$B가 둔각인 경우

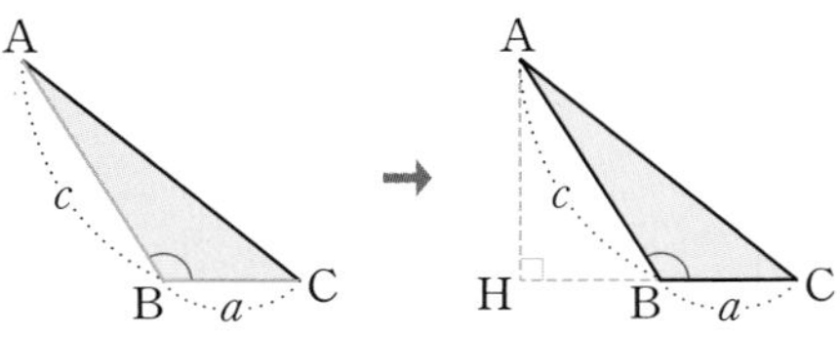

$S=\frac{1}{2}\times\overline{BC}\times\overline{AH}$

$=\frac{1}{2}ac$ ❷ [　　　]

참고 $\angle$B$=90^\circ$이면 $S=\frac{1}{2}ac\underbrace{\sin 90^\circ}_{\sin 90^\circ=1}=$ ❸ [　　　]

핵심 4 사각형의 넓이

(1) 평행사변형의 넓이

평행사변형 ABCD의 이웃하는 두 변의 길이가 a, b이고 그 끼인각 x가 예각일 때, 평행사변형의 넓이 S는

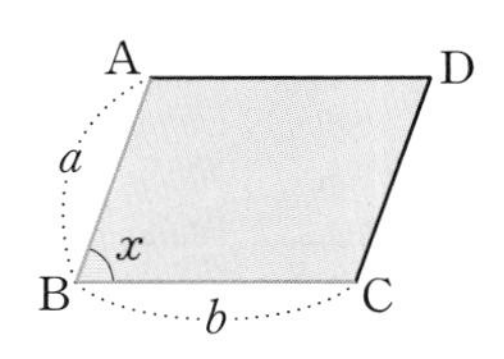

참고 x가 둔각이면 $S=ab\sin$ (❺ [　　　])

(2) 사각형의 넓이

□ABCD의 두 대각선의 길이가 a, b이고 두 대각선이 이루는 각 x가 예각일 때, 사각형의 넓이 S는

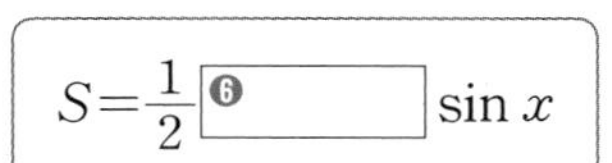

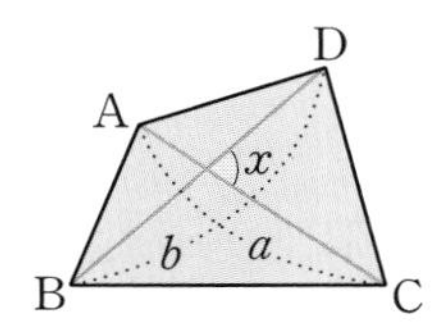

❶ $\sin B$

❷ $\sin(180^\circ-B)$

❸ $\frac{1}{2}ac$

❹ $\sin x$

❺ $180^\circ-x$

❻ ab

❼ $\frac{1}{2}$

❽ $180^\circ-x$

시험지 속 개념 문제

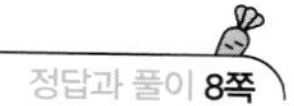

정답과 풀이 8쪽

5 다음 그림과 같은 △ABC의 넓이를 구하시오.

(1)

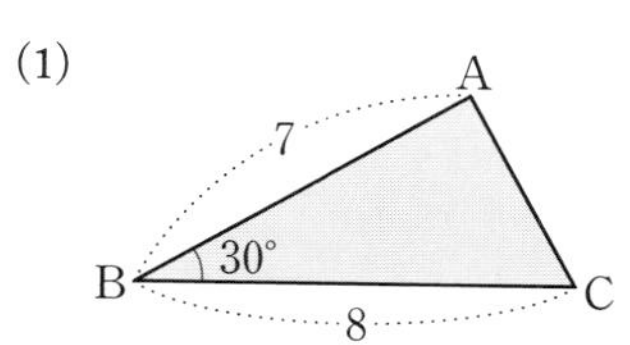

(2)

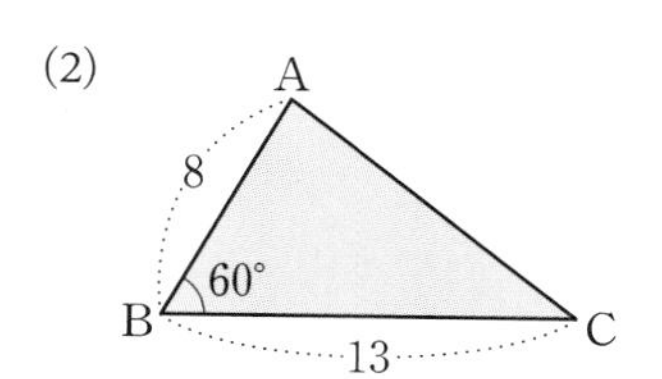

(3)

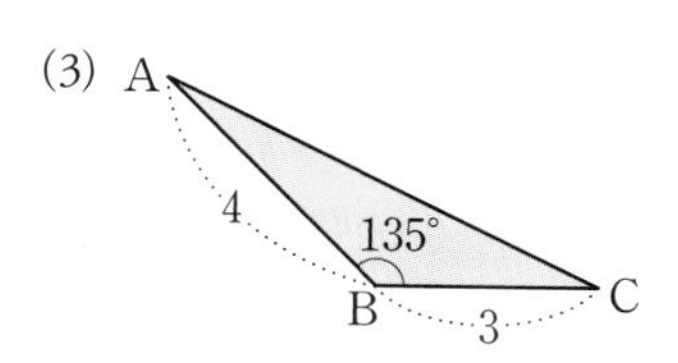

(4)

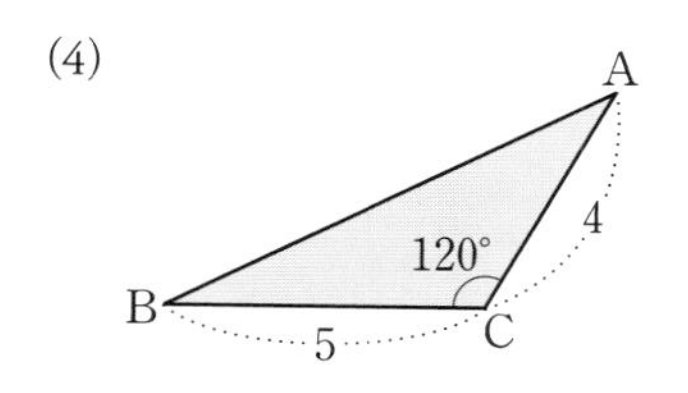

6 다음 그림과 같은 평행사변형 ABCD의 넓이를 구하시오.

(1)

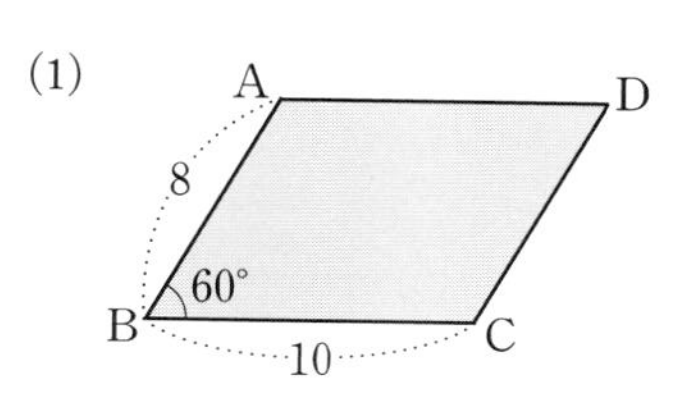

(2)

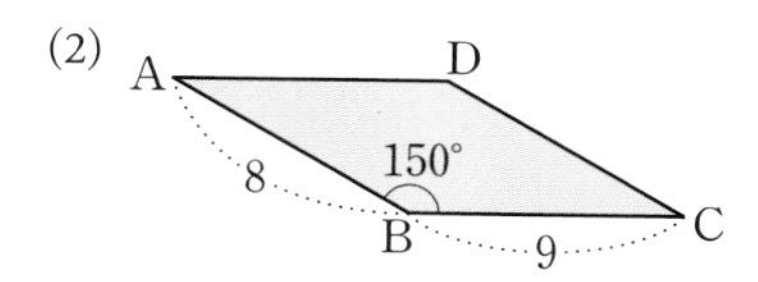

7 다음 그림과 같은 □ABCD의 넓이를 구하시오.

(1)

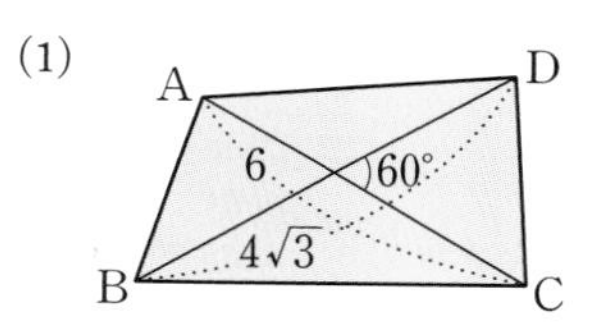

(2)

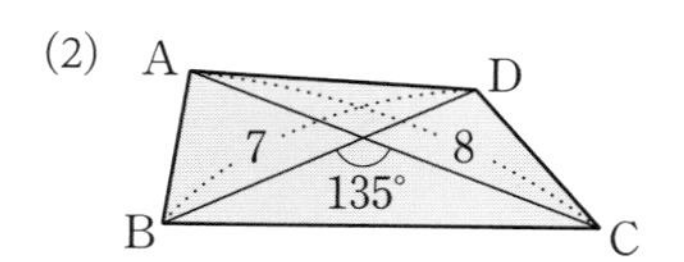

교과서 기출 베스트 1회

대표 예제 1

오른쪽 그림과 같이 $\overline{AC}=6$, $\overline{BC}=4\sqrt{3}$, $\angle C=30^\circ$인 $\triangle ABC$에서 $\overline{AB}$의 길이를 구하시오.

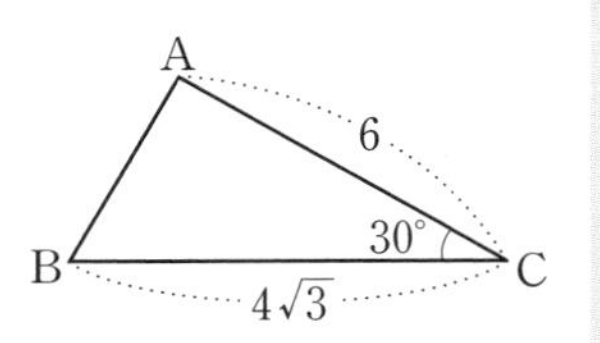

개념 가이드

(i) 꼭짓점 A에서 ① ☐에 수선을 긋고 삼각비를 이용하여 필요한 변의 길이를 구한다.

(ii) 피타고라스 정리를 이용하여 $\overline{AB}$의 길이를 구한다.

답 ① $\overline{BC}$

대표 예제 2

오른쪽 그림은 강의 양쪽에 위치한 두 지점 A, C 사이의 거리를 구하기 위해 측량한 것이다. $\overline{BC}=30$ m, $\angle B=45^\circ$, $\angle C=75^\circ$일 때, 두 지점 A, C 사이의 거리를 구하시오.

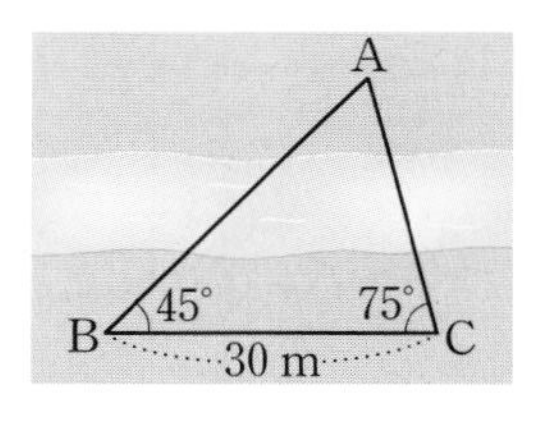

개념 가이드

(i) 꼭짓점 C에서 ① ☐에 수선을 긋고 삼각비를 이용하여 필요한 변의 길이를 구한다.

(ii) 삼각비를 이용하여 $\overline{AC}$의 길이를 구한다.

답 ① $\overline{AB}$

대표 예제 3

오른쪽 그림과 같이 20 m 떨어져 있는 두 지점 B, C에서 새가 있는 A 지점을 올려본 각의 크기가 각각 45°, 60°이다. 이때 새의 높이를 구하시오.

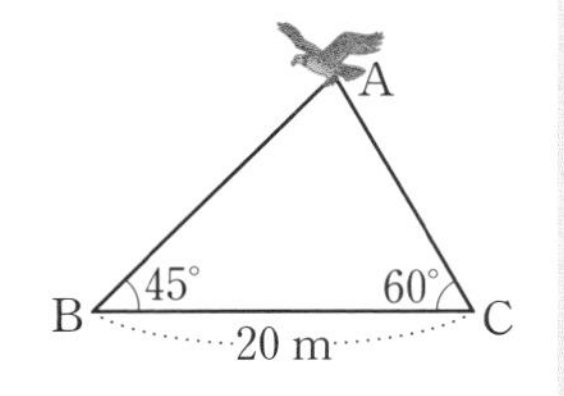

개념 가이드

꼭지점 A에서 $\overline{BC}$에 수선의 발 H를 내린 후 $\overline{BH}$의 길이와 $\overline{CH}$의 길이를 ① ☐의 값을 이용하여 나타낸다.

답 ① tan

대표 예제 4

오른쪽 그림과 같이 100 m 떨어진 두 지점 B, C에서 산꼭대기 A 지점을 올려본 각의 크기가 각각 40°, 45°일 때, 다음 중 h의 값을 구하는 식은?

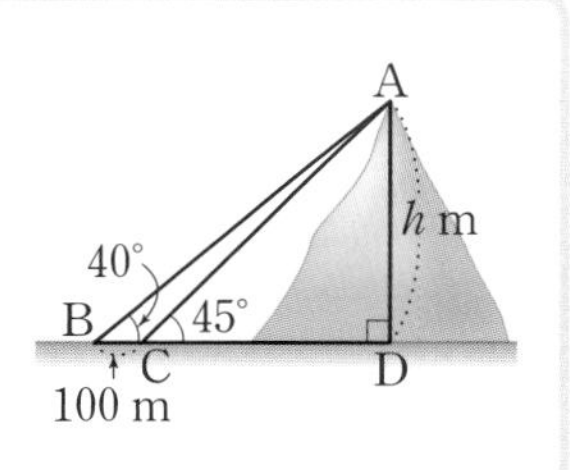

① $\dfrac{100}{1-\tan 40^\circ}$

② $\dfrac{100}{1+\tan 40^\circ}$

③ $\dfrac{100}{\tan 50^\circ-1}$

④ $\dfrac{100}{1+\tan 50^\circ}$

⑤ $100(1-\tan 40^\circ)$

개념 가이드

$\overline{BD}$의 길이와 $\overline{CD}$의 길이를 ① ☐의 값을 이용하여 나타낸다.

답 ① tan

대표 예제 5

오른쪽 그림과 같이 $\overline{AB}=12$ cm, $\angle B=135°$인 $\triangle ABC$의 넓이가 $27\sqrt{2}$ cm^{2}일 때, $\overline{BC}$의 길이를 구하시오.

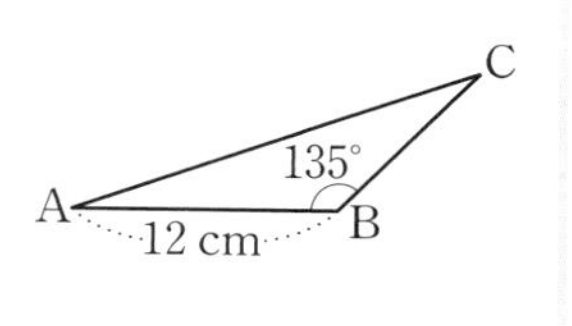

개념 가이드

$\angle B$가 둔각일 때,

$\triangle ABC=\frac{1}{2}ac\sin$ (① ______)

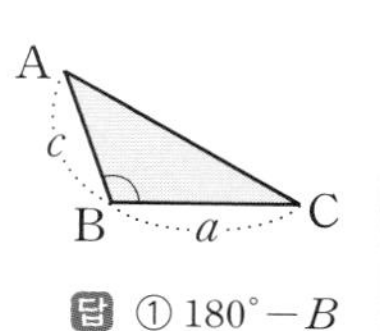

답 ① $180°-B$

대표 예제 7

오른쪽 그림과 같은 □ABCD의 넓이를 구하시오.

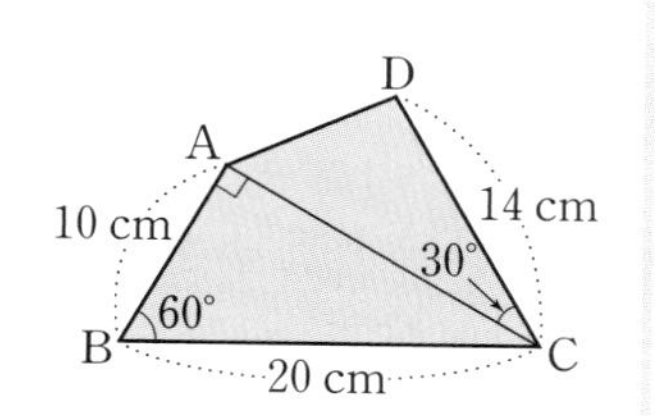

개념 가이드

$\triangle ABC$에서 삼각비를 이용하여 ① ______ 의 길이를 구한 후 $\triangle ABC$, $\triangle ACD$의 넓이를 각각 구한다.

답 ① $\overline{AC}$

대표 예제 6

오른쪽 그림과 같은 □ABCD의 넓이를 구하시오.

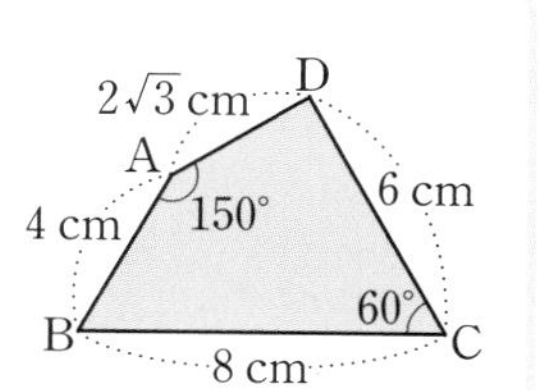

개념 가이드

① ______ 를 그으면
□ABCD
$=\triangle ABD$
$+\triangle BCD$

답 ① $\overline{BD}$

대표 예제 8

오른쪽 그림과 같이 한 변의 길이가 6 cm인 마름모 ABCD의 넓이를 구하시오.

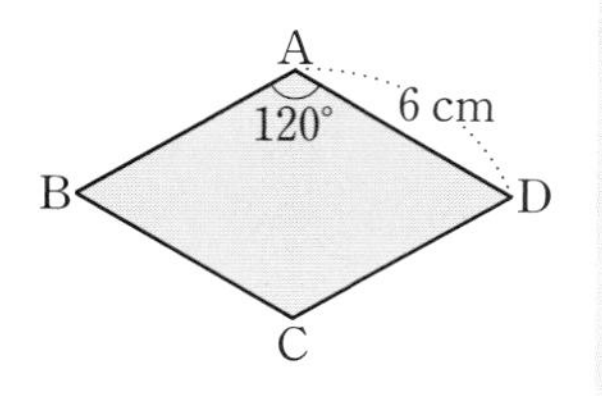

개념 가이드

마름모는 네 변의 길이가 같은 ① ______ 임을 이용한다.

답 ① 평행사변형

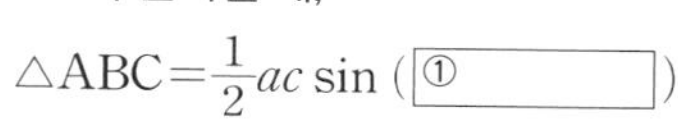

3일 교과서 기출 베스트 2회

1 오른쪽 그림은 호수의 양 끝인 두 지점 A, B 사이의 거리를 구하기 위해 측량한 것이다. $\overline{AC}=100$ m, $\overline{BC}=80$ m, $\angle C=60^\circ$일 때, 두 지점 A, B 사이의 거리는?

① $10\sqrt{3}$ m ② $10\sqrt{21}$ m ③ 20 m
④ $20\sqrt{3}$ m ⑤ $20\sqrt{21}$ m

2 오른쪽 그림과 같이 $\overline{AB}=12$, $\angle A=75^\circ$, $\angle B=60^\circ$인 $\triangle ABC$에서 $\overline{AC}$의 길이를 구하시오.

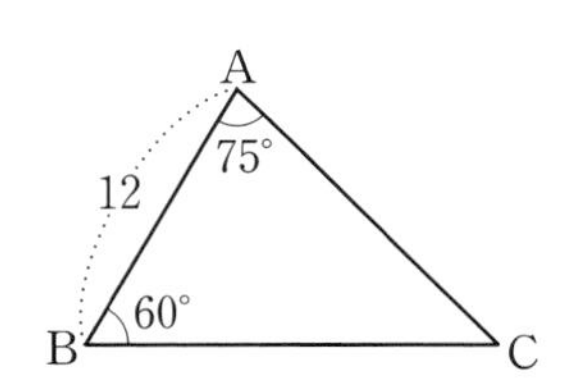

3 오른쪽 그림과 같은 $\triangle ABC$에서 $\overline{BC}=8$, $\angle B=45^\circ$, $\angle C=30^\circ$일 때, $\overline{AH}$의 길이는?

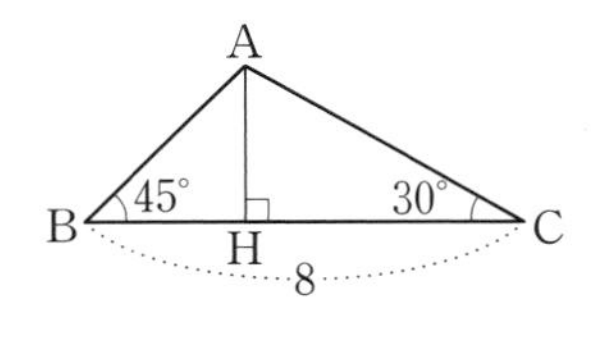

① $2(\sqrt{3}-1)$ ② $2(\sqrt{3}+1)$ ③ $4(\sqrt{3}-1)$
④ $4(\sqrt{3}+1)$ ⑤ $8(\sqrt{3}-1)$

4 다음 그림과 같이 10 m 떨어진 두 지점 A, B에서 건물의 꼭대기를 올려본각의 크기가 각각 30°, 60°일 때, 이 건물의 높이를 구하시오.

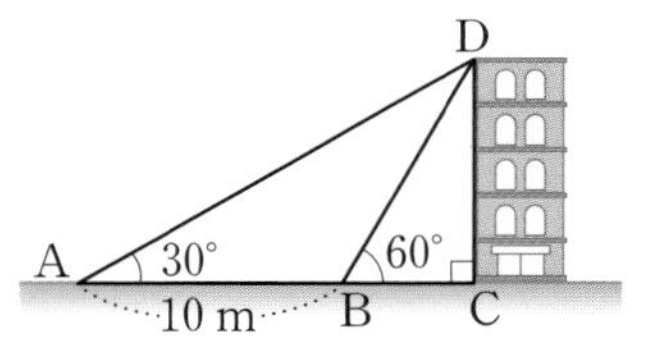

5 오른쪽 그림과 같이 $\overline{AB}=8$ cm, $\overline{BC}=5$ cm인 예각삼각형 ABC의 넓이가 $10\sqrt{3}$ cm^{2}일 때, $\angle B$의 크기를 구하시오.

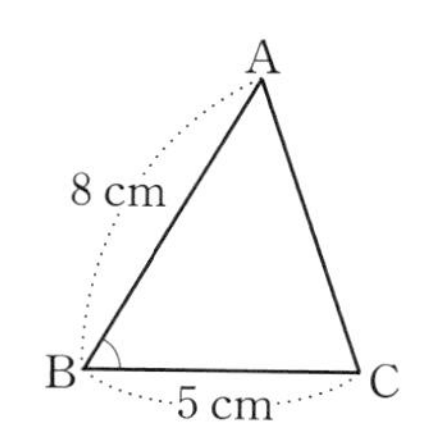

6 오른쪽 그림과 같은 □ABCD의 넓이는?

A 4 D 120° 3 4 60° B 6 C

① $5\sqrt{3}$　② $6\sqrt{3}$
③ $7\sqrt{3}$　④ $8\sqrt{3}$
⑤ $9\sqrt{3}$

7 오른쪽 그림과 같은 □ABCD의 넓이를 구하시오.

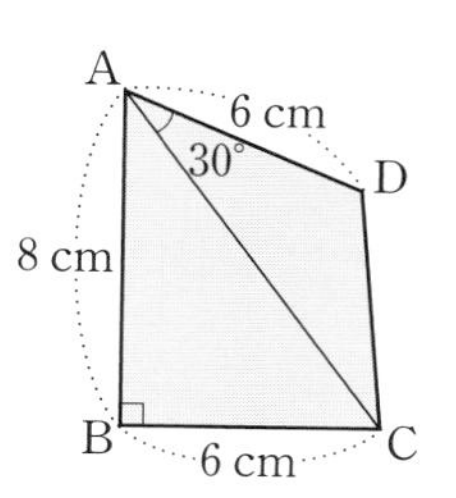

8 오른쪽 그림과 같은 □ABCD의 넓이가 $30\sqrt{2}$ cm^{2}일 때, $\overline{BD}$의 길이를 구하시오.

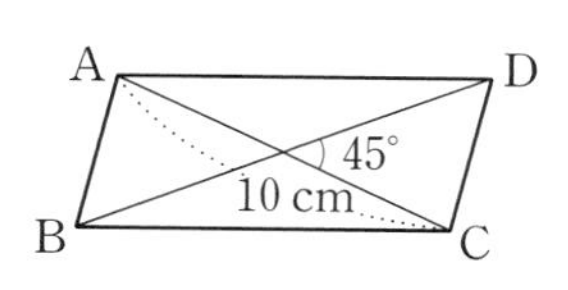

4일 원과 현

원의 중심에서
현에 내린 수선은
그 현을 이등분한다.
O
A
M
B
원에서 현의
수직이등분선은
그 원의
중심을 지난다.
원 안에 직각삼각형이 보이면
피타고라스 정리를 이용하라고!

공부할 내용

❶ 원의 중심과 현의 수직이등분선
❷ 현의 길이

이것만은 꼭꼭!

1. (1) 원의 중심에서 현에 내린 수선은 그 현을 ❶ ______ 한다.
   → $\overline{AB}\perp\overline{OM}$이면 $\overline{AM}=$ ❷ ______
   (2) 원에서 현의 수직이등분선은 그 원의 ❸ ______ 을 지난다.

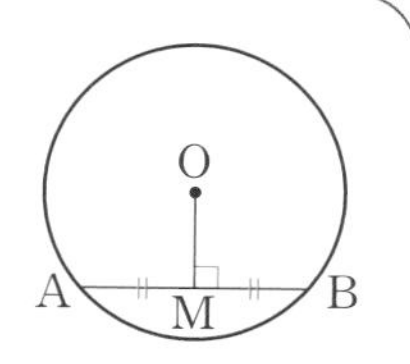

2. (1) 한 원의 중심으로부터 같은 거리에 있는 두 현의 길이는 ❹ ______ .
   → $\overline{OM}=\overline{ON}$이면 $\overline{AB}=$ ❺ ______
   (2) 한 원에서 길이가 같은 두 현은 원의 중심으로부터 같은 거리에 있다.
   → $\overline{AB}=\overline{CD}$이면 $\overline{OM}=$ ❻ ______

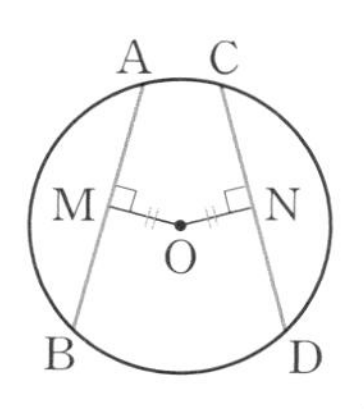

답 ❶ 이등분 ❷ $\overline{BM}$ ❸ 중심 ❹ 같다 ❺ $\overline{CD}$ ❻ $\overline{ON}$

4일 교과서 핵심 정리 ❶

핵심 1 원의 중심과 현의 수직이등분선

(1) 원의 중심에서 현에 내린 수선은 그 현을 ❶ [ ] 한다.

→ $\overline{AB}\perp\overline{OM}$이면 $\overline{AM}=$ ❷ [ ]

(2) 원에서 현의 수직이등분선은 그 원의 ❸ [ ] 을 지난다.

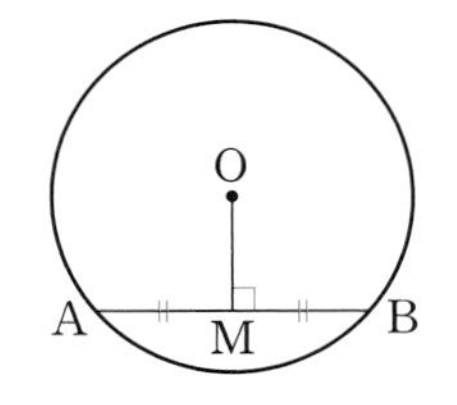

예 오른쪽 그림의 원 O에서 $\overline{AB}\perp\overline{OM}$이므로

$\overline{AM}=\overline{BM}=3$ $\quad\therefore x=$ ❹ [ ]

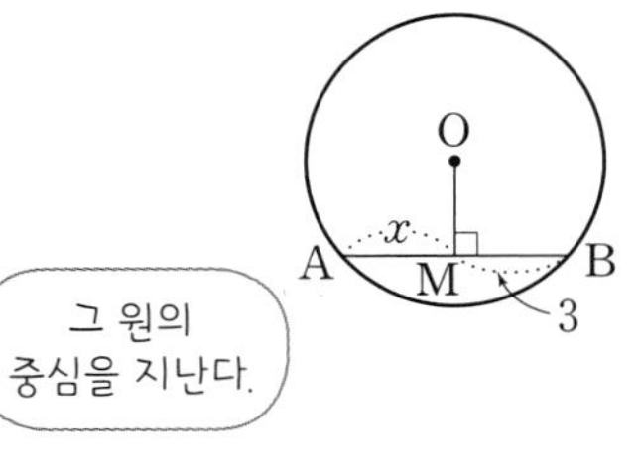

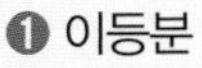

❶ 이등분
❷ $\overline{BM}$
❸ 중심
❹ 3

핵심 2 현의 길이

(1) 한 원에서 중심으로부터 같은 거리에 있는 두 현의 길이는 ❺ [ ].

→ $\overline{OM}=\overline{ON}$이면 $\overline{AB}=$ ❻ [ ]

(2) 한 원에서 길이가 같은 두 현은 원의 중심으로부터 같은 거리에 있다.

→ $\overline{AB}=\overline{CD}$이면 ❼ [ ] $=\overline{ON}$

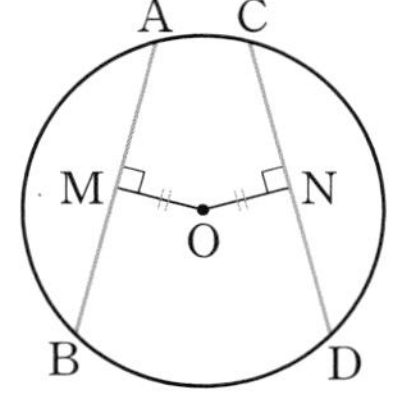

예 (1)

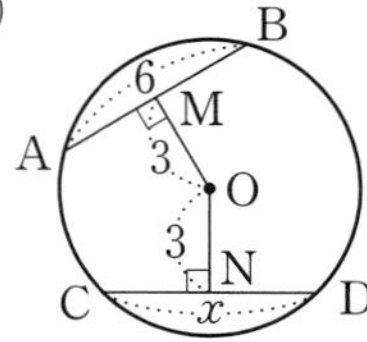

$\overline{OM}=\overline{ON}$이므로

$\overline{CD}=$ ❽ [ ] $=6$

$\therefore x=6$

(2)

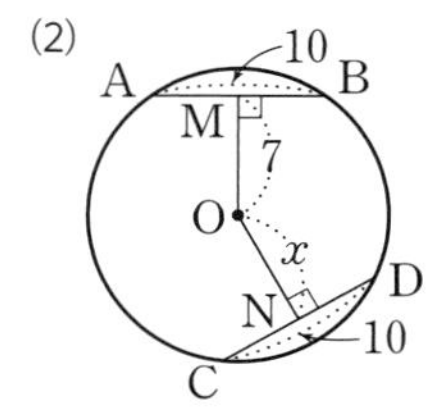

$\overline{AB}=\overline{CD}$이므로

$\overline{ON}=\overline{OM}=7$

$\therefore x=7$

❺ 같다
❻ $\overline{CD}$
❼ $\overline{OM}$
❽ $\overline{AB}$

시험지 속 개념 문제

정답과 풀이 12쪽

1 다음 그림의 원 O에서 x의 값을 구하시오.

(1)

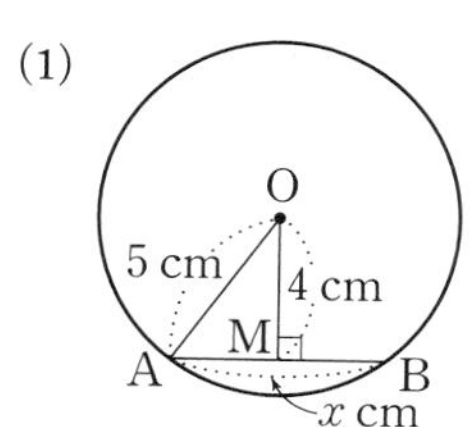

(2)

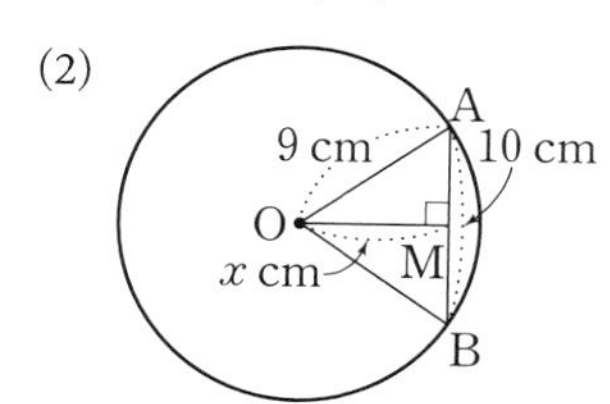

2 다음 그림의 원 O에서 x의 값을 구하시오.

(1)

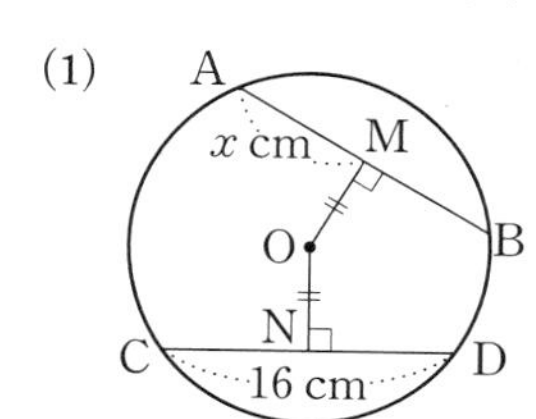

(2)

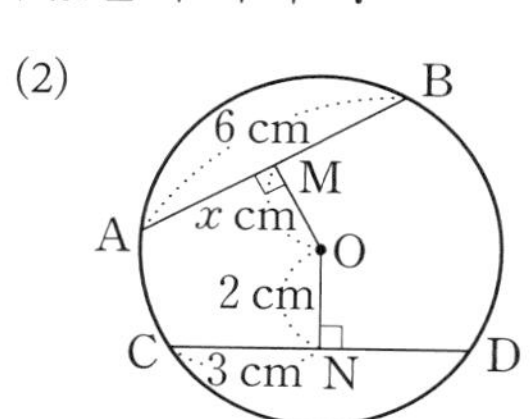

3 오른쪽 그림과 같이 반지름의 길이가 4 cm인 원 O에서 $\overline{CM}\perp\overline{AB}$이고 $\overline{OM}=2$ cm일 때, $\overline{AB}$의 길이를 구하시오.

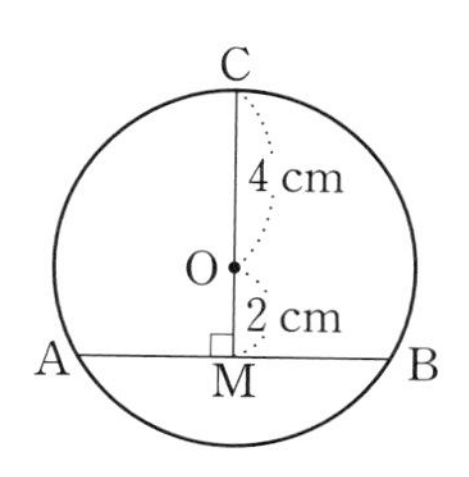

피타고라스 정리를 이용하도록 적당한 보조선을 그어서 직각삼각형을 만들어봐.

4 오른쪽 그림과 같이 반지름의 길이가 5 cm인 원 O에서 $\overline{OM}=\overline{ON}=2$ cm일 때, $\overline{CD}$의 길이를 구하시오.

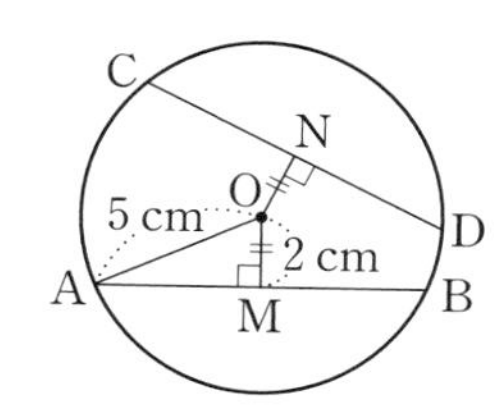

5 오른쪽 그림의 원 O에서 $\overline{OM}=\overline{ON}$이고 $\angle BAC=54°$일 때, $\angle x$의 크기를 구하시오.

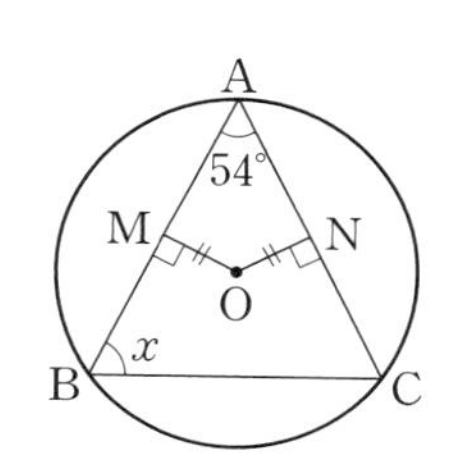

6 오른쪽 그림의 원 O에서 $\overline{OD}=\overline{OE}=\overline{OF}$일 때, $\triangle ABC$는 어떤 삼각형인지 말하시오.

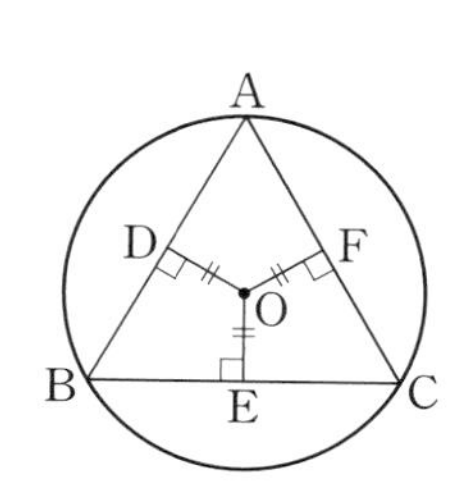

교과서 기출 베스트 1회

대표 예제 1

오른쪽 그림과 같이 반지름의 길이가 10 cm인 원 O에서 $\overline{AB}\perp\overline{OC}$이고 $\overline{BM}=8$ cm일 때, $\overline{CM}$의 길이를 구하시오.

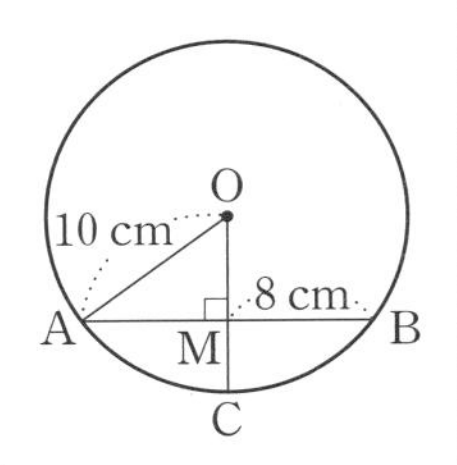

직각삼각형이 보이면 피타고라스 정리!

개념 가이드

원의 중심에서 현에 내린 수선은 그 현을 ① ☐ 한다.

답 ① 이등분

대표 예제 2

오른쪽 그림의 원 O에서 $\overline{AB}\perp\overline{OC}$이고 $\overline{AM}=12$ cm, $\overline{CM}=8$ cm일 때, 원 O의 반지름의 길이를 구하시오.

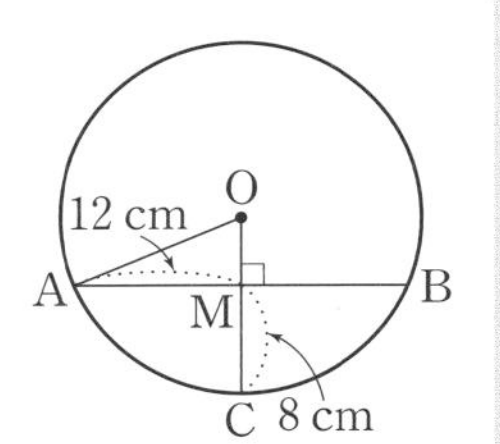

개념 가이드

원 O의 반지름의 길이를 r cm로 놓으면 $\overline{OA}=\overline{OC}=r$ cm이므로 $\overline{OM}=($① ☐$)$ cm이다.

답 ① $r-8$

대표 예제 3

오른쪽 그림의 원 O에서 $\overline{AB}\perp\overline{CM}$이고 $\overline{AM}=\overline{BM}=4$ cm, $\overline{CM}=2$ cm일 때, 원 O의 넓이를 구하시오.

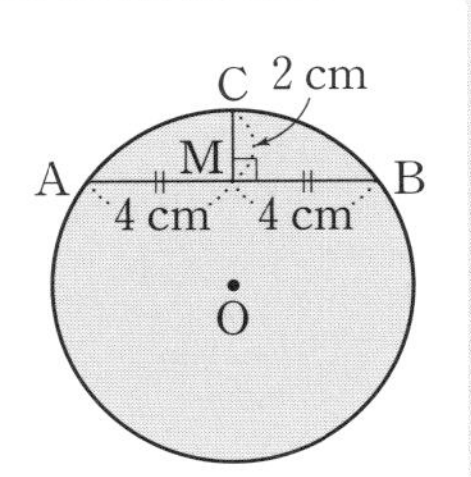

개념 가이드

(i) 원에서 현의 수직이등분선은 그 원의 ① ☐ 을 지난다.

(ii) 직각삼각형을 찾아 피타고라스 정리를 이용한다.

답 ① 중심

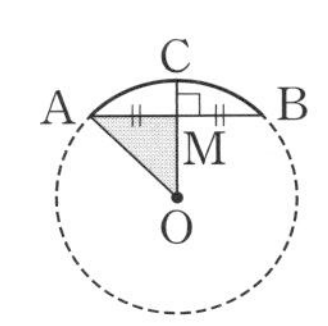

대표 예제 4

오른쪽 그림과 같이 원 모양의 종이를 원 위의 한 점이 원의 중심 O에 겹쳐지도록 $\overline{AB}$를 접는 선으로 하여 접었다. $\overline{AB}=12$ cm일 때, 원 O의 반지름의 길이를 구하시오.

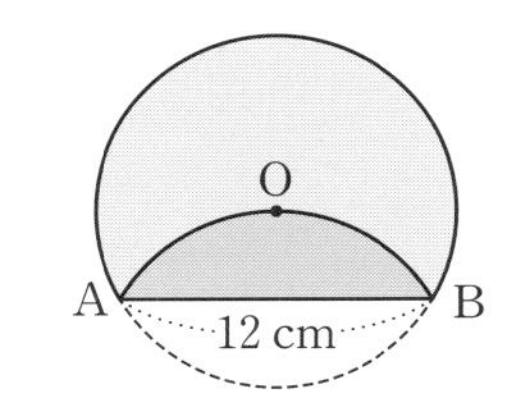

개념 가이드

• $\overline{AM}=$① ☐

• $\overline{OM}=\overline{MC}=$② ☐ $\overline{OC}$

답 ① $\overline{BM}$ ② $\frac{1}{2}$

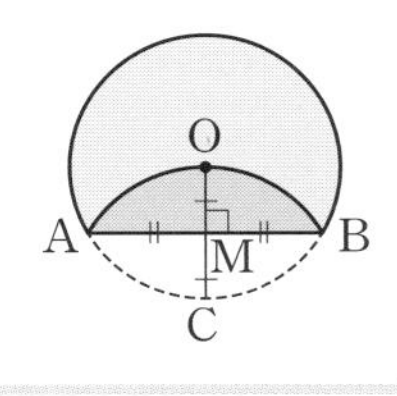

대표 예제 5

오른쪽 그림의 원 O에서 $\overline{AB}\perp\overline{OM}$, $\overline{CD}\perp\overline{ON}$이고 $\overline{OM}=\overline{ON}$이다. $\overline{AM}=2x+6$, $\overline{CD}=6x-2$일 때, x의 값을 구하시오.

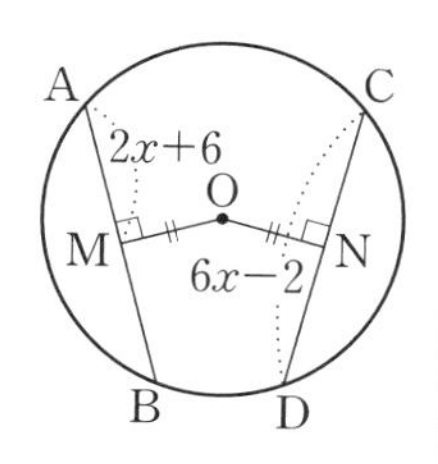

개념 가이드

한 원에서 중심으로부터 같은 거리에 있는 두 현의 길이는 서로 ①[　　　　].

답 ① 같다

대표 예제 6

오른쪽 그림과 같은 원 O에서 $\overline{AB}\perp\overline{OM}$, $\overline{CD}\perp\overline{ON}$이다. $\overline{AB}=30\text{ cm}$, $\overline{OC}=17\text{ cm}$, $\overline{DN}=15\text{ cm}$일 때, $\overline{OM}$의 길이를 구하시오.

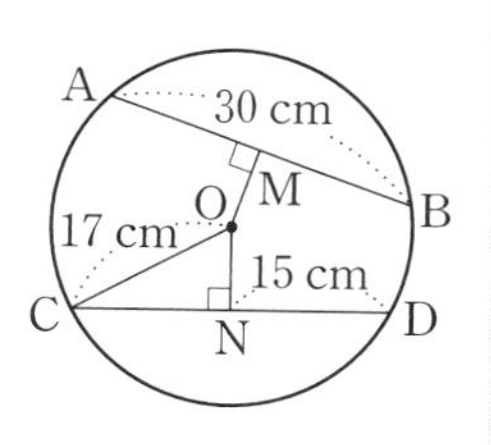

개념 가이드

- $\overline{OM}=\overline{ON}$이면 $\overline{AB}=$ ①[　　　　]
- $\overline{AB}=\overline{CD}$이면 $\overline{OM}=$ ②[　　　　]

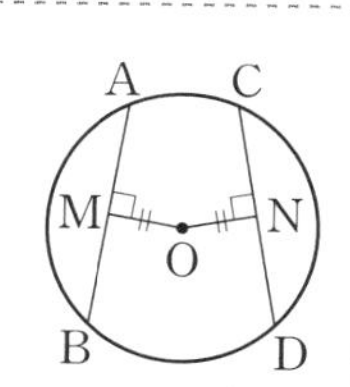

답 ① $\overline{CD}$ ② $\overline{ON}$

대표 예제 7

오른쪽 그림에서 $\triangle ABC$는 원 O에 내접하고 $\overline{AB}\perp\overline{OM}$, $\overline{AC}\perp\overline{ON}$이다. $\overline{OM}=\overline{ON}$이고 $\angle ABC=55°$일 때, $\angle BAC$의 크기를 구하시오.

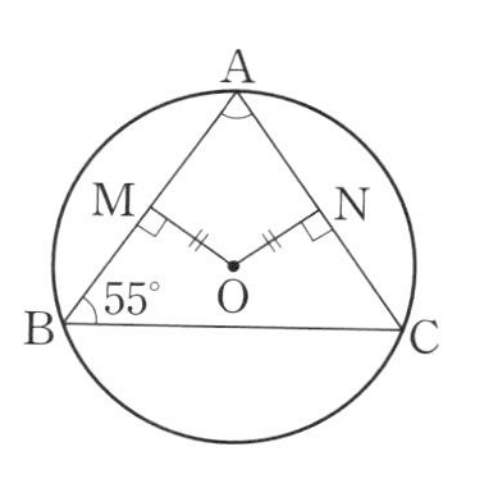

개념 가이드

$\overline{OM}=\overline{ON}$이면 $\overline{AB}=\overline{AC}$이므로 $\triangle ABC$는 ①[　　　　] 이다.

답 ① 이등변삼각형

대표 예제 8

오른쪽 그림에서 $\triangle ABC$는 원 O에 내접하고 세 점 D, E, F는 원의 중심 O에서 변 AB, BC, CA에 각각 내린 수선의 발이다. $\overline{OD}=\overline{OE}=\overline{OF}$이고 $\overline{AD}=5\text{ cm}$일 때, $\triangle ABC$의 둘레의 길이를 구하시오.

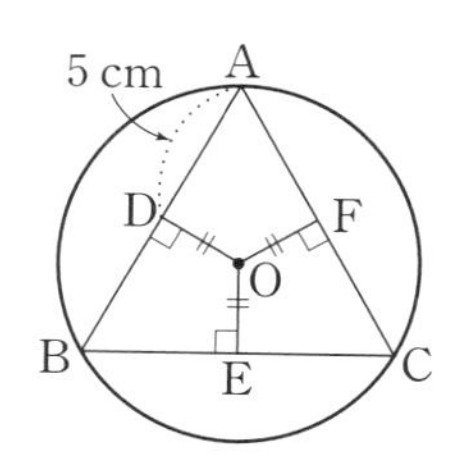

개념 가이드

$\overline{OD}=\overline{OE}=\overline{OF}$이면 $\overline{AB}=\overline{BC}=\overline{CA}$이므로 $\triangle ABC$는 ①[　　　　]이다.

답 ① 정삼각형

교과서 기출 베스트 2회

1 오른쪽 그림과 같이 반지름의 길이가 20 cm인 원 O에서 $\overline{AB}\perp\overline{OC}$이고 $\overline{CM}=8$ cm일 때, $\overline{AB}$의 길이를 구하시오.

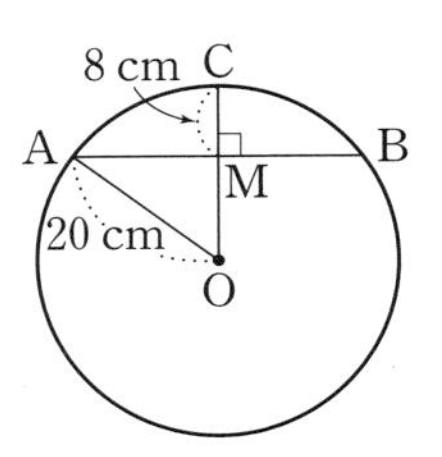

2 오른쪽 그림의 원 O에서 $\overline{AB}\perp\overline{OC}$이고 $\overline{AM}=9$ cm, $\overline{CM}=3$ cm일 때, 원 O의 둘레의 길이를 구하시오.

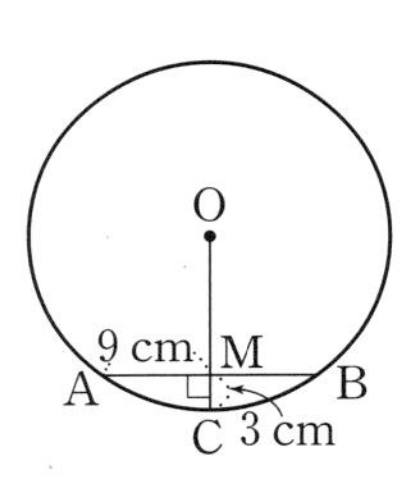

3 오른쪽 그림에서 $\widehat{AB}$는 반지름의 길이가 15 cm인 원의 일부분이다. $\overline{AB}\perp\overline{CD}$이고 $\overline{AD}=\overline{BD}$, $\overline{CD}=6$ cm일 때, $\overline{AD}$의 길이를 구하시오.

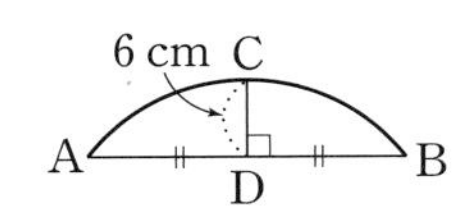

4 오른쪽 그림은 반지름의 길이가 8 cm인 원 모양의 종이를 $\overline{AB}$를 접는 선으로 하여 $\widehat{AB}$가 원의 중심 O를 지나도록 접은 것이다. 이때 $\overline{AB}$의 길이를 구하시오.

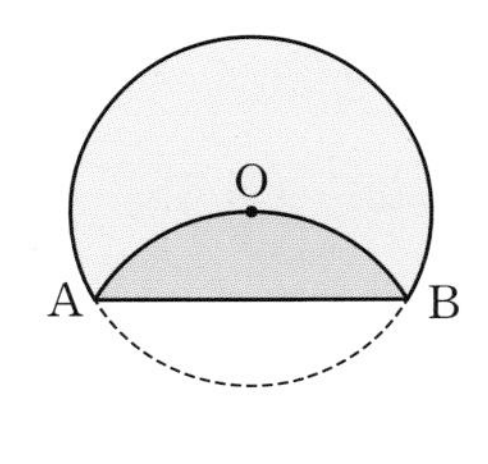

정답과 풀이 14쪽

5 오른쪽 그림과 같이 원의 중심 O에서 두 현 AB, CD에 내린 수선의 발을 각각 M, N이라 하자. $\overline{AB}=8$ cm, $\overline{OM}=\overline{ON}=5$ cm일 때, $\overline{OC}$의 길이를 구하시오.

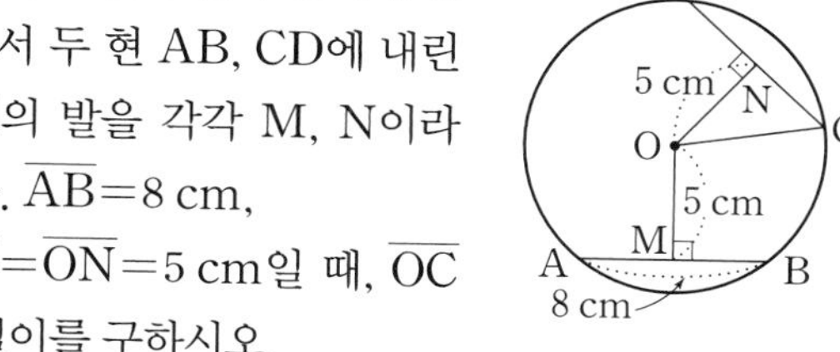

6 오른쪽 그림의 원 O에서 $\overline{AB}\perp\overline{OM}$, $\overline{AB}=\overline{CD}$이다. $\overline{OM}=8$ cm, $\overline{OC}=10$ cm일 때, △OCD의 넓이는?

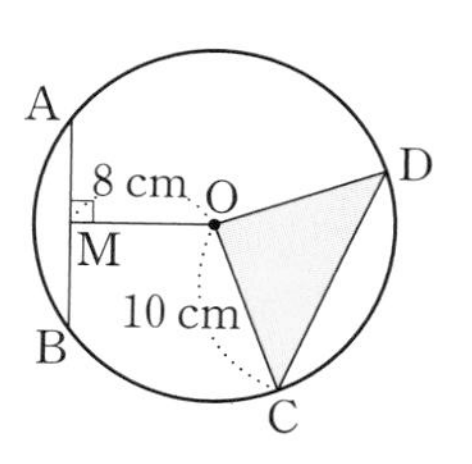

① 42 cm^2 ② 44 cm^2 ③ 46 cm^2
④ 48 cm^2 ⑤ 50 cm^2

7 오른쪽 그림에서 △ABC는 원 O에 내접하고 $\overline{AB}\perp\overline{OM}$, $\overline{AC}\perp\overline{ON}$이다. $\overline{OM}=\overline{ON}$이고 ∠MON$=130°$일 때, ∠$x$의 크기를 구하시오.

8 오른쪽 그림과 같이 △ABC의 외접원의 중심 O에서 $\overline{AB}$, $\overline{BC}$, $\overline{CA}$에 내린 수선의 발을 각각 D, E, F라 하자. $\overline{AD}=6$ cm일 때, △ABC의 넓이를 구하시오.

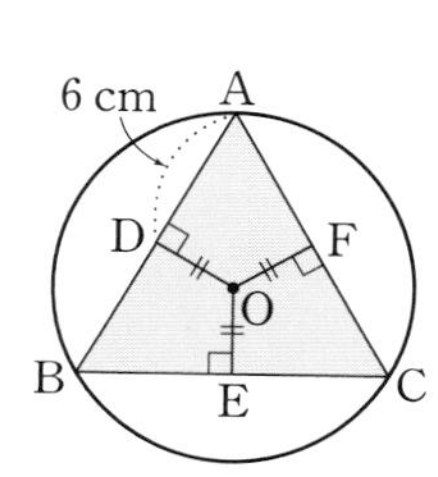

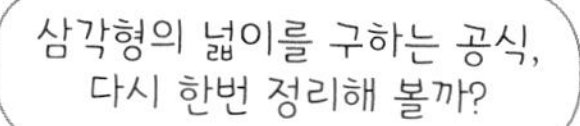

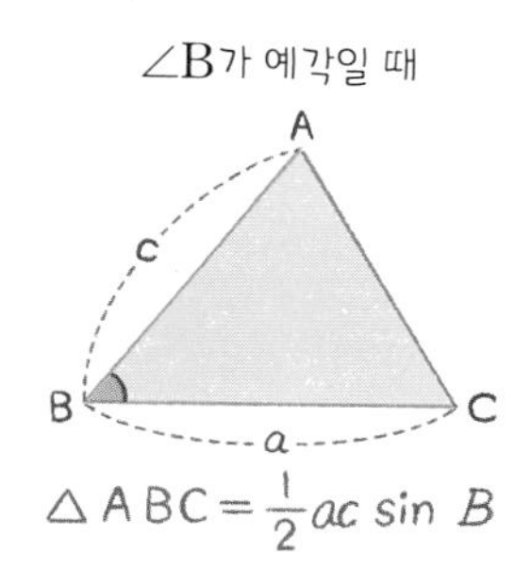

5일 원과 접선

원 밖의 한 점에서
접선을 그으면
접선은 2개 나오는군.
그리고 그 두 접선의
길이는 서로 같아.
접선의 길이
$\angle a+\angle b=180°$
$\overline{PA}=\overline{PB}$이므로
$\triangle PAB$는
이등변삼각형
각 꼭짓점을 확대해보니
원의 접선이야!
$\overline{AD}=\overline{AF}$
$\overline{BD}=\overline{BE}$
$\overline{CE}=\overline{CF}$

공부할 내용
❶ 원의 접선의 길이
❷ 삼각형의 내접원
❸ 외접사각형의 성질

이것만은 꼭꼭!

1. (1) 원 O 밖의 한 점 P에서 원 O에 그을 수 있는 접선은 ❶ ___ 개이다.
(2) 원 밖의 한 점에서 그은 두 접선의 길이는 ❷ ___.
→ $\overline{PA}=$ ❸ ___

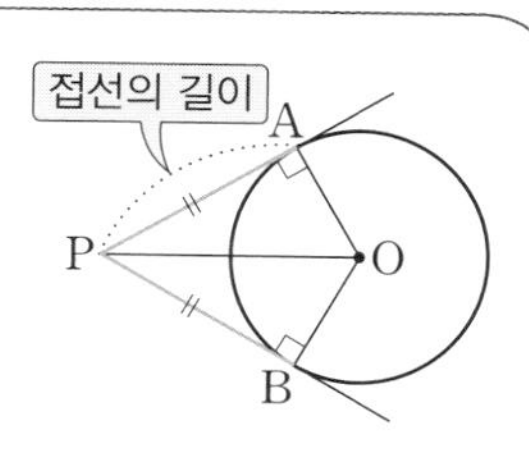

2. 삼각형의 내접원

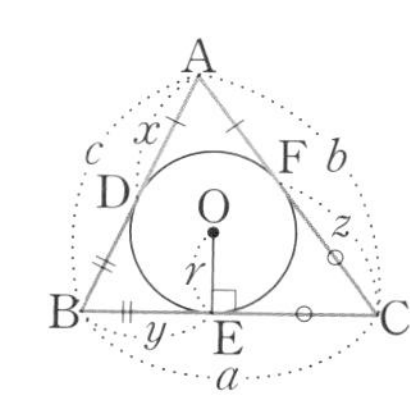

(1) (△ABC의 둘레의 길이)
$=$ ❹ ___ $(x+y+z)$
(2) (△ABC의 넓이)
$=\frac{1}{2}r($ ❺ ___ $)$

3. 외접사각형

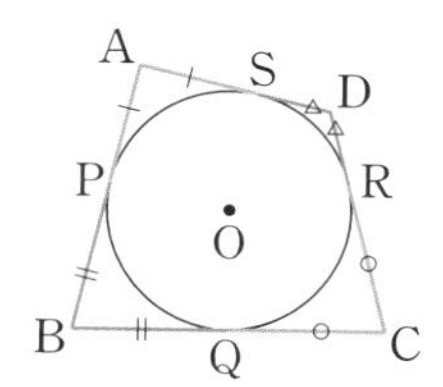

$\overline{AB}+\overline{DC}$
$=$ ❻ ___ $+\overline{BC}$

답 ❶ 2 ❷ 같다 ❸ $\overline{PB}$ ❹ 2 ❺ $a+b+c$ ❻ $\overline{AD}$

5일 교과서 핵심 정리 ❶

핵심 1 원의 접선의 길이

(1) 원 O 밖의 한 점 P에서 원 O에 그을 수 있는 접선은 ❶ [ ]개이다.

(2) **접선의 길이** : 점 P에서 원 O의 두 접점 A, B까지의 거리, 즉 $\overline{PA}$, $\overline{PB}$의 길이

접선의 길이

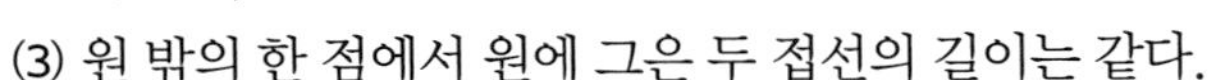

(3) 원 밖의 한 점에서 원에 그은 두 접선의 길이는 같다.

→ $\overline{PA}=$ ❷ [ ]

참고 (1)

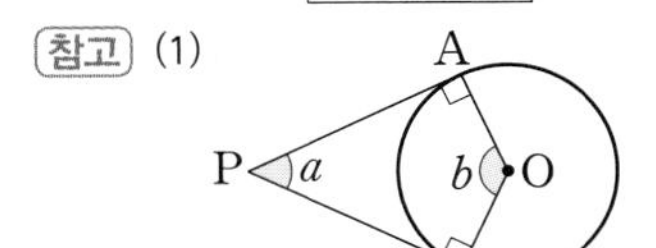

$\angle PAO=\angle PBO=90^\circ$이므로

$\angle a+\angle b=$ ❸ [ ]

(2)

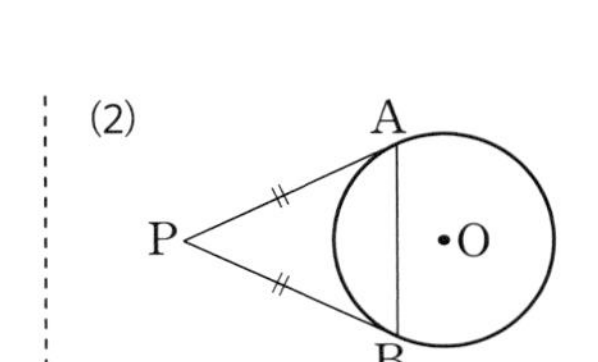

$\overline{PA}=\overline{PB}$이므로

$\triangle PBA$는 ❹ [ ]

예 오른쪽 그림에서

$\overline{PA}=$ ❺ [ ] $=5\text{ cm}$

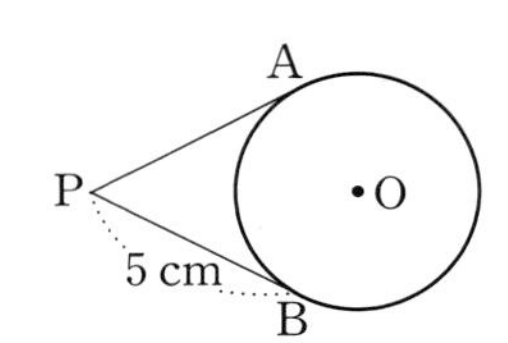

핵심 2 삼각형의 내접원

원 O가 $\triangle ABC$에 내접하고 내접원의 반지름의 길이가 r일 때

(1) ($\triangle ABC$의 둘레의 길이)$=2($ ❻ [ ] $)$

(2) $\triangle ABC=\frac{1}{2}r($ ❼ [ ] $)$

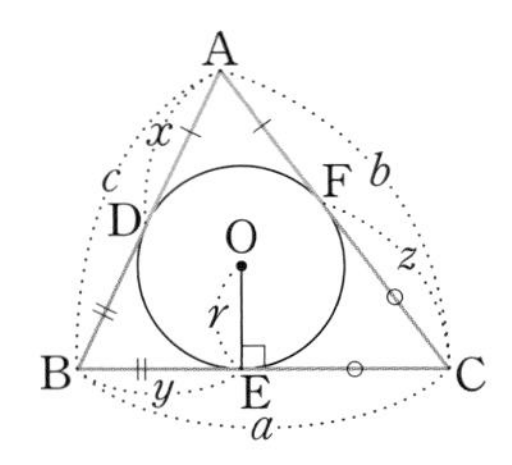

핵심 3 외접사각형의 성질

(1) 원의 외접사각형의 두 쌍의 대변의 길이의 합은 같다.

→ $\overline{AB}+\overline{DC}=\overline{AD}+$ ❽ [ ]

(2) 대변의 길이의 합이 같은 사각형은 원에 외접한다.

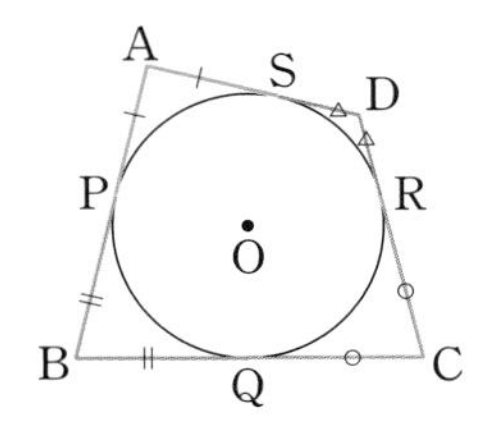

❶ 2
❷ $\overline{PB}$
❸ 180°
❹ 이등변삼각형
❺ $\overline{PB}$
❻ $x+y+z$
❼ $a+b+c$
❽ $\overline{BC}$

시험지 속 개념 문제

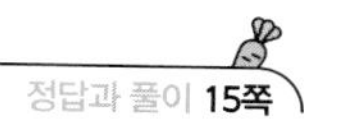

정답과 풀이 15쪽

1 다음은 원 O 밖의 한 점 P에서 그 원에 그은 두 접선 $\overline{PA}$, $\overline{PB}$의 길이는 같음을 설명하는 과정이다. ㉠, ㉡에 들어갈 알맞은 것을 보기에서 각각 찾으시오.

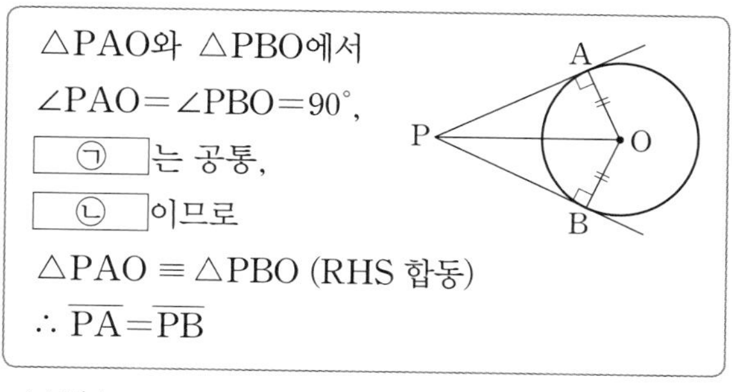

△PAO와 △PBO에서
∠PAO=∠PBO=90°,
[㉠]는 공통,
[㉡]이므로
△PAO ≡ △PBO (RHS 합동)
∴ $\overline{PA}=\overline{PB}$

보기

$\overline{PO}$, $\overline{OA}=\overline{OB}$, $\overline{PA}=\overline{PB}$

2 다음 그림에서 $\overline{PA}$, $\overline{PB}$는 원 O의 접선이고 두 점 A, B는 접점일 때, x의 값을 구하시오.

(1)

A, 2 cm, P, 5 cm, O, x cm, B

(2)

A, 50°, P, x°, O, B

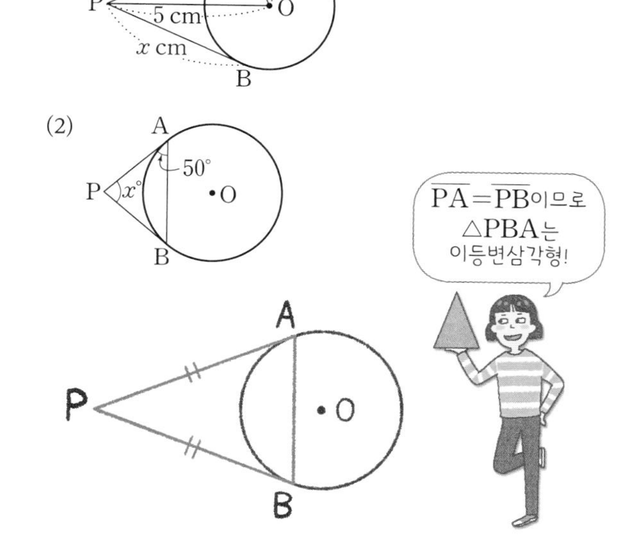

3 오른쪽 그림에서 원 O는 △ABC의 내접원이고 세 점 D, E, F는 접점일 때, $\overline{AB}$의 길이를 구하시오.

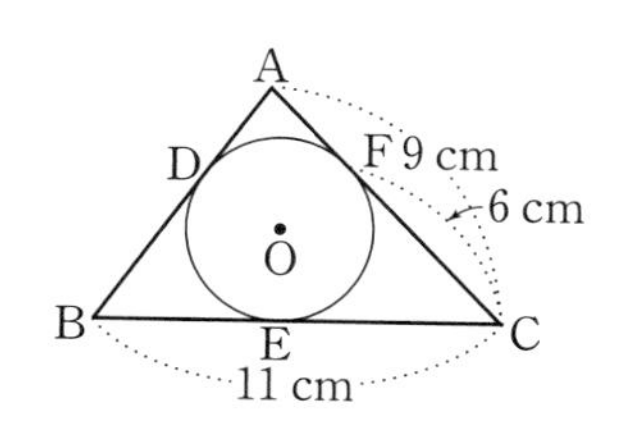

4 오른쪽 그림에서 원 O는 △ABC의 내접원이고 세 점 D, E, F는 접점이다. △ABC의 둘레의 길이를 구하시오.

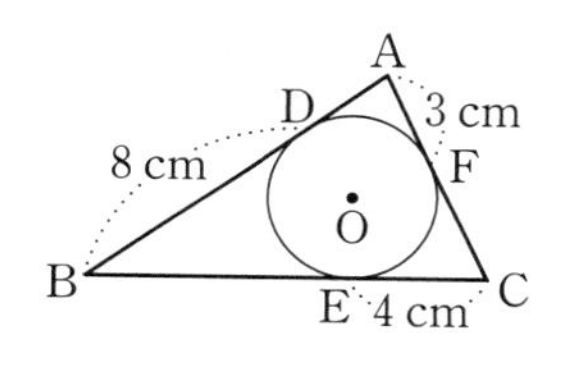

5 다음 그림에서 □ABCD는 원 O에 외접하고 네 점 P, Q, R, S는 접점일 때, x의 값을 구하시오.

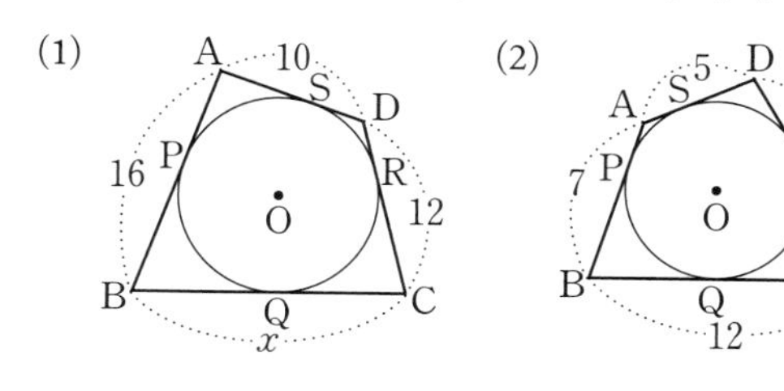

5일 교과서 기출 베스트 1회

대표 예제 1

오른쪽 그림에서 두 점 A, B는 원 밖의 점 P에서 원 O에 그은 두 접선의 접점이다. $\overline{OA}=4\text{ cm}$, $\overline{OP}=10\text{ cm}$일 때, $\overline{PB}$의 길이를 구하시오.

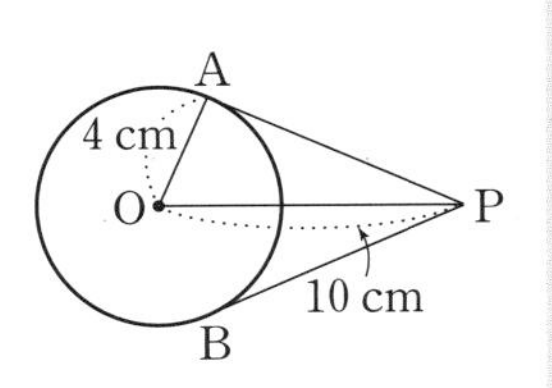

개념 가이드

$\triangle PAO \equiv \triangle$ ① ______ (RHS 합동)

이므로 $\overline{PA}=\overline{PB}$

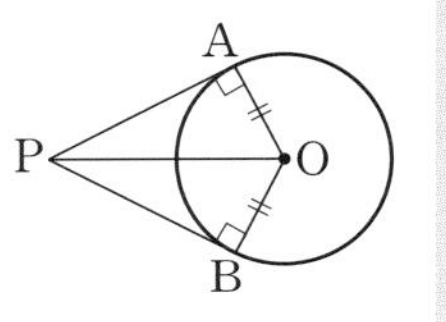

답 ① PBO

대표 예제 2

오른쪽 그림에서 $\overrightarrow{PA}$, $\overrightarrow{PB}$는 원 O의 접선이고 두 점 A, B는 접점이다. $\overline{PA}=4\text{ cm}$, $\angle APB=60°$일 때, $\overline{AB}$의 길이를 구하시오.

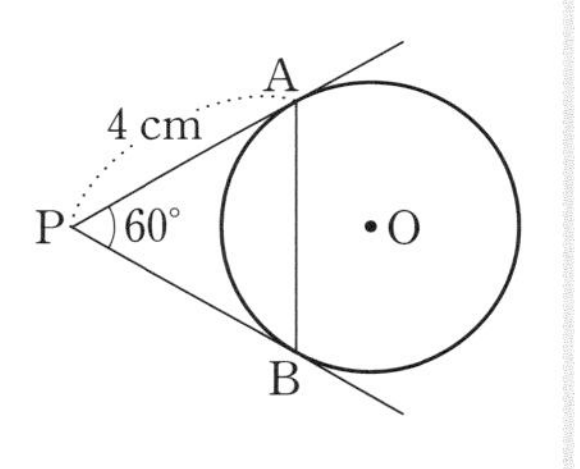

개념 가이드

$\overline{PA}=\overline{PB}$이므로 $\triangle PBA$는 ① ______이다.

답 ① 이등변삼각형

대표 예제 3

오른쪽 그림에서 $\overline{AB}$, $\overrightarrow{PC}$, $\overrightarrow{PE}$는 원 O의 접선이고 세 점 C, D, E는 접점이다. $\overline{PA}=7\text{ cm}$, $\overline{PB}=6\text{ cm}$, $\overline{PC}=10\text{ cm}$일 때, $\overline{AB}$의 길이를 구하시오.

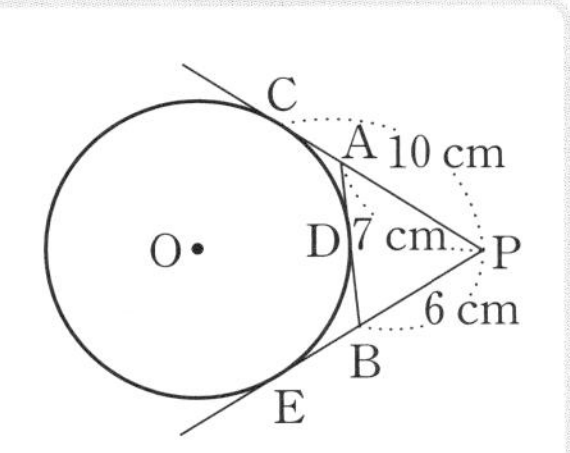

개념 가이드

원의 접선의 길이는 같으므로 $\overline{PC}=$ ① ______, $\overline{AC}=\overline{AD}$, $\overline{BD}=$ ② ______임을 이용한다.

답 ① $\overline{PE}$ ② $\overline{BE}$

대표 예제 4

오른쪽 그림과 같이 중심이 점 O로 같고 반지름의 길이가 각각 4 cm, 6 cm인 두 원이 있다. 작은 원 위의 한 점 T에서 접하는 접선이 큰 원과 만나는 두 점을 각각 A, B라 할 때, $\overline{AB}$의 길이를 구하시오.

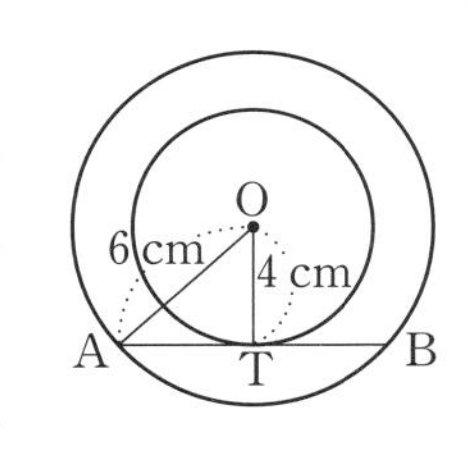

개념 가이드

원의 접선은 그 접점을 지나는 원의 반지름과 ① ______임을 이용한다.

답 ① 수직

대표 예제 5

오른쪽 그림에서 $\overline{AB}$는 반원 O의 지름이고 $\overline{AD}$, $\overline{BC}$, $\overline{CD}$는 반원 O의 접선, 점 E는 접점이다. $\overline{AD}=10$, $\overline{BC}=6$일 때, $\overline{AB}$의 길이를 구하시오.

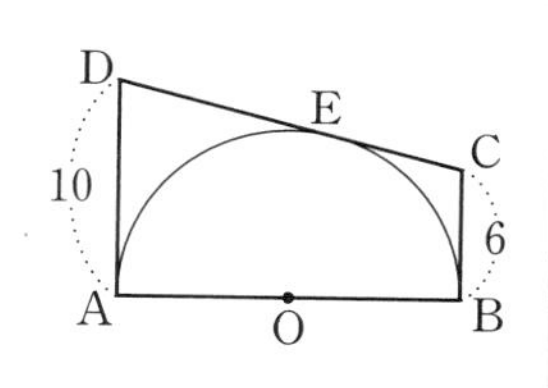

개념 가이드

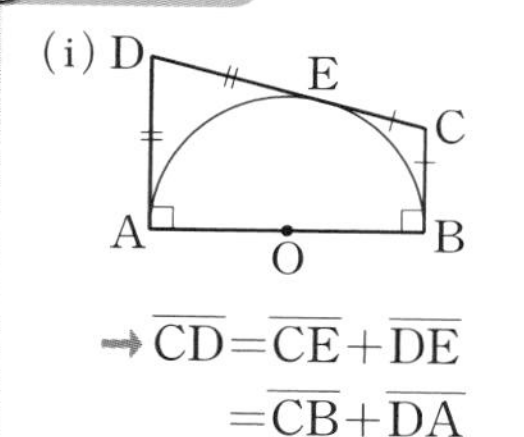

→ $\overline{CD}=\overline{CE}+\overline{DE}$
$=\overline{CB}+\overline{DA}$

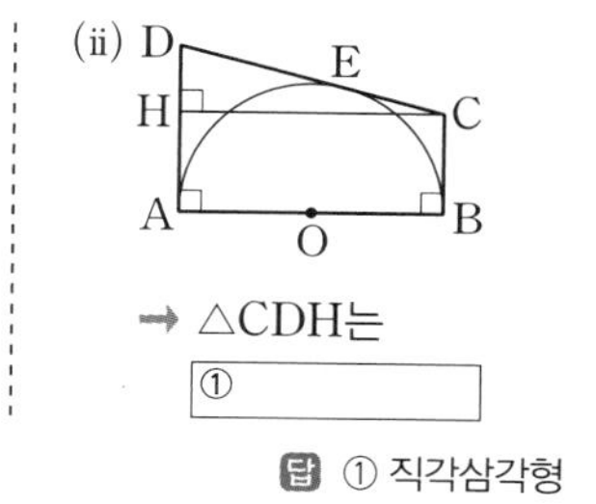

→ △CDH는 ①[ ]

답 ① 직각삼각형

대표 예제 6

오른쪽 그림에서 △ABC는 원 O에 외접하고 세 점 D, E, F는 접점일 때, $\overline{AD}$의 길이를 구하시오.

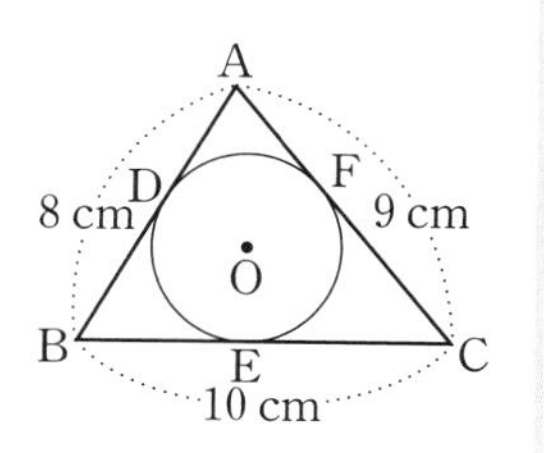

개념 가이드

$\overline{AD}=x$ cm로 놓고 $\overline{AD}=$①[ ], $\overline{BD}=$②[ ], $\overline{CE}=\overline{CF}$임을 이용한다.

답 ① $\overline{AF}$ ② $\overline{BE}$

대표 예제 7

오른쪽 그림에서 원 O는 ∠A=90°인 직각삼각형 ABC의 내접원이고 세 점 D, E, F는 접점이다. $\overline{BE}=2$ cm, $\overline{CE}=3$ cm일 때, 원 O의 반지름의 길이를 구하시오.

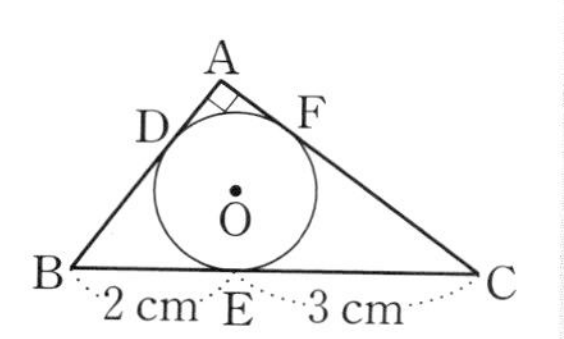

개념 가이드

$\overline{OD}$, $\overline{OF}$를 그으면 □ADOF는 ①[ ]이다.

답 ① 정사각형

대표 예제 8

오른쪽 그림에서 □ABCD는 원 O에 외접하고 네 점 P, Q, R, S는 접점일 때, $x+y$의 값을 구하시오.

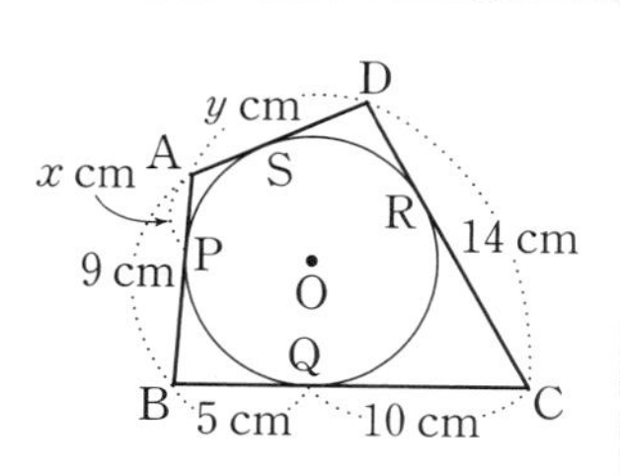

개념 가이드

- $\overline{AP}=\overline{AS}$, $\overline{BP}=$①[ ], $\overline{CQ}=\overline{CR}$, $\overline{DR}=\overline{DS}$
- $\overline{AB}+\overline{DC}=$②[ ]$+\overline{BC}$

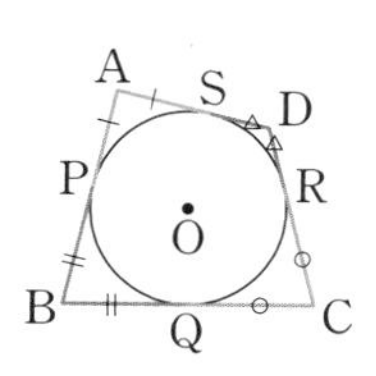

답 ① $\overline{BQ}$ ② $\overline{AD}$

5일 교과서 기출 베스트 2회

1 오른쪽 그림에서 두 점 A, B는 점 P에서 원 O에 그은 두 접선의 접점이다. $\overline{OA}=5$ cm, $\overline{PC}=8$ cm 일 때, □AOBP의 둘레의 길이를 구하시오.

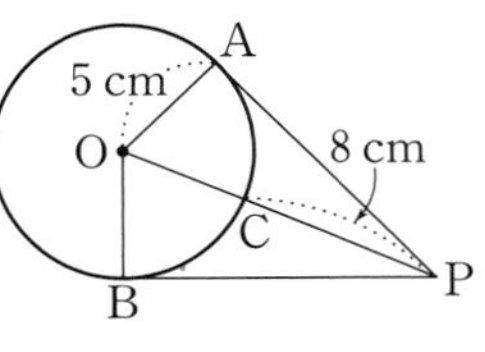

2 오른쪽 그림에서 $\overrightarrow{PA}$, $\overrightarrow{PB}$는 각각 점 A, B에서 원 O에 접한다. $\angle APB=50°$일 때, $\angle x$의 크기를 구하시오.

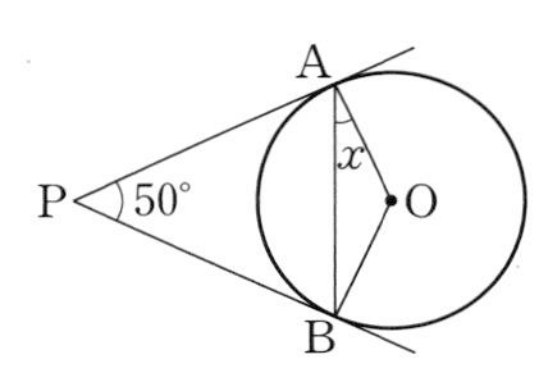

3 오른쪽 그림에서 $\overrightarrow{AD}$, $\overrightarrow{AF}$, $\overline{BC}$는 원 O의 접선이고 세 점 D, E, F는 접점이다. $\overline{AB}=11$, $\overline{AC}=8$, $\overline{BC}=9$일 때, $\overline{CF}$의 길이는?

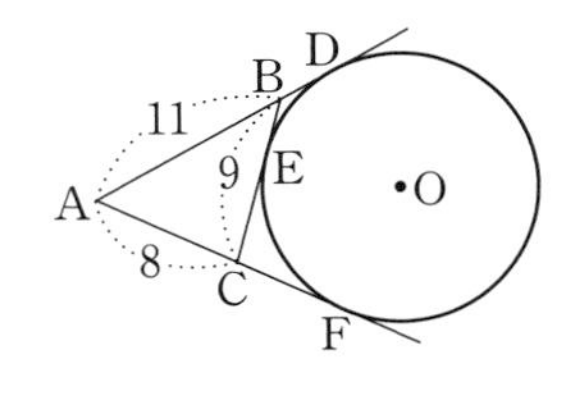

① 3 ② 4 ③ 5
④ 6 ⑤ 7

4 오른쪽 그림과 같이 중심이 점 O로 같은 두 원의 반지름의 길이가 각각 3 cm, 4 cm이고 작은 원에 접하는 직선이 큰 원과 만나는 두 점을 각각 A, B라 하자. 이때 $\overline{AB}$의 길이를 구하시오.

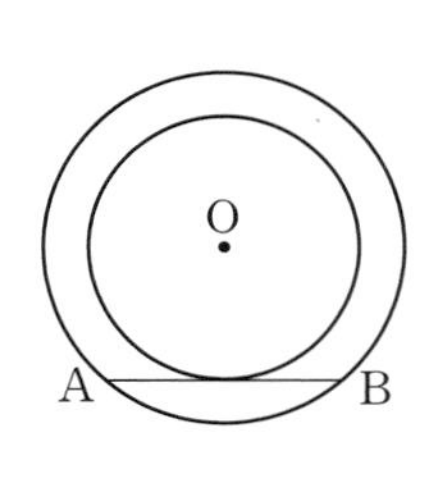

5 오른쪽 그림에서 $\overline{AB}$는 반원 O의 지름이고 $\overline{AD}$, $\overline{BC}$, $\overline{DC}$는 접선이다. 점 E는 접점이고 $\overline{AD}=3\text{ cm}$, $\overline{BC}=8\text{ cm}$일 때, $\overline{AB}$의 길이를 구하시오.

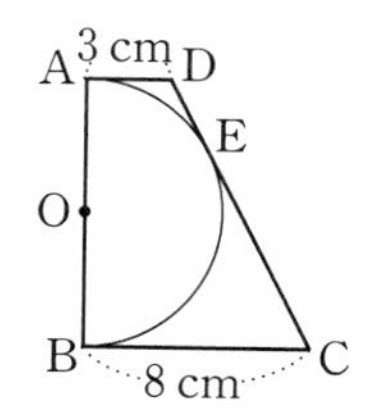

6 오른쪽 그림에서 원 O는 △ABC의 내접원이고 세 점 D, E, F는 접점이다. △ABC의 둘레의 길이가 42 cm일 때, $\overline{AF}$의 길이를 구하시오.

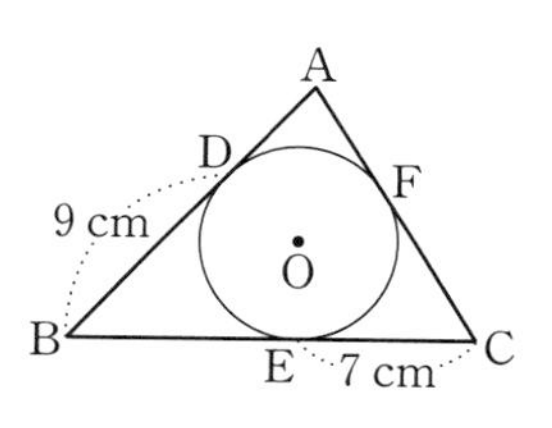

7 오른쪽 그림에서 원 O는 ∠C=90°인 직각삼각형 ABC의 내접원이고 세 점 D, E, F는 접점일 때, 원 O의 반지름의 길이를 구하시오.

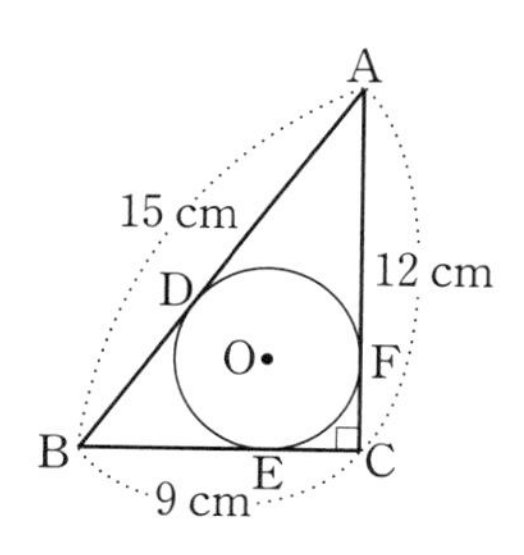

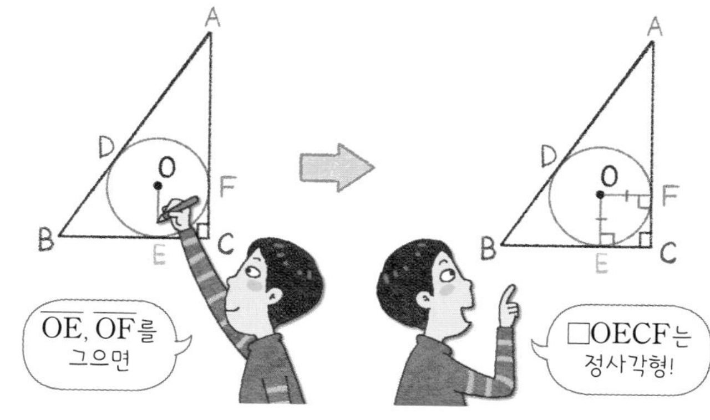

8 오른쪽 그림과 같이 원 O에 외접하는 □ABCD에서 $\overline{AD}=5\text{ cm}$이다. □ABCD의 둘레의 길이가 24 cm일 때, $\overline{BC}$의 길이를 구하시오.

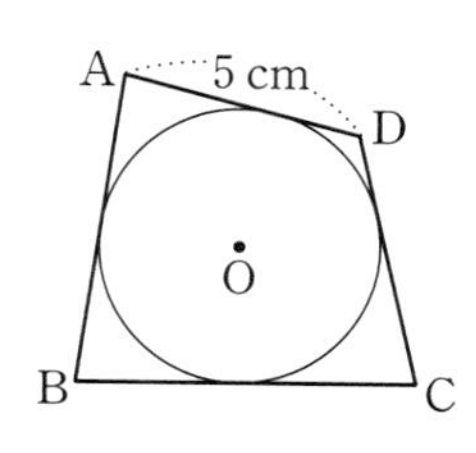

범위 1. 삼각비의 뜻 ~ 3. 삼각비의 활용

누구나 100점 테스트 1회

1 오른쪽 그림과 같이 $\angle B=90^\circ$인 직각삼각형 ABC에 대하여 옳지 <u>않은</u> 것을 적은 학생을 찾으시오.

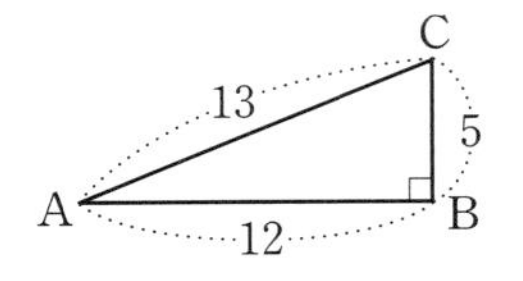

2 오른쪽 그림과 같은 직각삼각형 ABC에서 $\overline{AC}=6\text{ cm}$, $\sin A=\frac{1}{2}$일 때, $\overline{AB}$의 길이를 구하시오.

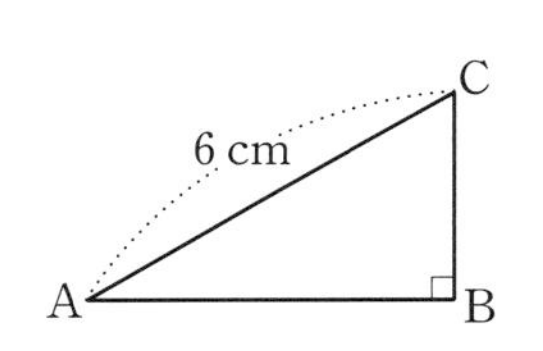

3 $\angle C=90^\circ$인 직각삼각형 ABC에서 $\tan B=\frac{2}{3}$일 때, $\sin A+\cos B$의 값을 구하시오.

4 오른쪽 그림과 같이 $\angle A=90^\circ$인 직각삼각형 ABC에서 $\overline{DE}\perp\overline{BC}$이고 $\overline{AC}=8$, $\overline{BC}=17$이다. $\angle BDE=x$라 할 때, $\sin x$의 값을 구하시오.

5 다음 그림에서 $\angle ABC=\angle BDC=90^\circ$, $\angle A=30^\circ$, $\angle CBD=45^\circ$이고 $\overline{CD}=\sqrt{2}\text{ cm}$일 때, $\overline{AB}$의 길이를 구하시오.

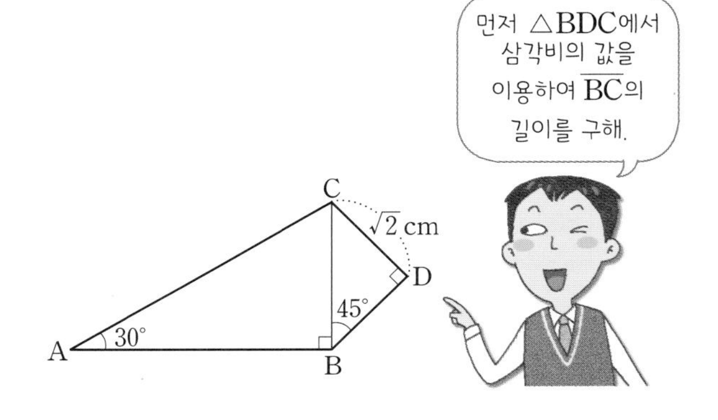

6 오른쪽 그림과 같이 좌표평면 위의 원점 O를 중심으로 하고 반지름의 길이가 1인 사분원에서 $\tan 46°$의 값은?

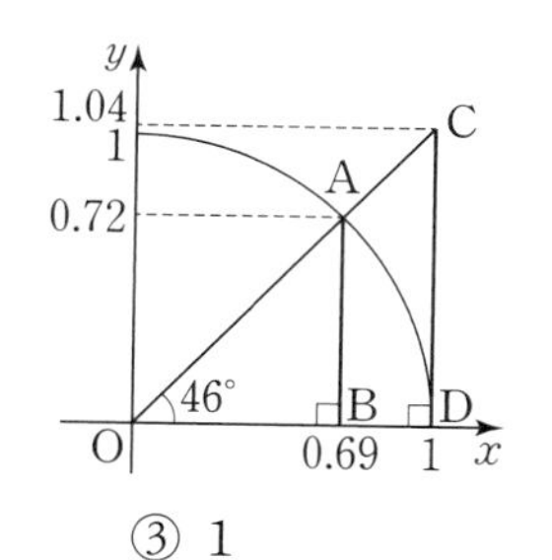

① 0.69　② 0.72　③ 1
④ 1.04　⑤ $\sqrt{2}$

7 $\cos 0° \times \tan 45° - \sin 90°$를 계산하시오.

8 오른쪽 그림과 같은 △ABC에서 $\overline{BC}=8$ cm, $\angle B=30°$, $\angle C=105°$일 때, $\overline{AC}$의 길이는?

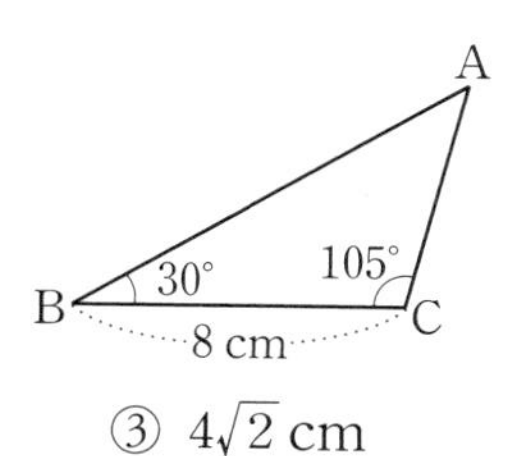

① $2\sqrt{2}$ cm　② $3\sqrt{2}$ cm　③ $4\sqrt{2}$ cm
④ $3\sqrt{3}$ cm　⑤ $4\sqrt{3}$ cm

9 오른쪽 그림과 같이 $\overline{AB}=6$ cm, $\overline{BC}=8$ cm이고 $\angle B=120°$인 △ABC의 넓이를 구하시오.

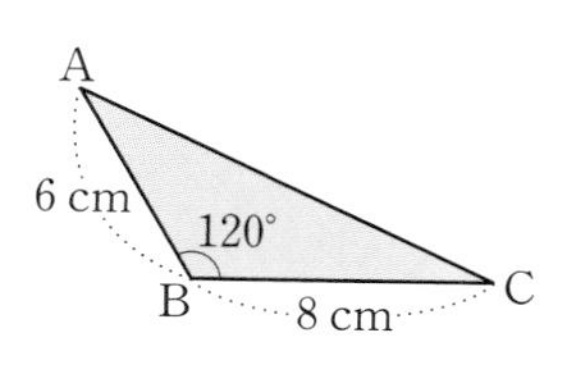

10 오른쪽 그림과 같은 □ABCD의 넓이를 구하시오.

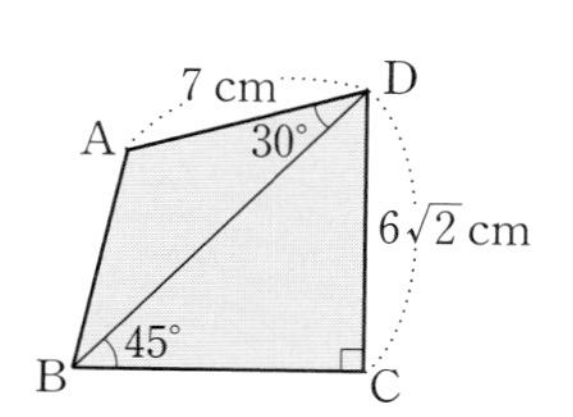

범위 4. 원과 현 ~ 5. 원과 접선

누구나 100점 테스트 2회

1 오른쪽 그림과 같은 원 O에서 $\overline{AB}\perp\overline{OM}$이고 $\overline{OA}=2$ cm, $\overline{OM}=1$ cm일 때, $\overline{AB}$의 길이를 구하시오.

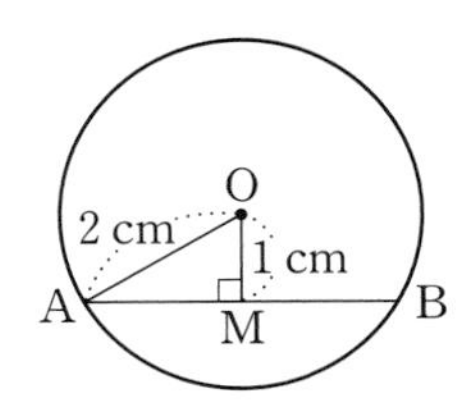

2 오른쪽 그림에서 $\overset{\frown}{AB}$는 반지름의 길이가 17 cm인 원의 일부분이다. $\overline{AB}\perp\overline{CM}$, $\overline{AM}=\overline{BM}$이고 $\overline{AB}=30$ cm일 때, $\overline{CM}$의 길이를 구하시오.

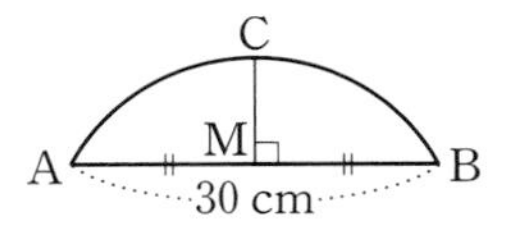

3 오른쪽 그림과 같이 원의 중심 O에서 두 현 AB, CD에 내린 수선의 발을 각각 M, N이라 할 때, $\overline{ON}$의 길이를 구하시오.

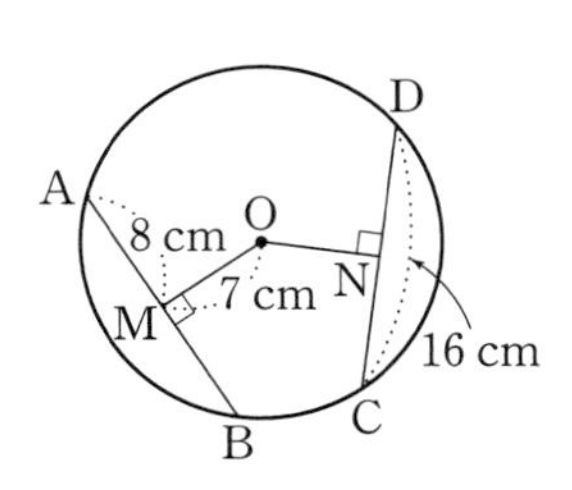

4 오른쪽 그림의 원 O에서 $\overline{AB}\perp\overline{OM}$, $\overline{CD}\perp\overline{ON}$이고 $\overline{OA}=5$, $\overline{OM}=\overline{ON}=3$일 때, $\overline{CD}$의 길이를 구하시오.

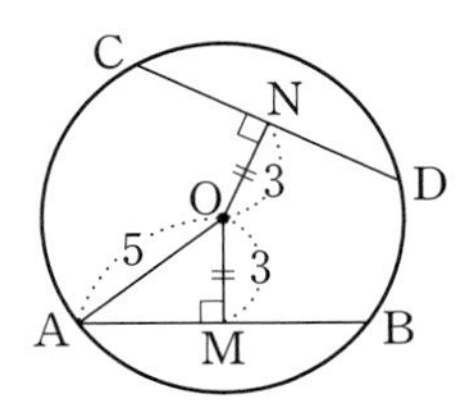

5 오른쪽 그림과 같은 원 O에서 $\overline{AB}\perp\overline{OM}$, $\overline{AC}\perp\overline{ON}$이고 $\overline{OM}=\overline{ON}$이다. $\angle ABC=63^\circ$일 때, $\angle MON$의 크기를 구하시오.

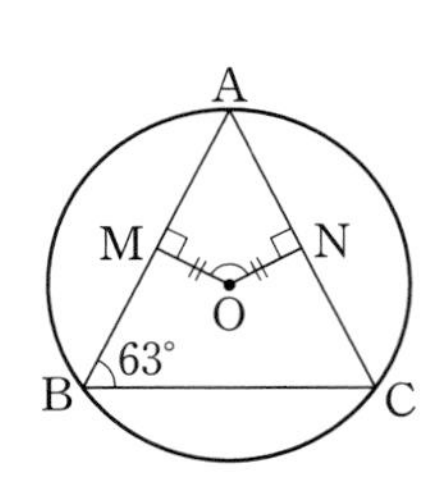

정답과 풀이 19쪽

6 오른쪽 그림에서 두 점 A, B는 점 P에서 원 O에 그은 두 접선의 접점이다. $\angle P=50°$, $\overline{OA}=6$ cm일 때, 색칠한 부분의 넓이를 구하시오.

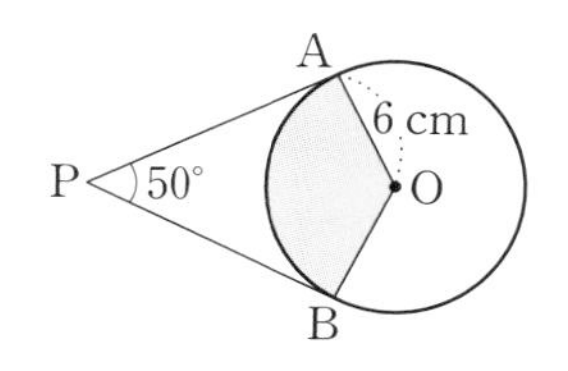

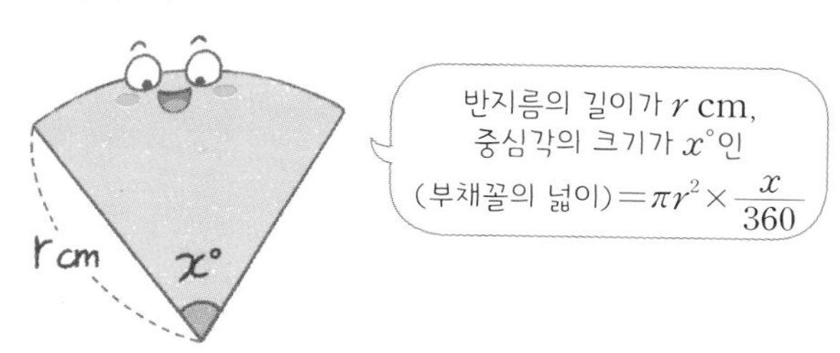

7 오른쪽 그림에서 $\overrightarrow{AD}$, $\overrightarrow{AF}$, $\overline{BC}$는 원 O의 접선이고 세 점 D, E, F는 접점이다. $\overline{AB}=6$ cm, $\overline{AC}=8$ cm, $\overline{AD}=10$ cm일 때, $\overline{BC}$의 길이를 구하시오.

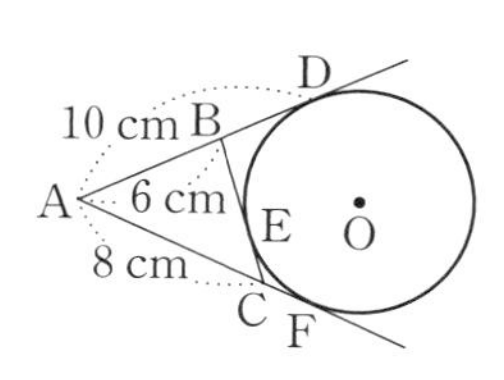

8 오른쪽 그림에서 $\overline{AB}$는 반원 O의 지름이고 $\overline{AD}$, $\overline{BC}$, $\overline{CD}$는 접선, 점 E는 접점이다. $\overline{AD}=4$ cm, $\overline{BC}=10$ cm일 때, $\overline{AB}$의 길이를 구하시오.

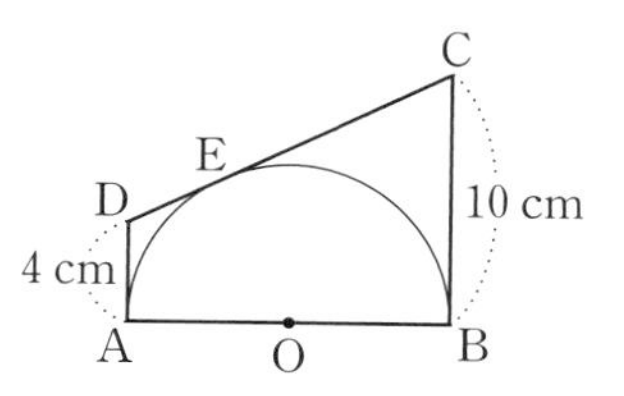

9 오른쪽 그림에서 원 O는 $\triangle ABC$에 내접하고 세 점 D, E, F는 접점이다. $\overline{AB}=14$ cm, $\overline{BC}=16$ cm, $\overline{CA}=10$ cm일 때, $\overline{CE}$의 길이를 구하시오.

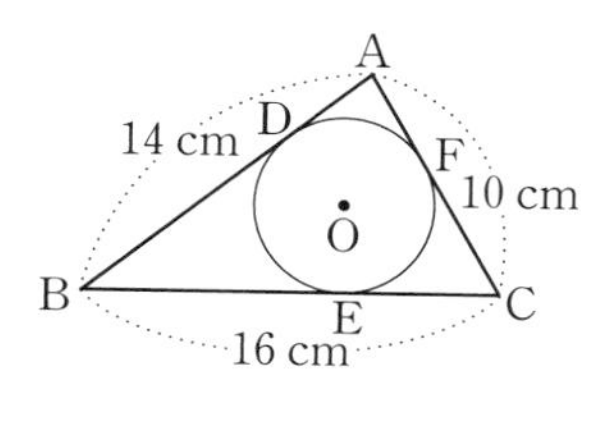

10 오른쪽 그림에서 □ABCD는 원 O에 외접하고 네 점 P, Q, R, S는 접점일 때, x의 값을 구하시오.

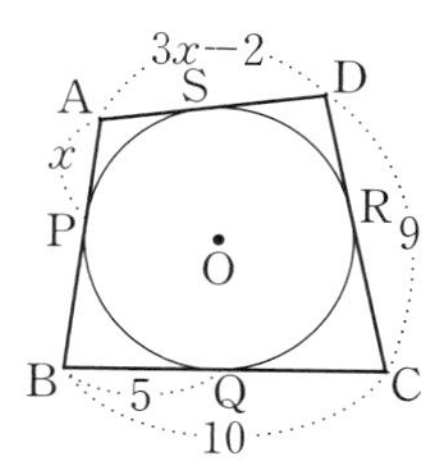

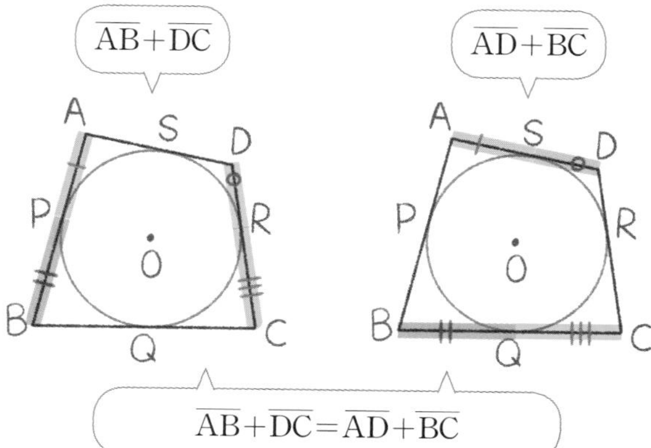

6일 서술형·사고력 테스트

1 오른쪽 그림과 같이 $\angle C=90°$인 직각삼각형 ABC에서 $\sin A\times\cos B$의 값을 구하시오.

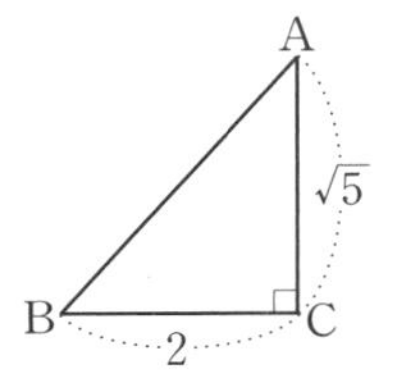

풀이

답

2 오른쪽 그림과 같은 직각삼각형 ABC에서 다음 삼각비의 표를 이용하여 $\angle C$의 크기를 구하시오.

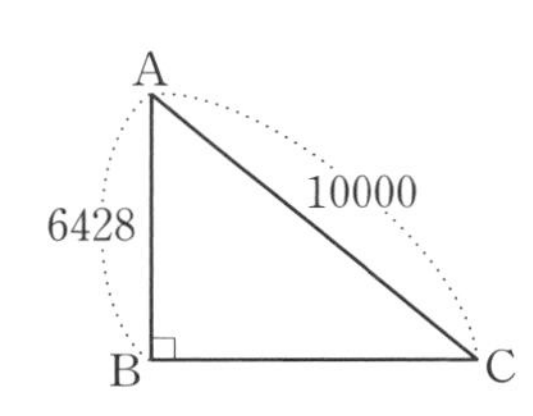

각	사인(sin)	코사인(cos)	탄젠트(tan)
39°	0.6293	0.7771	0.8098
40°	0.6428	0.7660	0.8391
41°	0.6561	0.7547	0.8693

풀이

답

3 다음 그림과 같이 모선의 길이가 6 cm인 원뿔이 있다. 모선과 밑면이 이루는 각의 크기가 30°일 때, 이 원뿔의 부피를 구하시오.

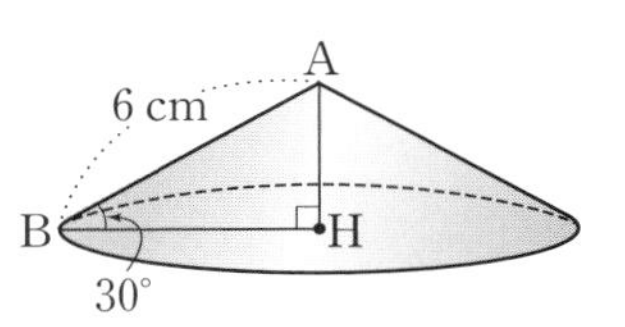

풀이

답

4 다음 그림과 같이 $\overline{BC}=4$이고 $\angle B=30°$, $\angle C=135°$인 $\triangle ABC$의 꼭짓점 A에서 $\overline{BC}$의 연장선에 내린 수선의 발을 H라 하자. $\overline{AH}=h$라 할 때, h의 값을 구하시오.

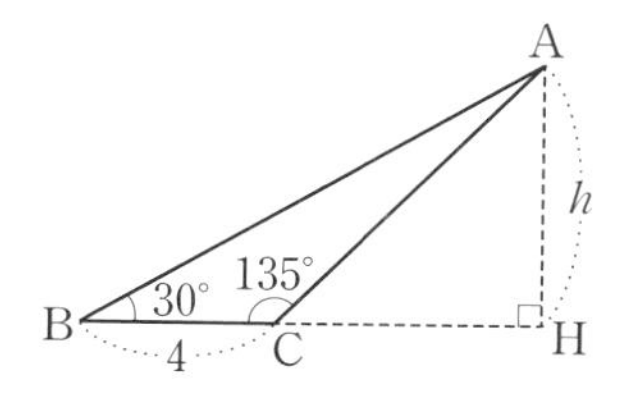

풀이

답

5 오른쪽 그림에서 원 O는 $\triangle ABC$의 내접원이고 세 점 D, E, F는 접점이다. $\overline{AD}=3$ cm, $\overline{CF}=5$ cm이고 $\triangle ABC$의 둘레의 길이가 28 cm일 때, $\overline{BC}$의 길이를 구하시오.

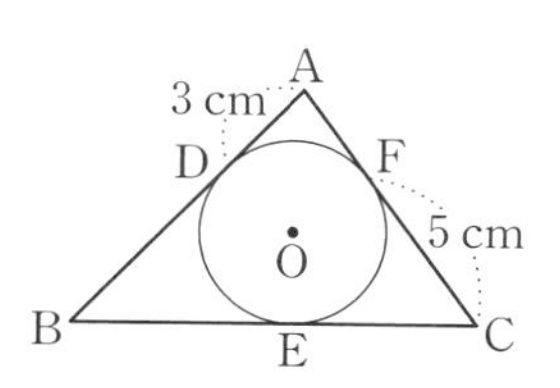

풀이

답

6 오른쪽 그림에서 원 O는 $\angle C=90°$인 직각삼각형 ABC의 내접원이고 세 점 D, E, F는 접점이다. $\overline{BC}=8$ cm, $\overline{AC}=6$ cm일 때, 다음 물음에 답하시오.

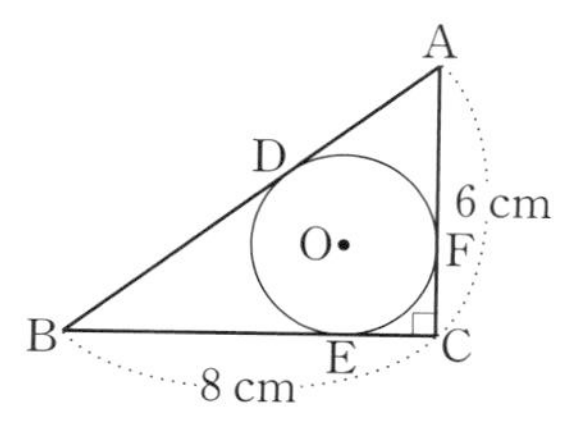

(1) $\overline{AB}$의 길이를 구하시오.

(2) 원 O의 반지름의 길이를 구하시오.

(3) 원 O의 넓이를 구하시오.

풀이

답

6일 창의·융합·코딩 테스트

1 다음 그림과 같이 일차함수 $y=\frac{1}{2}x+4$의 그래프가 x축, y축과 만나는 점을 각각 A, B라 하자. $\angle BAO=a$, $\angle ABO=b$라 할 때, 다음 물음에 답하시오.

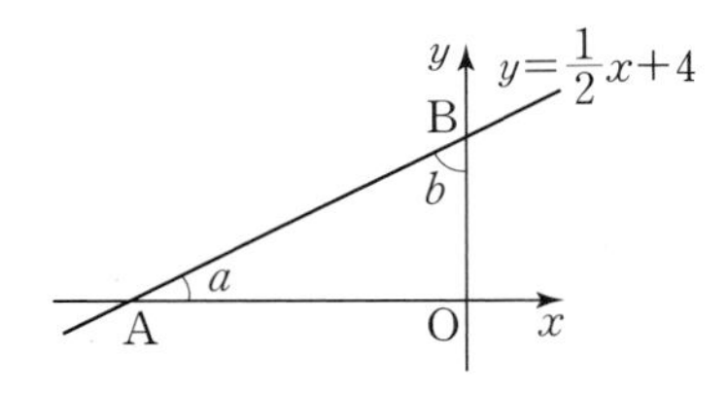

(1) $\overline{OA}$의 길이를 구하시오.

(2) $\overline{OB}$의 길이를 구하시오.

(3) $\overline{AB}$의 길이를 구하시오.

(4) $\cos a\times\cos b$의 값을 구하시오.

2 지면에 수직으로 서 있던 나무가 벼락을 맞아 다음 그림과 같이 쓰러졌다. $\overline{BC}=12$ m, $\angle ABC=60^{\circ}$, $\angle BAC=90^{\circ}$일 때, 쓰러지기 전의 나무의 높이를 구하시오.

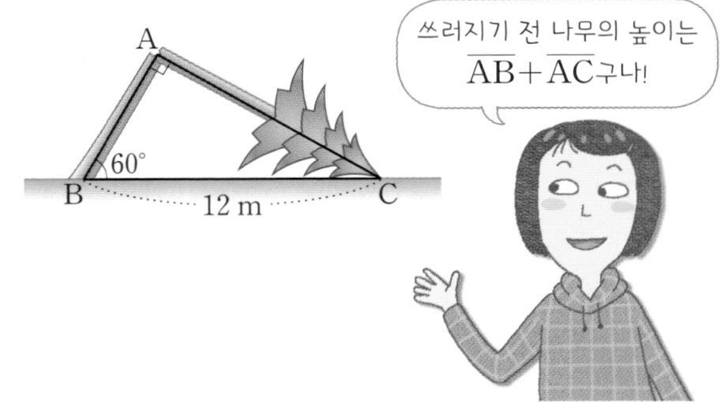

3 다음을 읽고, 깨지기 전 원 모양의 접시의 반지름의 길이를 구하시오.

4 다음 그림과 같이 중심이 점 O로 같은 두 원으로 둘러싸인 꽃밭에서 작은 원에 접하는 접선이 큰 원과 만나는 두 점을 각각 A, B라 하자. $\overline{AB}=8$ m일 때, 꽃밭의 넓이를 구하시오.

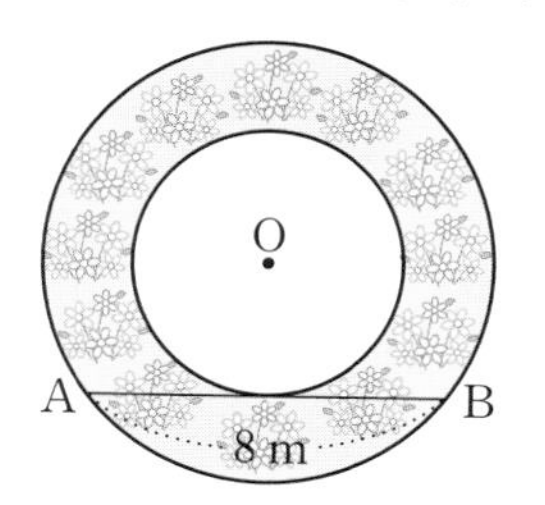

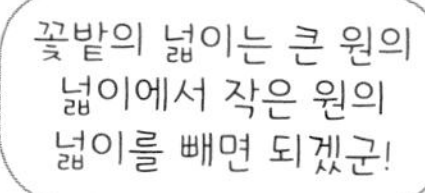

7일 중간고사 기본 테스트 1회

1 오른쪽 그림과 같이 ∠C=90°인 직각삼각형 ABC에 대하여 다음 중 옳은 것은?

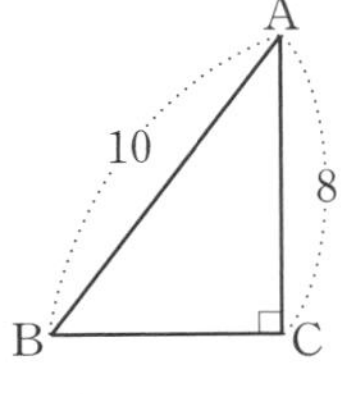

① $\sin A=\frac{2}{5}$　② $\cos A=\frac{2}{5}$
③ $\sin B=\frac{3}{5}$　④ $\cos B=\frac{4}{5}$
⑤ $\tan B=\frac{4}{3}$

2 ∠A=90°인 직각삼각형 ABC에서 $\cos C=\frac{\sqrt{6}}{3}$일 때, $\tan B$의 값은?

① $\frac{\sqrt{3}}{3}$　② $\frac{\sqrt{2}}{2}$　③ $\frac{\sqrt{6}}{3}$
④ $\sqrt{2}$　⑤ $\sqrt{3}$

3 오른쪽 그림과 같이 ∠A=90°인 직각삼각형 ABC에서 $\overline{DE}\perp\overline{BC}$이고 $\overline{AB}=4$, $\overline{AC}=2\sqrt{5}$이다. ∠CDE=x라 할 때, $\sin x$의 값은?

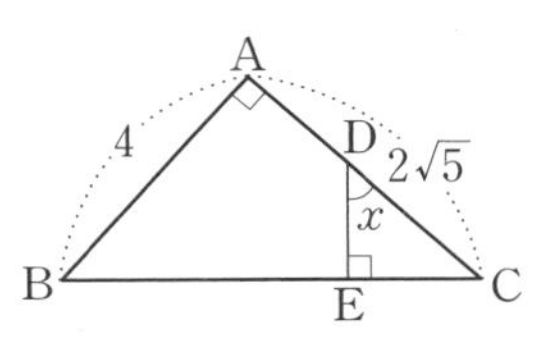

① $\frac{1}{3}$　② $\frac{\sqrt{2}}{3}$　③ $\frac{\sqrt{3}}{3}$
④ $\frac{2}{3}$　⑤ $\frac{\sqrt{5}}{3}$

4 오른쪽 그림과 같이 ∠C=90°인 직각삼각형 ABC에서 $\overline{AB}\perp\overline{CD}$이고 $\overline{AC}=4$, $\overline{BC}=3$이다. ∠BCD=x, ∠ACD=y라 할 때, $\sin x+\sin y$의 값은?

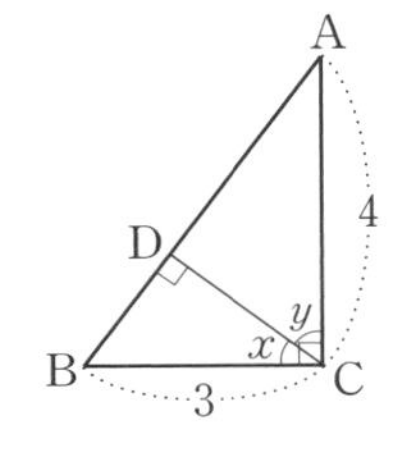

① $\frac{1}{4}$　② $\frac{3}{4}$　③ $\frac{5}{4}$
④ $\frac{6}{5}$　⑤ $\frac{7}{5}$

5 오른쪽 그림과 같이 반지름의 길이가 1인 사분원에 대하여 다음 보기 중에서 옳은 것을 모두 고른 것은?

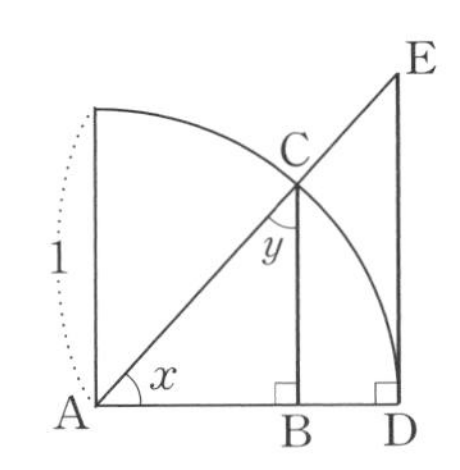

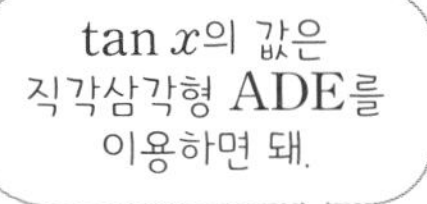

보기
ㄱ $\sin x=\overline{BC}$　ㄴ $\tan x=\overline{DE}$
ㄷ $\sin y=\overline{AC}$　ㄹ $\cos y=\overline{AB}$

① ㄱ, ㄴ　② ㄱ, ㄷ　③ ㄴ, ㄹ
④ ㄱ, ㄴ, ㄹ　⑤ ㄱ, ㄷ, ㄹ

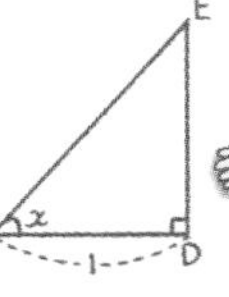

6 $\sin 30^\circ \times \cos 45^\circ \times \tan 60^\circ \times \sin 90^\circ$를 계산하면?

① 0　② $\frac{1}{4}$　③ $\frac{\sqrt{3}}{4}$
④ $\frac{\sqrt{6}}{4}$　⑤ $\frac{3}{2}$

7 다음 그림과 같이 현진이의 손의 위치에서 연을 올려본각의 크기는 40°이고, 현진이의 손에서 연까지의 거리는 50 m이다. 현진이의 손의 높이가 1.6 m일 때, 아래 삼각비의 표를 이용하여 지면에서 연까지의 높이를 구하면?

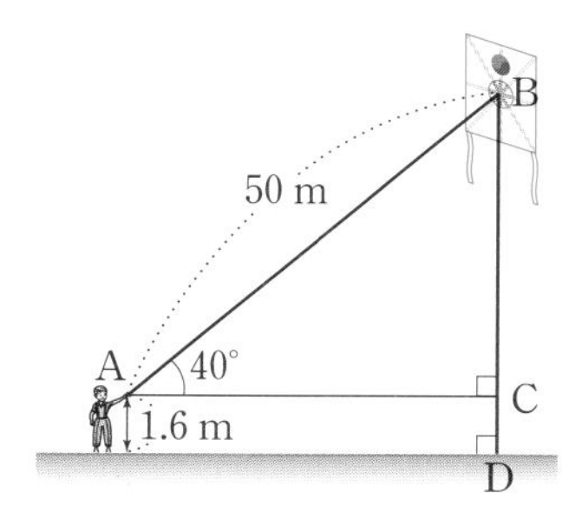

각	사인(sin)	코사인(cos)	탄젠트(tan)
40°	0.6428	0.7660	0.8391
50°	0.7660	0.6428	1.1918

① 33.74 m　② 33.82 m　③ 39.96 m
④ 43.51 m　⑤ 43.67 m

8 오른쪽 그림과 같은 $\triangle ABC$에서 $\overline{AB}=4$ cm, $\overline{BC}=6$ cm이고 $\angle B=60^\circ$일 때, $\overline{AC}$의 길이는?

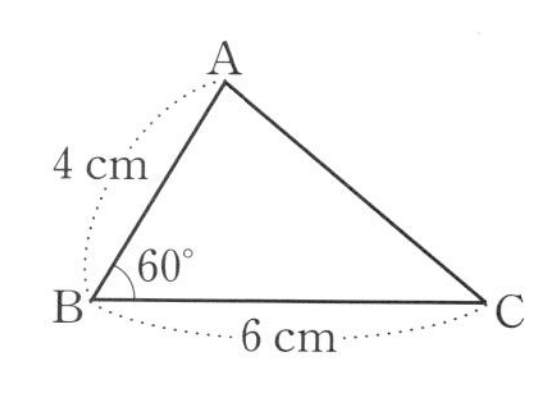

① $6\sqrt{2}$ cm　② $6\sqrt{3}$ cm　③ $2\sqrt{7}$ cm
④ $3\sqrt{17}$ cm　⑤ $3\sqrt{19}$ cm

9 두 변의 길이가 각각 8 cm, 6 cm이고, 그 끼인각의 크기가 45°인 삼각형의 넓이는?

① $6\sqrt{2}$ cm²　② $6\sqrt{3}$ cm²　③ $12\sqrt{2}$ cm²
④ $12\sqrt{3}$ cm²　⑤ 24 cm²

10 오른쪽 그림과 같은 □ABCD의 넓이는?

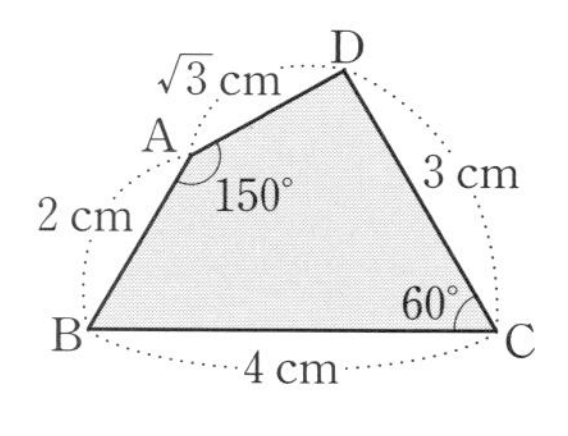

① 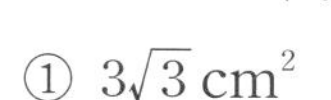 $3\sqrt{3}$ cm²
② 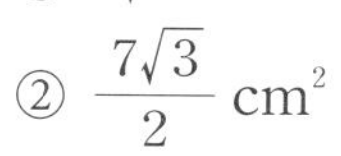 $\frac{7\sqrt{3}}{2}$ cm²
③ 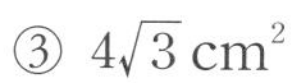 $4\sqrt{3}$ cm²
④ $\frac{9\sqrt{3}}{2}$ cm²
⑤ $5\sqrt{3}$ cm²

11 오른쪽 그림과 같은 원 O에서 $\overline{AM}\perp\overline{BC}$이고 $\angle AOC=135°$, $\overline{BC}=6\sqrt{2}$ cm일 때, $\overline{OC}$의 길이는?

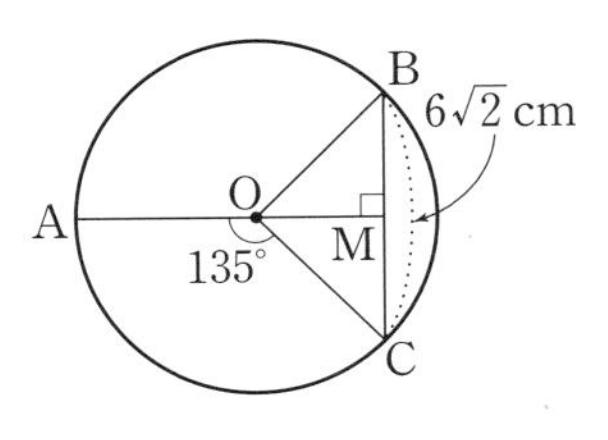

① 4 cm ② $2\sqrt{5}$ cm ③ 5 cm ④ $4\sqrt{2}$ cm ⑤ 6 cm

12 오른쪽 그림에서 $\widehat{AB}$는 원의 일부분이고 $\overline{AB}\perp\overline{CD}$, $\overline{AD}=\overline{BD}$이다. $\overline{AB}=16$ cm, $\overline{CD}=4$ cm일 때, 이 원의 넓이는?

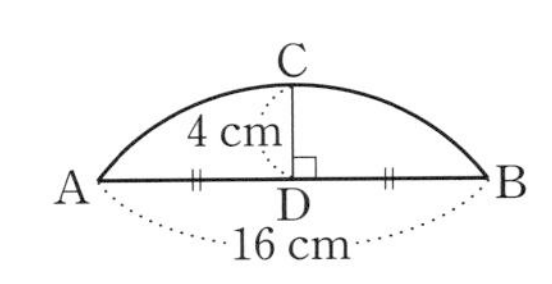

① 36π cm^2 ② 49π cm^2 ③ 64π cm^2 ④ 81π cm^2 ⑤ 100π cm^2

13 오른쪽 그림과 같은 원 O에서 $\overline{AB}\perp\overline{OM}$, $\overline{CD}\perp\overline{ON}$이고 $\overline{OM}=\overline{ON}=3$, $\overline{OA}=5$일 때, x의 값은?

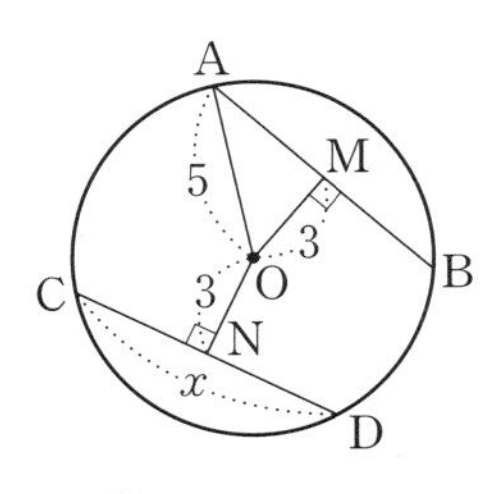

① 7 ② 8 ③ 9 ④ 10 ⑤ 11

14 오른쪽 그림의 원 O에서 $\overline{AB}\perp\overline{OM}$, $\overline{AC}\perp\overline{ON}$, $\overline{OM}=\overline{ON}$이고 $\angle BAC=46°$일 때, $\angle ABC$의 크기는?

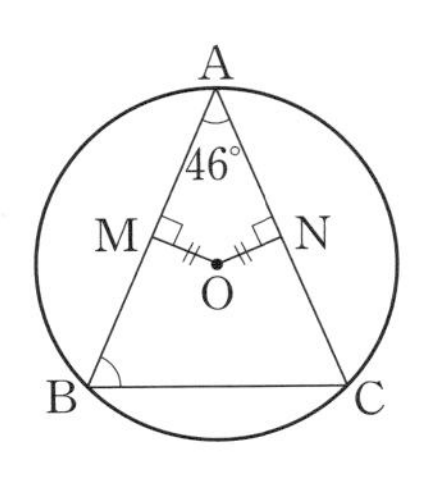

① 50° ② 57° ③ 62° ④ 67° ⑤ 70°

15 오른쪽 그림에서 $\overline{PA}$, $\overline{PB}$는 원 O의 접선이고 두 점 A, B는 접점이다. $\overline{PA}=12$ cm, $\overline{OB}=5$ cm일 때, $\overline{PO}$의 길이는?

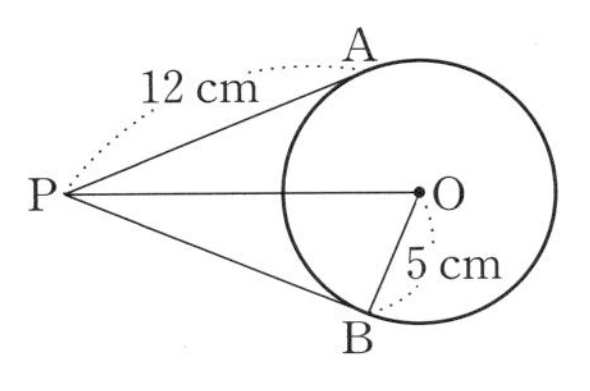

① 13 cm ② 14 cm ③ 15 cm ④ 16 cm ⑤ 17 cm

원의 접선과 반지름은 수직으로 만나지.

그렇다면 △PBO는 직각삼각형이야!

16 오른쪽 그림에서 원 O는 △ABC의 내접원이고 세 점 D, E, F는 접점이다. $\overline{AB}=20$, $\overline{BC}=16$, $\overline{CA}=14$일 때, $\overline{BD}$의 길이는?

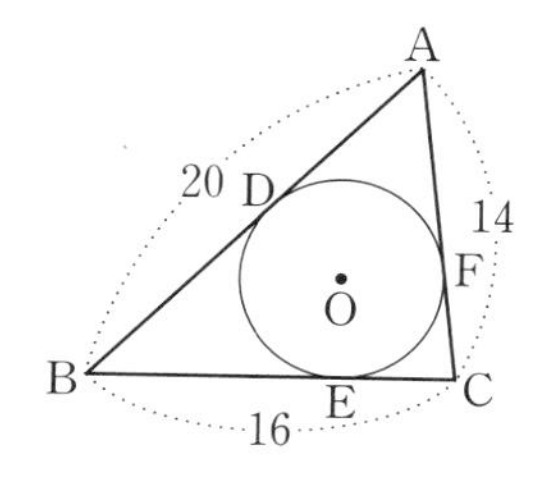

① 9 ② 10 ③ 11
④ 12 ⑤ 13

17 오른쪽 그림에서 □ABCD는 원 O에 외접하고 네 점 E, F, G, H는 접점이다. $\overline{AB}=13$ cm, $\overline{CG}=5$ cm, $\overline{DH}=3$ cm일 때, □ABCD의 둘레의 길이는?

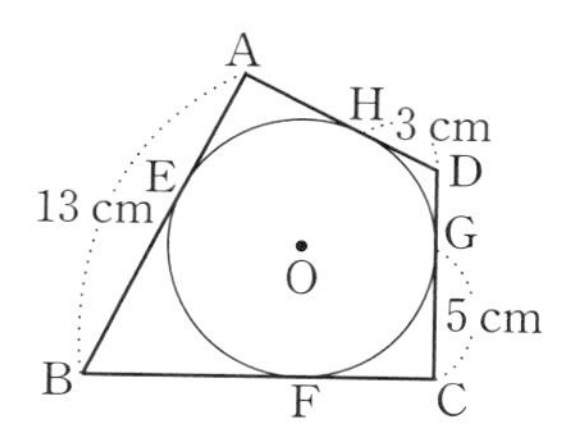

① 40 cm ② 42 cm ③ 44 cm
④ 46 cm ⑤ 48 cm

서술형

18 오른쪽 그림에서 $\angle BAC=\angle ADC=90°$, $\angle ABC=45°$, $\angle DAC=60°$이고 $\overline{BC}=4$일 때, $\overline{CD}$의 길이를 구하시오.

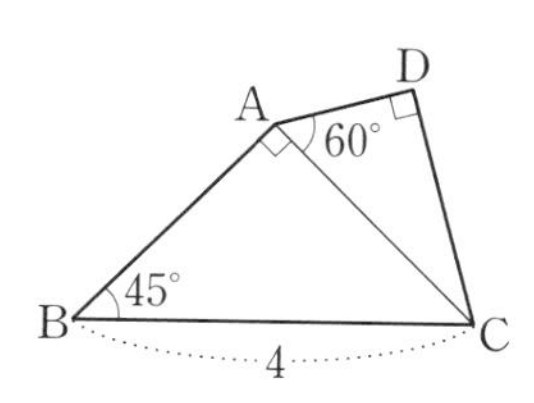

서술형

19 다음 그림과 같이 100 m 떨어진 두 지점 B, C에서 대관람차가 있는 A 지점을 바라본 각의 크기가 각각 75°, 45°일 때, 두 지점 A, B 사이의 거리를 구하시오.

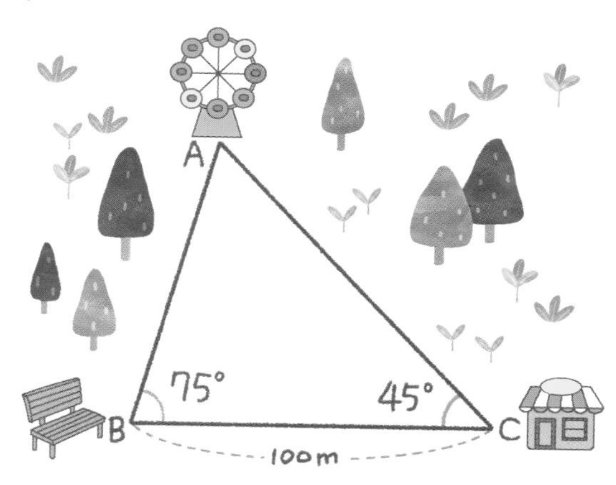

서술형

20 오른쪽 그림과 같이 반지름의 길이가 6 cm인 원 O의 원주 위의 한 점이 원의 중심에 겹치도록 접었을 때, $\overline{AB}$의 길이를 구하시오.

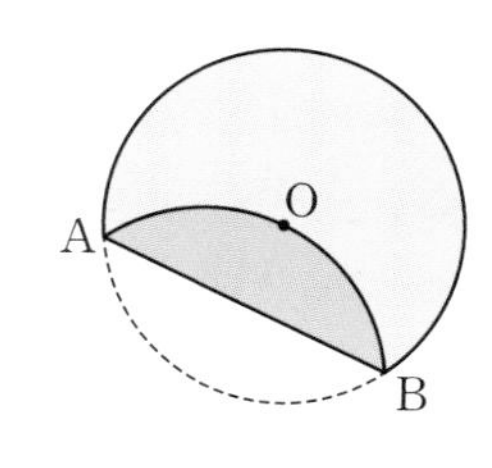

7일 중간고사 기본 테스트 2회

1 오른쪽 그림과 같이 $\angle C=90^\circ$인 직각삼각형 ABC에서 $\sin A-\cos A$의 값은?

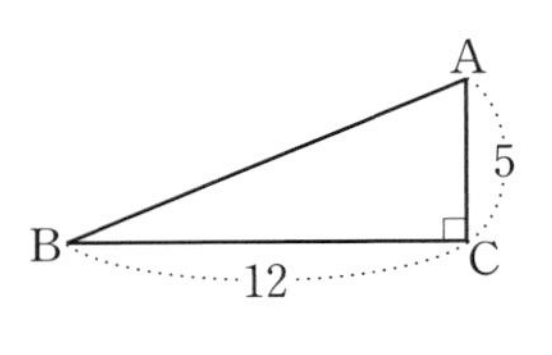

① $-\frac{7}{13}$ ② $-\frac{4}{13}$ ③ $\frac{5}{12}$
④ $\frac{4}{13}$ ⑤ $\frac{7}{13}$

2 $\angle B=90^\circ$인 직각삼각형 ABC에서 $\tan A=\frac{1}{3}$일 때, $\cos A\times\sin A$의 값은?

① $\frac{1}{10}$ ② $\frac{2}{5}$ ③ $\frac{3}{10}$
④ $\frac{4}{5}$ ⑤ $\frac{1}{2}$

3 오른쪽 그림에서 $\angle ABC=\angle BCD=90^\circ$, $\angle A=60^\circ$, $\angle D=45^\circ$, $\overline{AB}=\sqrt{2}$일 때, $\overline{BD}$의 길이는?

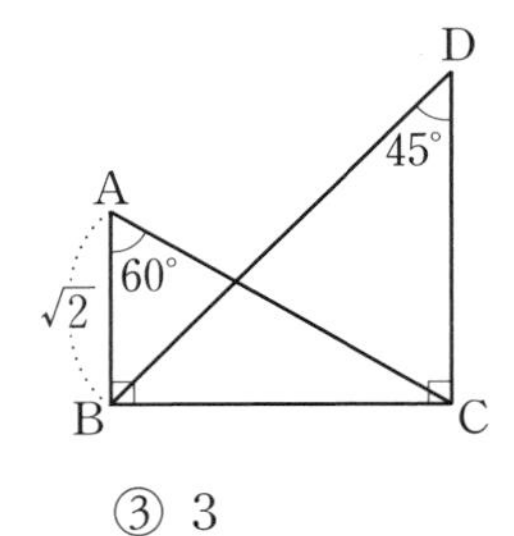

① 2 ② $2\sqrt{2}$ ③ 3
④ $2\sqrt{3}$ ⑤ $3\sqrt{2}$

4 오른쪽 그림과 같이 반지름의 길이가 1인 사분원에서 $\cos x$의 값을 나타내는 선분은?

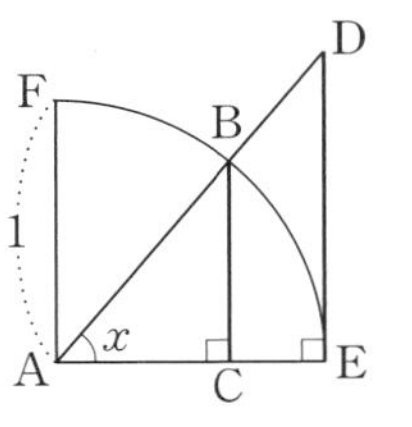

① $\overline{AB}$ ② $\overline{AC}$
③ $\overline{AD}$ ④ $\overline{BC}$
⑤ $\overline{DE}$

5 $\cos 30^\circ\times\tan 60^\circ\div\sin 90^\circ-\tan 45^\circ$를 계산하면?

① $\frac{1}{2}$ ② 1 ③ $\frac{3}{2}$
④ 2 ⑤ $\frac{5}{2}$

6 오른쪽 그림과 같은 직각삼각형 ABC에서 $\angle A=23^\circ$, $\overline{AC}=10$일 때, 다음 중 변의 길이를 바르게 나타낸 것은?

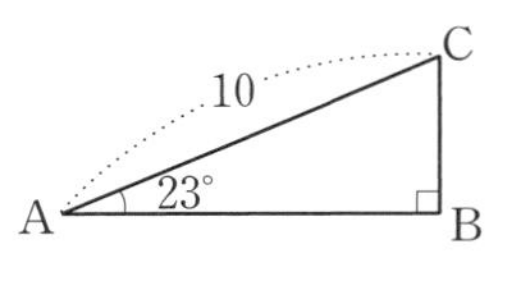

① $\overline{AB}=10\sin 23^\circ$ ② $\overline{AB}=10\tan 23^\circ$
③ $\overline{BC}=10\sin 23^\circ$ ④ $\overline{BC}=10\cos 23^\circ$
⑤ $\overline{BC}=10\tan 23^\circ$

7 다음 그림과 같이 혜성이가 다보탑으로부터 5 m 떨어진 지점에서 탑의 꼭대기를 올려본각의 크기가 61°이고, 지면에서 혜성이의 눈까지의 높이가 1.3 m일 때, 다보탑의 높이 $\overline{BD}$의 길이는? (단, $\sin 61^\circ=0.8746$, $\cos 61^\circ=0.4848$, $\tan 61^\circ=1.8040$으로 계산한다.)

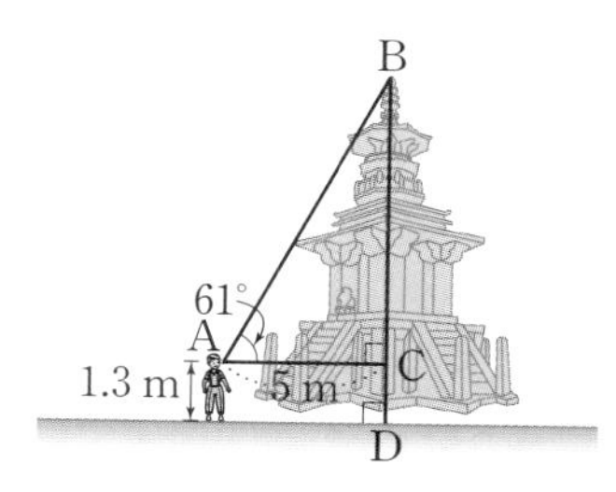

① 9.02 m ② 10.32 m ③ 11.02 m
④ 12.32 m ⑤ 13.23 m

8 오른쪽 그림과 같이 20 m 떨어져 있는 두 지점 A, B에서 나무의 꼭대기를 올려본각의 크기가 각각 30°, 45°일 때, 나무의 높이 $\overline{CH}$의 길이는?

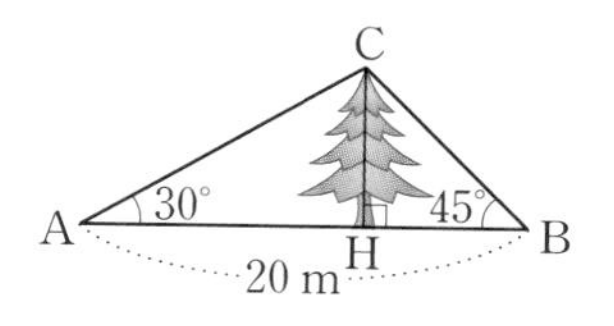

① $5(\sqrt{3}-1)$ m ② $5(\sqrt{3}+1)$ m
③ $10(\sqrt{3}-1)$ m ④ $10(\sqrt{3}+1)$ m
⑤ $10(3-\sqrt{3})$ m

9 오른쪽 그림과 같은 $\triangle ABC$의 넓이는?

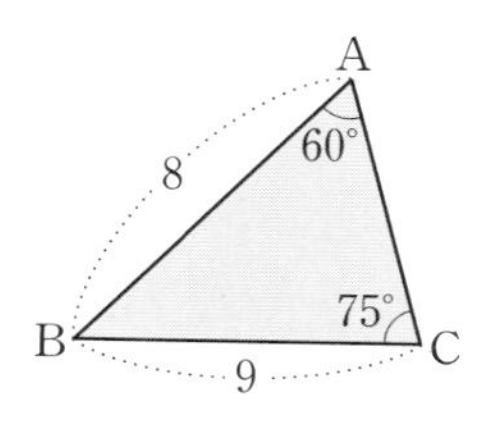

① $16\sqrt{2}$ ② $17\sqrt{3}$ ③ $18\sqrt{2}$
④ $18\sqrt{3}$ ⑤ $36\sqrt{2}$

10 오른쪽 그림과 같은 원 O에서 $\overline{AB}\perp\overline{OM}$이고 $\overline{AB}=24$, $\overline{OM}=5$일 때, x의 값은?

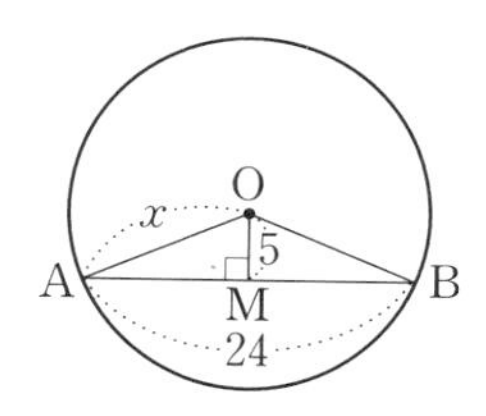

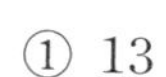
① 13 ② 14
③ 15 ④ 16
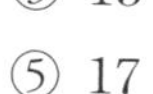
⑤ 17

11 오른쪽 그림의 원 O에서 $\overline{AB}\perp\overline{OC}$이고 $\overline{AB}=12$, $\overline{CM}=2$일 때, 원 O의 반지름의 길이는?

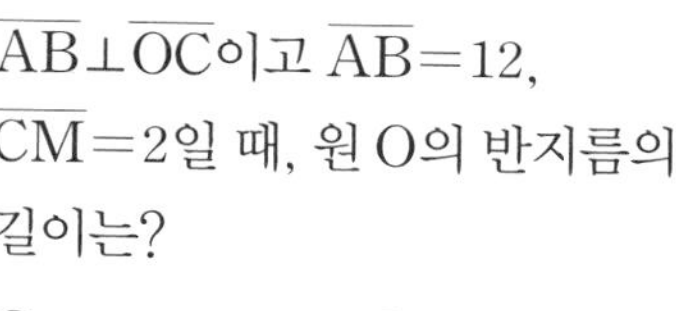

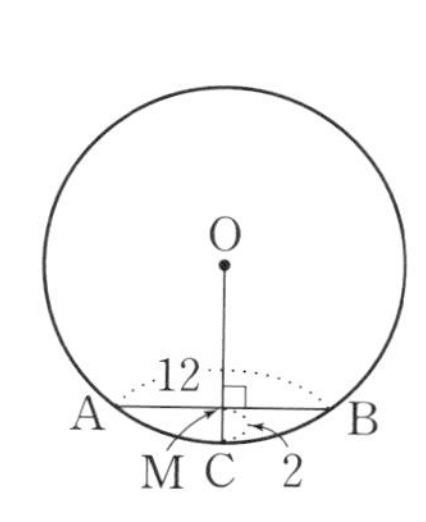

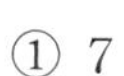
① 7 ② 8
③ 9 ④ 10
⑤ 11

12 오른쪽 그림과 같이 원 O의 중심에서 두 현 AB, CD에 내린 수선의 발을 각각 M, N이라 하자. $\overline{AB}=\overline{CD}=16$ cm, $\overline{OM}=6$ cm일 때, $x+y$의 값은?

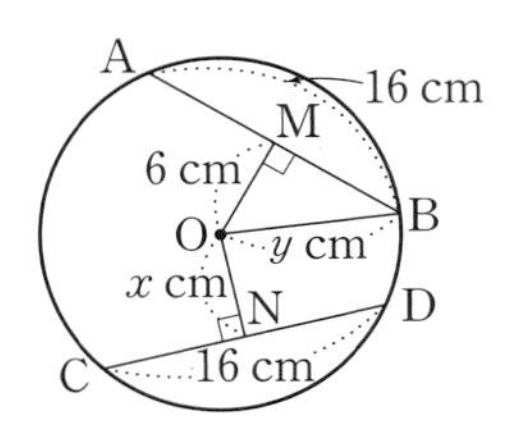

① 14 ② 16 ③ 18
④ 20 ⑤ 22

13 오른쪽 그림과 같이 △ABC의 외접원의 중심 O에서 세 변 AB, BC, CA에 내린 수선의 발을 각각 D, E, F라 하자. $\overline{OD}=\overline{OE}=\overline{OF}$이고 $\overline{AD}=2\sqrt{3}$ cm일 때, 원 O의 넓이는?

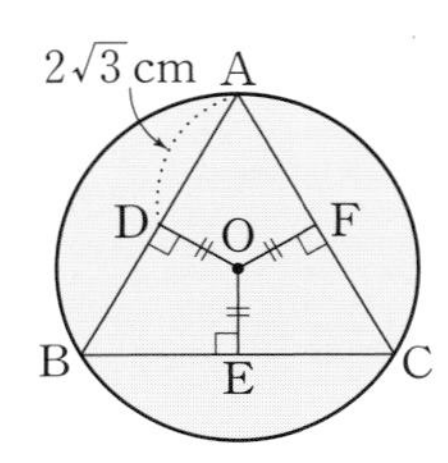

① 9π cm^2 ② 16π cm^2 ③ 25π cm^2
④ 36π cm^2 ⑤ 49π cm^2

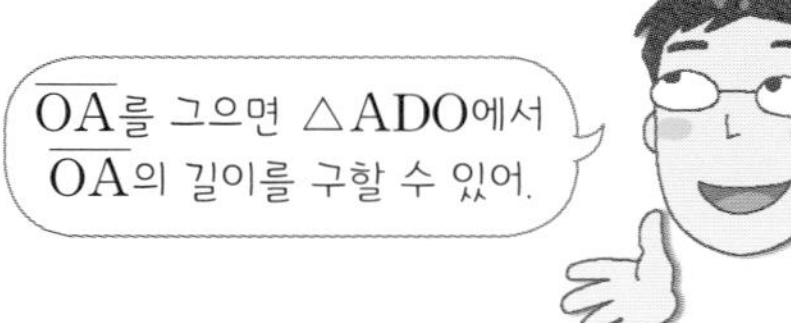

14 다음 그림과 같이 $\overline{PA}$, $\overline{PB}$는 원 O의 접선이고 두 점 A, B는 접점이다. $\angle PAB=74°$일 때, $\angle x$의 크기는?

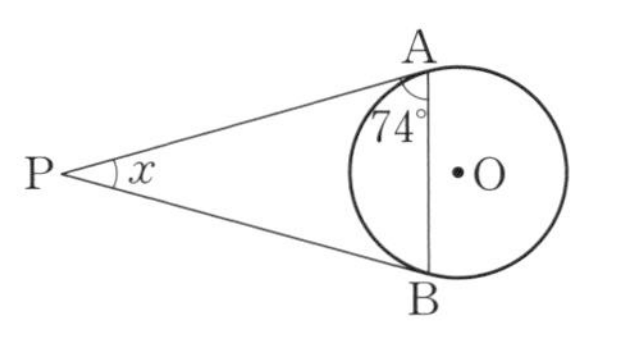

① 28° ② 30° ③ 32°
④ 34° ⑤ 36°

15 오른쪽 그림과 같이 반지름의 길이가 각각 1, 4이고 중심이 점 O로 같은 두 원이 있다. 작은 원에 접하는 직선이 큰 원과 만나는 두 점을 각각 A, B라 할 때, $\overline{AB}$의 길이는?

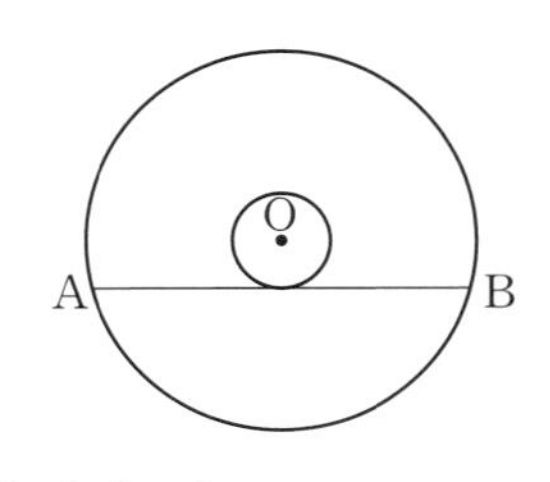

① $2\sqrt{2}$ ② $\sqrt{15}$ ③ $2\sqrt{15}$
④ $3\sqrt{15}$ ⑤ $4\sqrt{15}$

16 다음 그림과 같이 $\overrightarrow{PA}$, $\overrightarrow{PB}$, $\overline{CD}$는 원 O의 접선이고 세 점 A, B, E는 접점이다. $\overline{PA}=9$ cm, $\overline{PC}=6$ cm, $\overline{PD}=8$ cm일 때, $\overline{CD}$의 길이는?

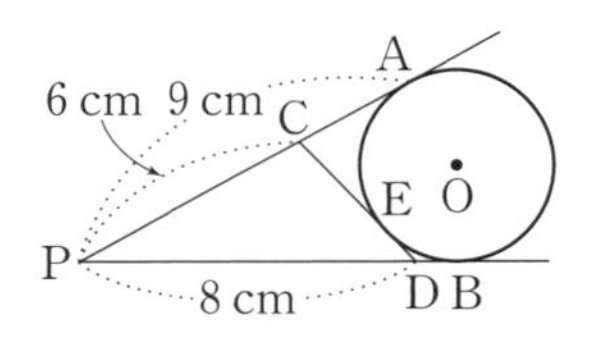

① 2 cm ② 3 cm ③ 4 cm
④ 5 cm ⑤ 6 cm

17 오른쪽 그림에서 $\overline{BC}$는 반원 O의 지름이고 $\overline{AB}$, $\overline{AD}$, $\overline{CD}$는 반원 O의 접선, 점 P는 접점이다. $\overline{AB}=2$ cm, $\overline{CD}=4$ cm일 때, 반원 O의 반지름의 길이는?

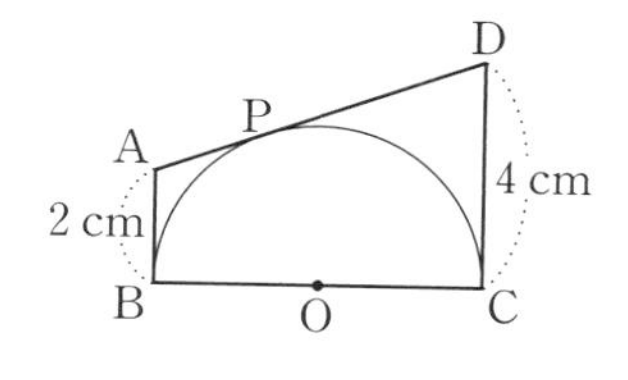

① $\sqrt{5}$ cm ② $2\sqrt{2}$ cm ③ $3\sqrt{2}$ cm
④ $4\sqrt{3}$ cm ⑤ $5\sqrt{3}$ cm

18 오른쪽 그림과 같이 $\angle B=90°$인 직각삼각형 ABC에서 $\overline{AC}\perp\overline{BD}$이고 $\overline{AB}=8$ cm, $\overline{BC}=6$ cm이다. $\angle ABD=x$, $\angle DBC=y$일 때, 다음 물음에 답하시오.

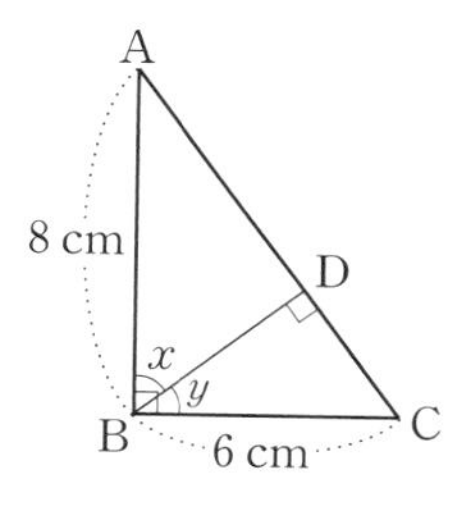

(1) $\overline{AC}$의 길이를 구하시오.

(2) x, y와 크기가 같은 각을 각각 말하시오.

(3) $\sin x+\cos y$의 값을 구하시오.

서술형

19 오른쪽 그림과 같은 □ABCD의 넓이를 구하시오.

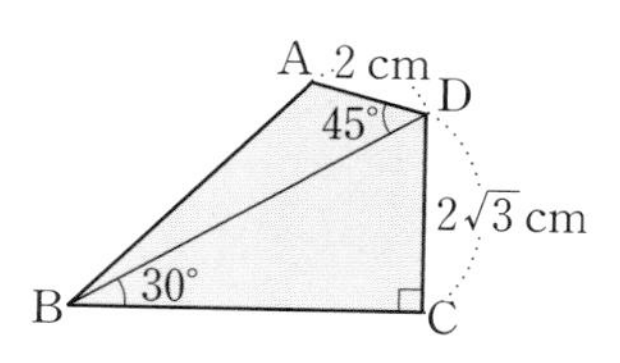

서술형

20 다음 그림과 같이 원 모양의 꽃밭에 □ABCD가 외접하고 네 점 P, Q, R, S는 접점이다. $\overline{AD}=8$ m, $\overline{BC}=11$ m, $\overline{BQ}=5$ m, $\overline{CD}=10$ m일 때, $\overline{AP}$의 길이를 구하시오.

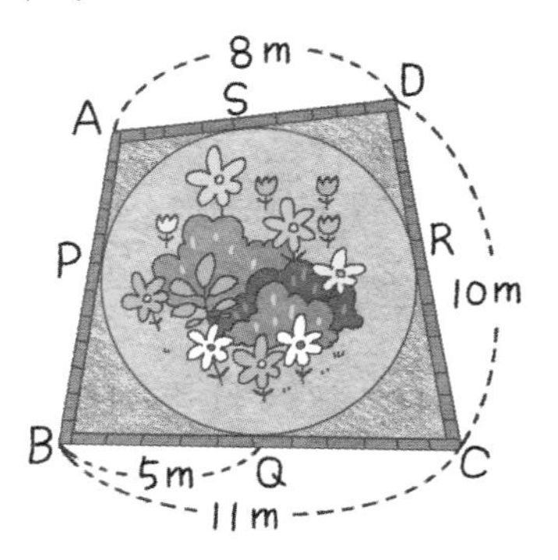

memo

memo

memo

핵심 정리 01 삼각비의 뜻

∠B=90°인 직각삼각형 ABC에서

(1) (∠A의 사인) $=\sin A=\frac{❶\square}{b}$

(2) (∠A의 코사인) $=\cos A=\frac{c}{❷\square}$

(3) (∠A의 탄젠트) $=\tan A=\frac{❸\square}{c}$

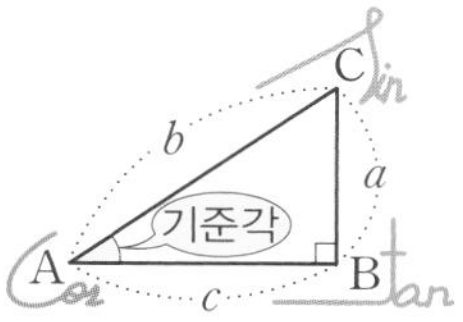

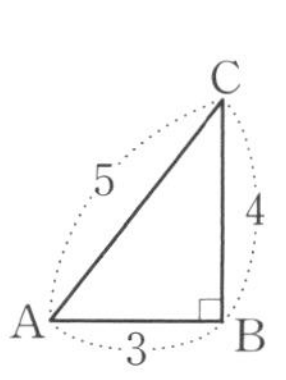

참고 기준각에 따라 삼각비의 값이 달라진다.

예 오른쪽 그림의 직각삼각형 ABC에서

$\sin A=\frac{4}{5}$, $\sin C=\frac{3}{5}$

$\cos A=\frac{3}{5}$, $\cos C=\frac{4}{5}$

$\tan A=\frac{4}{3}$, $\tan C=\frac{3}{4}$

답 ❶ a ❷ b ❸ a

핵심 정리 02 직각삼각형의 닮음과 삼각비

∠A=90°인 직각삼각형 ABC에서 $\overline{AD}\perp\overline{BC}$일 때,

∠x=∠BCA,

∠y=∠ABC

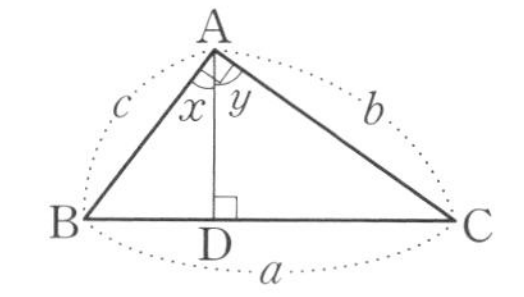

(1) $\sin x=\sin C=\frac{c}{a}$

(2) $\cos x=\cos C=\frac{❶\square}{a}$

(3) $\tan x=\tan C=\frac{c}{b}$

(4) $\sin y=\sin B=\frac{❷\square}{a}$

(5) $\cos y=\cos B=\frac{c}{a}$

(6) $\tan y=\tan B=\frac{b}{❸\square}$

답 ❶ b ❷ b ❸ c

핵심 정리 03 30°, 45°, 60°의 삼각비의 값

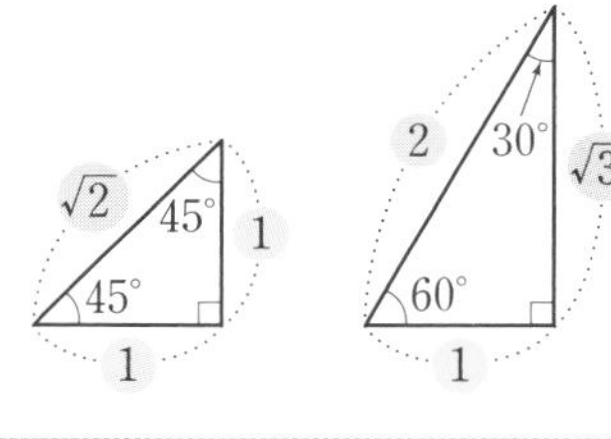

삼각비 \ A	30°	45°	60°
$\sin A$	❶	$\frac{\sqrt{2}}{2}$	$\frac{\sqrt{3}}{2}$
$\cos A$	$\frac{\sqrt{3}}{2}$	❷	$\frac{1}{2}$
$\tan A$	$\frac{\sqrt{3}}{3}$	1	❸

답 ❶ $\frac{1}{2}$ ❷ $\frac{\sqrt{2}}{2}$ ❸ $\sqrt{3}$

핵심 정리 04 예각의 삼각비의 값

반지름의 길이가 1인 사분원에서 예각 x에 대하여

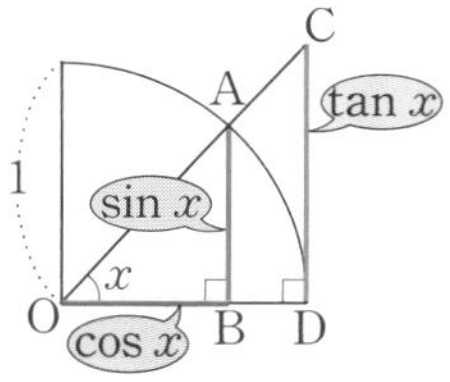

(1) $\sin x=\frac{\overline{AB}}{\overline{OA}}=\frac{\overline{AB}}{1}=❶\square$

(2) $\cos x=\frac{\overline{OB}}{\overline{OA}}=\frac{\overline{OB}}{1}=❷\square$

(3) $\tan x=\frac{\overline{CD}}{\overline{OD}}=\frac{\overline{CD}}{1}=❸\square$

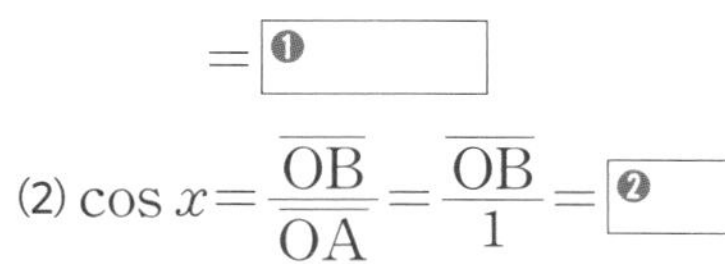

답 ❶ $\overline{AB}$ ❷ $\overline{OB}$ ❸ $\overline{CD}$

핵심 정리 02

예 1

오른쪽 그림과 같이 $\angle A=90^\circ$인 직각삼각형 ABC에서 $\overline{AD}\perp\overline{BC}$이다. $\angle BAD=x$, $\angle CAD=y$라 할 때, $\sin x+\cos y$의 값을 구하시오.

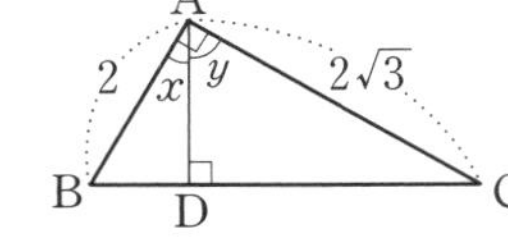

→ $\triangle ABC \backsim \triangle DBA \backsim \triangle DAC$ (AA 닮음)이므로

$\angle BCA=$ ❶ ☐, $\angle ABC=$ ❷ ☐

$\triangle ABC$에서 $\overline{BC}=\sqrt{2^2+(2\sqrt{3})^2}=\sqrt{16}=4$

따라서 $\sin x=\sin(\angle BCA)=$ ❸ ☐ $=$ ❹ ☐,

$\cos y=\cos(\angle ABC)=$ ❺ ☐ $=$ ❻ ☐ 이므로

$\sin x+\cos y=$ ❹ ☐ $+$ ❻ ☐ $=1$

답 ❶ x ❷ y ❸ $\frac{2}{4}$ ❹ $\frac{1}{2}$ ❺ $\frac{2}{4}$ ❻ $\frac{1}{2}$

핵심 정리 01

예 1

오른쪽 그림과 같은 직각삼각형 ABC에서 다음을 구하시오.

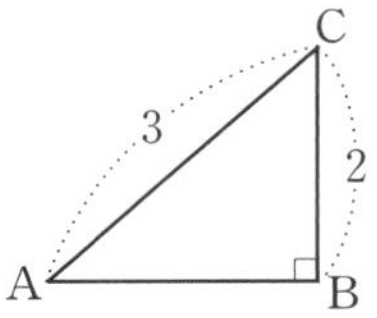

(1) $\sin A$

(2) $\cos A$

(3) $\tan A$

(4) $\sin C$

(5) $\cos C$

(6) $\tan C$

피타고라스 정리를 이용해서 $\overline{AB}$의 길이를 구해.

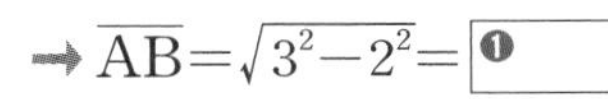

→ $\overline{AB}=\sqrt{3^2-2^2}=$ ❶ ☐

(1) $\sin A=\frac{2}{3}$　　(2) $\cos A=\frac{❷ ☐}{3}$

(3) $\tan A=\frac{2}{\sqrt{5}}=\frac{2\sqrt{5}}{5}$　　(4) $\sin C=\frac{❸ ☐}{3}$

(5) $\cos C=\frac{2}{3}$　　(6) $\tan C=\frac{\sqrt{5}}{❹ ☐}$

답 ❶ $\sqrt{5}$ ❷ $\sqrt{5}$ ❸ $\sqrt{5}$ ❹ 2

핵심 정리 04

예 1

오른쪽 그림과 같이 좌표평면 위의 원점 O를 중심으로 하고 반지름의 길이가 1인 사분원에서 다음 삼각비의 값을 구하시오.

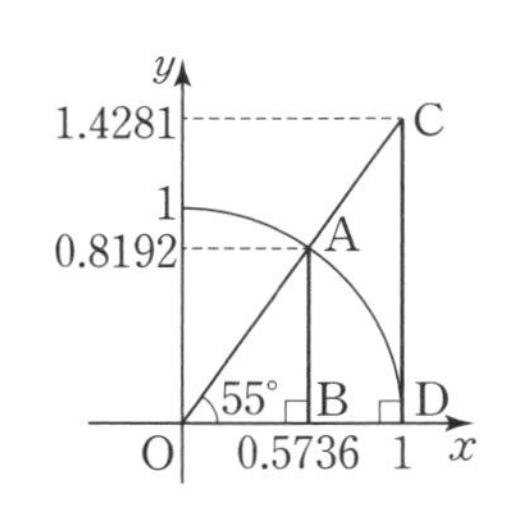

(1) $\sin 55^\circ$　(2) $\cos 55^\circ$

(3) $\tan 55^\circ$　(4) $\sin 35^\circ$

→ (1) $\sin 55^\circ=\frac{\overline{AB}}{\overline{OA}}=\frac{0.8192}{1}=0.8192$

(2) $\cos 55^\circ=\frac{\overline{OB}}{\overline{OA}}=\frac{0.5736}{1}=0.5736$

(3) $\tan 55^\circ=\frac{\overline{CD}}{\overline{OD}}=\frac{❶ ☐}{1}=$ ❶ ☐

$\triangle AOB$에서 $\angle OAB=90^\circ-55^\circ=35^\circ$이므로

(4) $\sin 35^\circ=\frac{❷ ☐}{\overline{OA}}=\frac{❸ ☐}{1}=$ ❸ ☐

답 ❶ 1.4281 ❷ $\overline{OB}$ ❸ 0.5736

핵심 정리 03

예 1

다음을 계산하시오.

(1) $\sin 60^\circ-\cos 30^\circ$

(2) $(\sin 45^\circ+\cos 45^\circ)\times\tan 45^\circ$

(3) $\sin 30^\circ\times\tan 60^\circ\div\cos 60^\circ$

→ (1) $\sin 60^\circ-\cos 30^\circ=\frac{\sqrt{3}}{2}-\frac{\sqrt{3}}{2}=0$

(2) $(\sin 45^\circ+\cos 45^\circ)\times\tan 45^\circ$

$=\left(\frac{\sqrt{2}}{2}+\frac{\sqrt{2}}{2}\right)\times$ ❶ ☐ $=$ ❷ ☐

(3) $\sin 30^\circ\times\tan 60^\circ\div\cos 60^\circ$

$=\frac{1}{2}\times\sqrt{3}\div$ ❸ ☐

$=\frac{\sqrt{3}}{2}\times$ ❹ ☐ $=$ ❺ ☐

답 ❶ 1 ❷ $\sqrt{2}$ ❸ $\frac{1}{2}$ ❹ 2 ❺ $\sqrt{3}$

핵심 정리 05 0°, 90°의 삼각비의 값

(1) $\sin 0^\circ=0$, $\sin 90^\circ=$ ❶

(2) $\cos 0^\circ=$ ❷ , $\cos 90^\circ=0$

(3) $\tan 0^\circ=$ ❸ , $\tan 90^\circ$의 값은 정할 수 없다.

예 ① $\sin 0^\circ+\cos 90^\circ=0+0=0$

② $\sin 90^\circ\times\cos 0^\circ-\tan 0^\circ=1\times1-0=1$

답 ❶ 1 ❷ 1 ❸ 0

핵심 정리 06 삼각비의 표

(1) **삼각비의 표** : 0°에서 90°까지의 각을 1° 간격으로 나누어 삼각비의 값을 반올림하여 소수점 아래 넷째 자리까지 나타낸 표

(2) **삼각비의 표 읽는 방법**

각도의 ❶ 과 삼각비의 ❷ 이 만나는 곳의 수를 읽는다.

예 다음 삼각비의 표에서

각	사인(sin)	코사인(cos)	탄젠트(tan)
41°	0.6561	0.7547	0.8693
42°	0.6691	0.7431	0.9004
43°	0.6820	0.7314	0.9325

① $\sin 42^\circ=0.6691$

② $\cos 43^\circ=0.7314$

③ $\tan 41^\circ=0.8693$

답 ❶ 가로줄 ❷ 세로줄

핵심 정리 07 직각삼각형의 변의 길이

$\angle B=90^\circ$인 직각삼각형 ABC에서

(1)

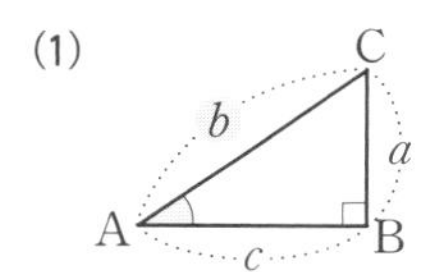

① $a=b\sin A$

② $c=$ ❶

(2)

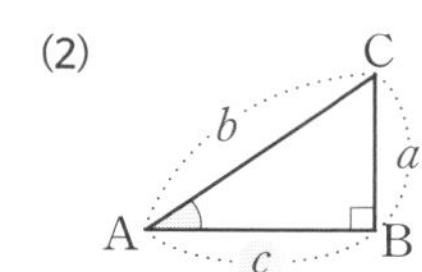

① $a=c\tan A$

② $b=\dfrac{c}{❷}$

(3)

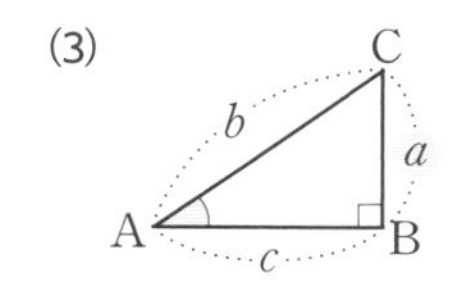

① $b=\dfrac{a}{❸}$

② $c=\dfrac{a}{\tan A}$

답 ❶ $b\cos A$ ❷ $\cos A$ ❸ $\sin A$

핵심 정리 08 일반 삼각형의 변의 길이

(1) $\triangle ABC$에서 두 변의 길이 a, c와 그 끼인각 $\angle B$의 크기를 알 때

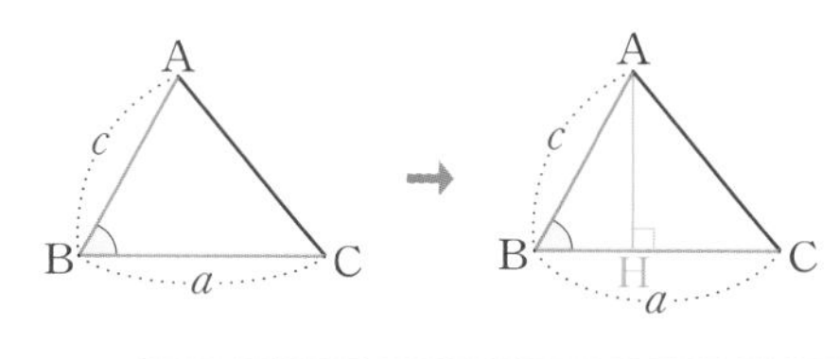

$\overline{AC}=\sqrt{(\text{❶})^2+(a-c\cos B)^2}$

(2) $\triangle ABC$에서 한 변의 길이 a와 그 양 끝 각 $\angle B$, $\angle C$의 크기를 알 때

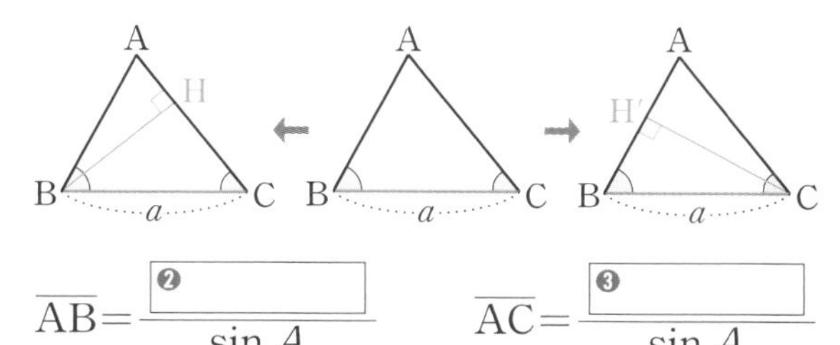

$\overline{AB}=\dfrac{❷}{\sin A}$ $\overline{AC}=\dfrac{❸}{\sin A}$

답 ❶ $c\sin B$ ❷ $a\sin C$ ❸ $a\sin B$

핵심 정리 06

예 1

다음 삼각비의 표를 이용하여
$\sin 40^\circ + \tan 39^\circ - \cos 41^\circ$의 값을 구하시오.

각	사인(sin)	코사인(cos)	탄젠트(tan)
39°	0.6293	0.7771	0.8098
40°	0.6428	0.7660	0.8391
41°	0.6561	0.7547	0.8693

➡ $\sin 40^\circ + \tan 39^\circ - \cos 41^\circ$
$= $ ❶ $+$ ❷ $-$ ❸
$= $ ❹

답 ❶ 0.6428 ❷ 0.8098 ❸ 0.7547 ❹ 0.6979

핵심 정리 05

예 1

다음을 계산하시오.
(1) $\sin 90^\circ - \cos 0^\circ$

(2) $\sin 0^\circ + \tan 60^\circ - \cos 90^\circ$

(3) $\tan 0^\circ + \sin 30^\circ \times \cos 0^\circ$

➡ (1) $\sin 90^\circ - \cos 0^\circ = 1 -$ ❶ $=$ ❷

(2) $\sin 0^\circ + \tan 60^\circ - \cos 90^\circ$
$= 0 + \sqrt{3} -$ ❸ $=$ ❹

(3) $\tan 0^\circ + \sin 30^\circ \times \cos 0^\circ$
$=$ ❺ $+ \frac{1}{2} \times 1 =$ ❻

답 ❶ 1 ❷ 0 ❸ 0 ❹ $\sqrt{3}$ ❺ 0 ❻ $\frac{1}{2}$

핵심 정리 08

예 1

오른쪽 그림과 같은 △ABC에서 $\overline{AC}$의 길이를 구하시오.

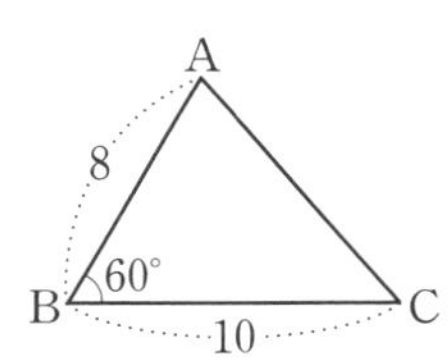

➡ 꼭짓점 A에서 $\overline{BC}$에 내린 수선의 발을 H라 하면

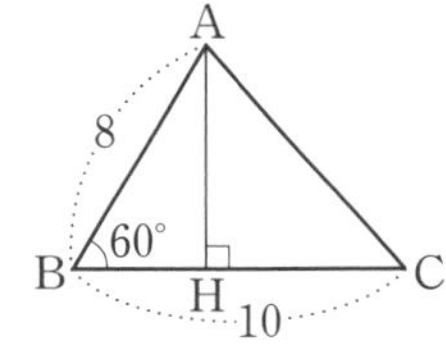

△ABH에서

$\overline{AH} = 8 \sin 60^\circ =$ ❶
$\overline{BH} = 8 \cos 60^\circ = 4$
이때 $\overline{CH} = 10 -$ ❷ $=$ ❸ 이므로
△AHC에서
$\overline{AC} = \sqrt{(\text{❶})^2 + \text{❸}^2} =$ ❹

답 ❶ $4\sqrt{3}$ ❷ 4 ❸ 6 ❹ $2\sqrt{21}$

핵심 정리 07

예 1

오른쪽 그림과 같은 직각삼각형 △ABC에서 $x+y$의 값을 구하시오.
(단, $\sin 53^\circ = 0.799$, $\cos 53^\circ = 0.602$로 계산한다.)

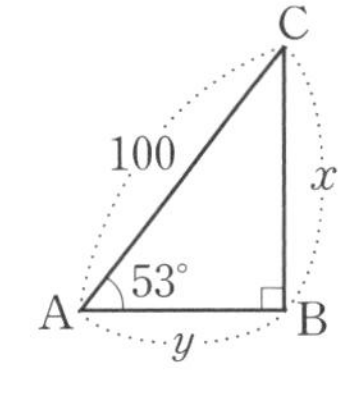

➡ $x = 100 \sin 53^\circ = 100 \times$ ❶ $=$ ❷
$y = 100 \cos 53^\circ = 100 \times$ ❸ $=$ ❹
$\therefore x - y =$ ❷ $-$ ❹ $=$ ❺

답 ❶ 0.799 ❷ 79.9 ❸ 0.602 ❹ 60.2 ❺ 19.7

핵심 정리 09 삼각형의 높이

△ABC에서 한 변의 길이 a와 그 양 끝 각 ∠B, ∠C의 크기를 알 때, 높이 h는

(1) **주어진 각이 모두 예각일 때**

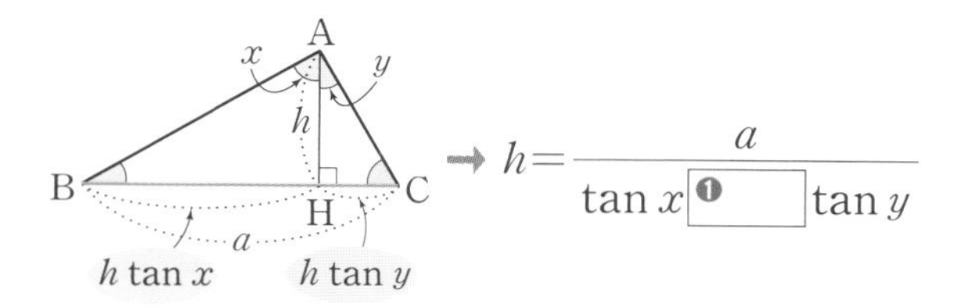

$\rightarrow h=\dfrac{a}{\tan x \text{ ❶ } \tan y}$

(2) **주어진 각 중 한 각이 둔각일 때**

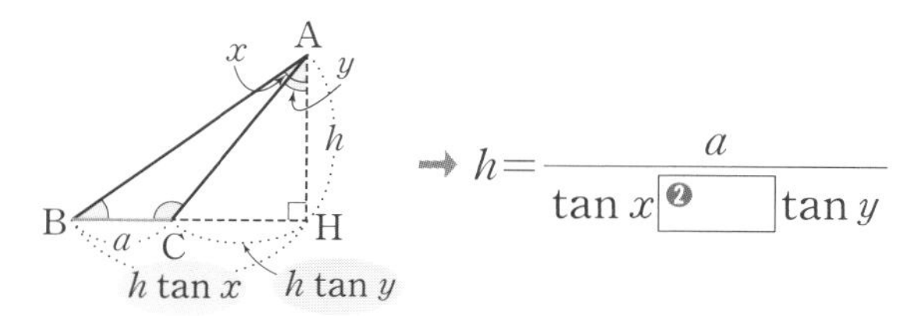

$\rightarrow h=\dfrac{a}{\tan x \text{ ❷ } \tan y}$

답 ❶ + ❷ −

핵심 정리 10 삼각형의 넓이

△ABC에서 두 변의 길이 a, c와 그 끼인각 ∠B의 크기를 알 때, 삼각형의 넓이 S는

(1) **∠B가 예각인 경우**

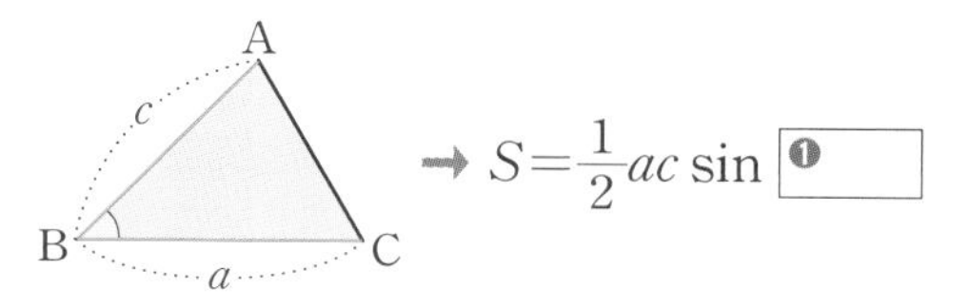

$\rightarrow S=\frac{1}{2}ac\sin$ ❶

(2) **∠B가 둔각인 경우**

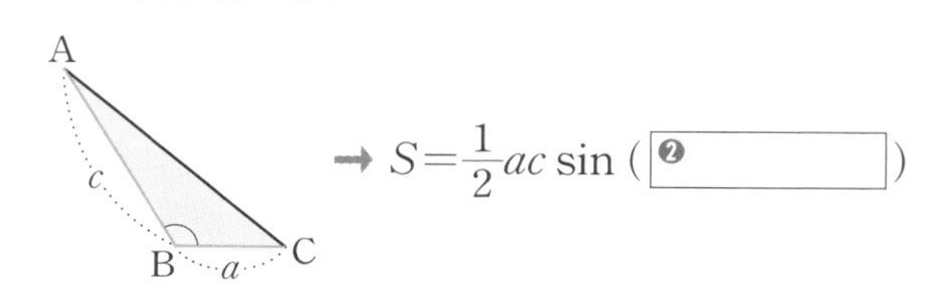

$\rightarrow S=\frac{1}{2}ac\sin$ (❷)

답 ❶ B ❷ $180°-B$

핵심 정리 11 사각형의 넓이

(1) **평행사변형의 넓이**

이웃하는 두 변의 길이가 a, b이고 그 끼인각 x가 예각일 때, 평행사변형의 넓이 S는

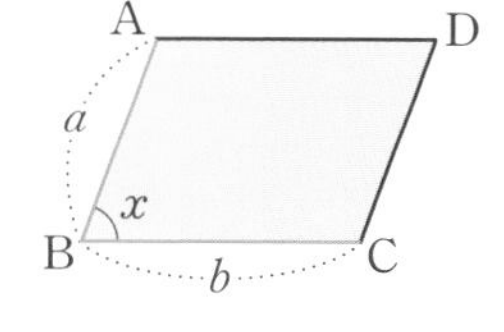

$\rightarrow S=$ ❶

주의 x가 둔각이면 $S=ab\sin(180°-x)$

(2) **사각형의 넓이**

두 대각선의 길이가 a, b이고 두 대각선이 이루는 각 x가 예각일 때, 사각형의 넓이 S는

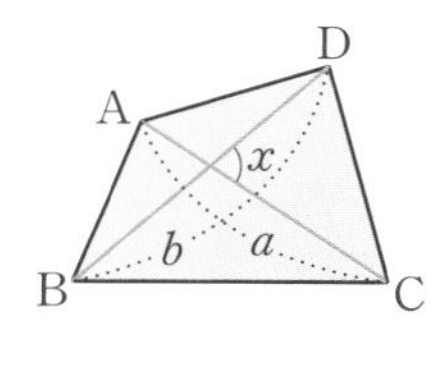

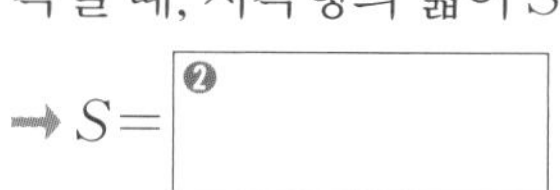

$\rightarrow S=$ ❷

주의 x가 둔각이면 $S=\frac{1}{2}ab\sin(180°-x)$

답 ❶ $ab\sin x$ ❷ $\frac{1}{2}ab\sin x$

핵심 정리 12 원의 중심과 현의 수직이등분선

(1) 원의 중심에서 현에 내린 수선은 그 현을 이등분한다.

$\rightarrow \overline{AB}\perp\overline{OM}$이면 $\overline{AM}=$ ❶

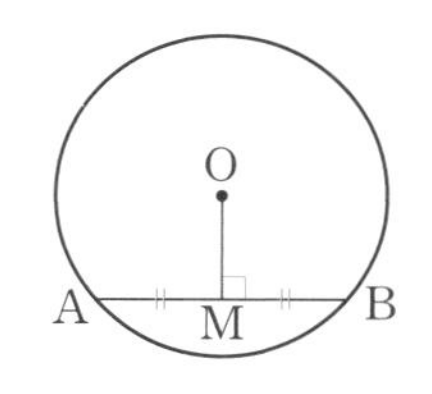

(2) 원에서 현의 수직이등분선은 그 원의 ❷ 을 지난다.

답 ❶ $\overline{BM}$ ❷ 중심

핵심 정리 10

예 1

다음 그림과 같은 △ABC의 넓이를 구하시오.

(1)

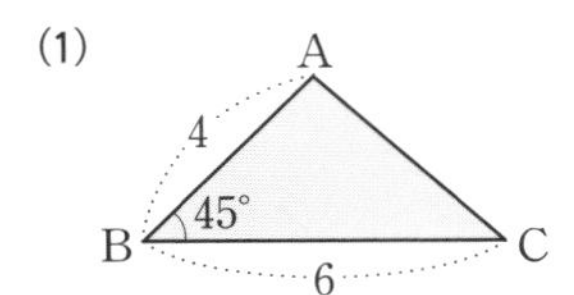

(2)

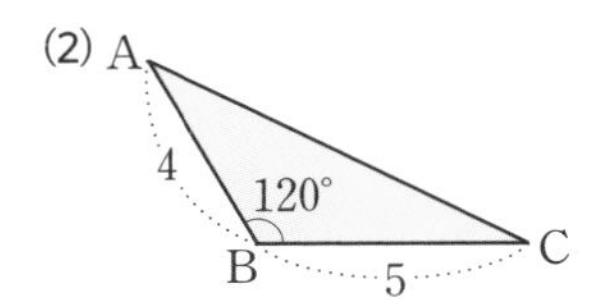

➡ (1) $\triangle ABC=\frac{1}{2}\times4\times6\times\sin$ ❶ $\square$°

$=\frac{1}{2}\times4\times6\times$ ❷ $\square$ $=$ ❸ $\square$

(2) $\triangle ABC=\frac{1}{2}\times4\times5\times\sin(180°-$ ❹ $\square$°$)$

$=\frac{1}{2}\times4\times5\times$ ❺ $\square$ $=$ ❻ $\square$

답 ❶ 45 ❷ $\frac{\sqrt{2}}{2}$ ❸ $6\sqrt{2}$ ❹ 120 ❺ $\frac{\sqrt{3}}{2}$ ❻ $5\sqrt{3}$

핵심 정리 09

예 1

오른쪽 그림과 같은 △ABC에서 높이 h의 값을 구하시오.

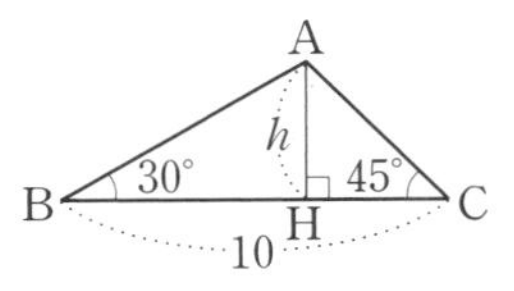

➡ △ABH에서

$\angle BAH=180°-(30°+90°)=60°$이므로

$\overline{BH}=h\tan60°=$ ❶ $\square$

△AHC에서

$\angle CAH=180°-(45°+90°)=45°$이므로

$\overline{CH}=h\tan45°=$ ❷ $\square$

이때 $\overline{BC}=\overline{BH}+\overline{CH}$이므로

$10=$ ❶ $\square$ $+$ ❷ $\square$

$($ ❸ $\square$ $)h=10$

$\therefore h=$ ❹ $\square$

답 ❶ $\sqrt{3}h$ ❷ h ❸ $\sqrt{3}+1$ ❹ $5(\sqrt{3}-1)$

핵심 정리 12

예 1

오른쪽 그림과 같은 원 O에서 $\overline{AB}\perp\overline{OC}$일 때, 원 O의 반지름의 길이를 구하시오.

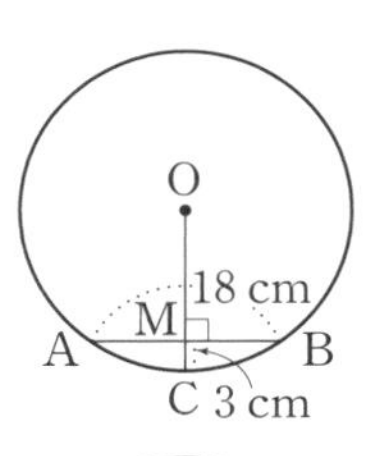

➡ $\overline{OA}$를 긋고 원 O의 반지름의 길이를 r cm라 하면

$\overline{OA}=\overline{OC}=r$ cm,

$\overline{OM}=($ ❶ $\square$ $)$ cm,

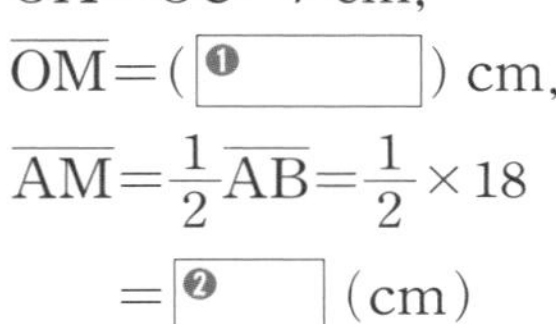

$\overline{AM}=\frac{1}{2}\overline{AB}=\frac{1}{2}\times18$

$=$ ❷ $\square$ (cm)

△OAM에서 $r^2=($ ❶ $\square$ $)^2+$ ❷ $\square^2$

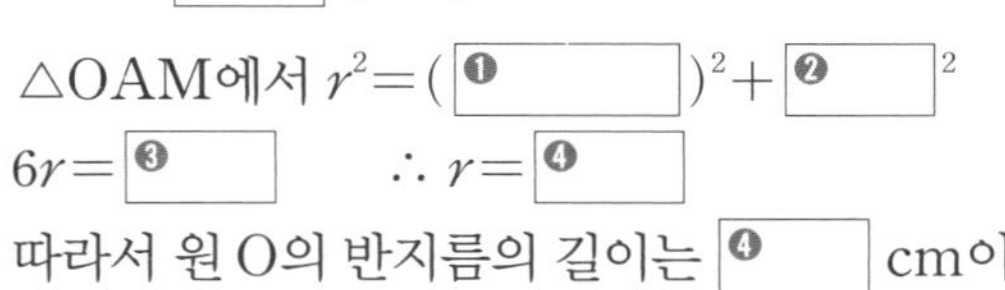

$6r=$ ❸ $\square$ $\quad\therefore r=$ ❹ $\square$

따라서 원 O의 반지름의 길이는 ❹ $\square$ cm이다.

답 ❶ $r-3$ ❷ 9 ❸ 90 ❹ 15

핵심 정리 11

예 1

다음 그림과 같은 □ABCD의 넓이를 구하시오.

(1)

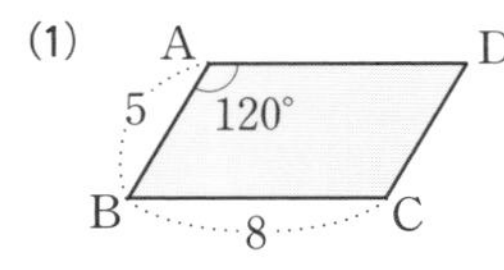

(단, □ABCD는 평행사변형)

(2)

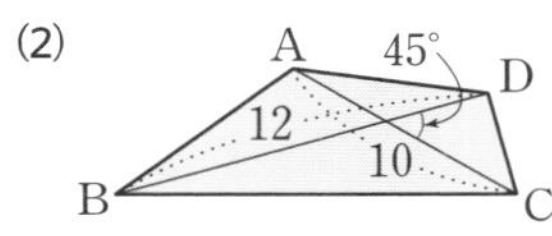

➡ (1) $\square ABCD=5\times8\times\sin(180°-$ ❶ $\square$°$)$

$=5\times8\times$ ❷ $\square$ $=$ ❸ $\square$

(2) $\square ABCD=\frac{1}{2}\times10\times12\times\sin$ ❹ $\square$°

$=\frac{1}{2}\times10\times12\times$ ❺ $\square$

$=$ ❻ $\square$

답 ❶ 120 ❷ $\frac{\sqrt{3}}{2}$ ❸ $20\sqrt{3}$ ❹ 45 ❺ $\frac{\sqrt{2}}{2}$ ❻ $30\sqrt{2}$

핵심 정리 13 현의 길이

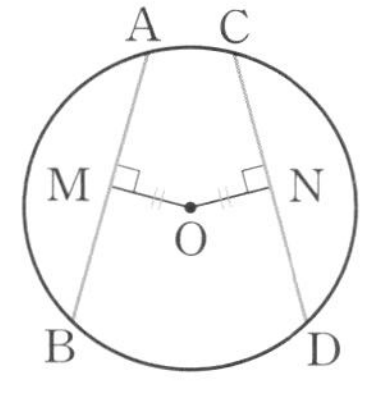

(1) 한 원의 중심으로부터 같은 거리에 있는 두 현의 길이는 같다.

→ $\overline{OM}=\overline{ON}$이면

$\overline{AB}=$ ❶ ☐

(2) 한 원에서 길이가 같은 두 현은 원의 중심으로부터 같은 거리에 있다.

→ $\overline{AB}=\overline{CD}$이면 ❷ ☐ $=\overline{ON}$

답 ❶ $\overline{CD}$ ❷ $\overline{OM}$

핵심 정리 14 원의 접선의 길이

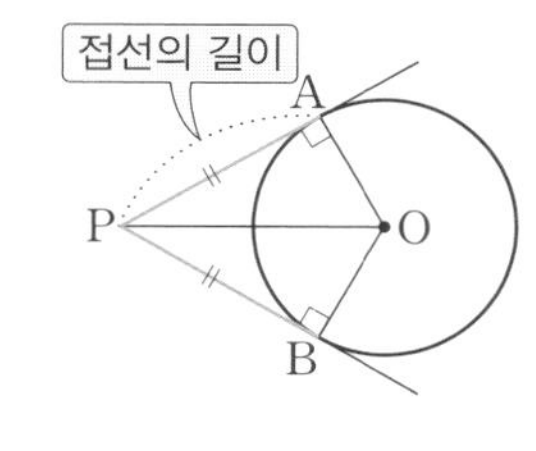

(1) 원 O 밖의 한 점 P에서 원 O에 그을 수 있는 접선은 2개이다.

(2) **접선의 길이** : 점 P에서 원 O의 두 접점 A, B까지의 거리, 즉 $\overline{PA}$, $\overline{PB}$의 길이

(3) 원 밖의 한 점에서 원에 그은 두 접선의 길이는 같다.

→ $\overline{PA}=$ ❶ ☐

참고

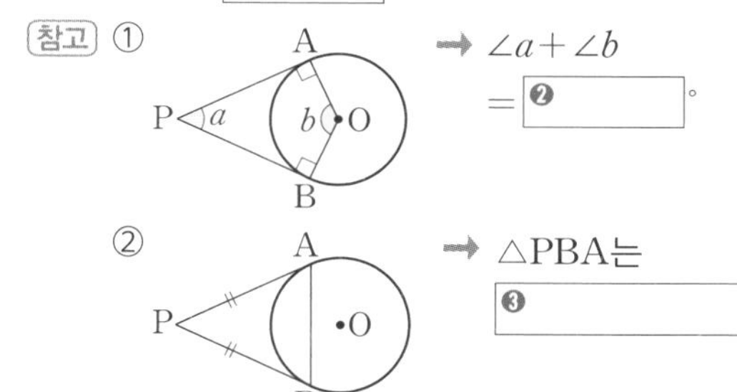

① → $\angle a+\angle b$ = ❷ ☐ °

② → △PBA는 ❸ ☐

답 ❶ $\overline{PB}$ ❷ 180 ❸ 이등변삼각형

핵심 정리 15 삼각형의 내접원

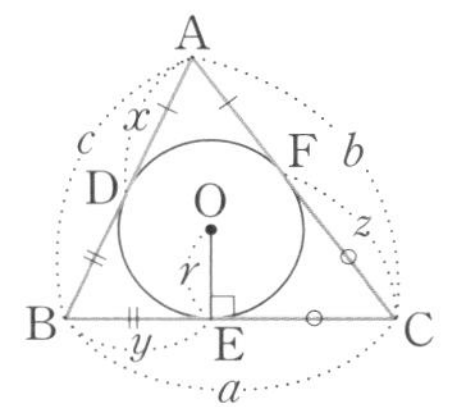

원 O가 △ABC에 내접하고 내접원의 반지름의 길이가 r일 때

(1) (△ABC의 둘레의 길이)

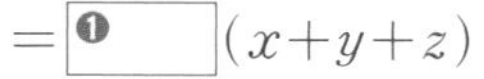

$=$ ❶ ☐ $(x+y+z)$

참고 세 점 D, E, F가 접점일 때,

$\overline{AD}=\overline{AF}$, $\overline{BD}=\overline{BE}$, $\overline{CE}=\overline{CF}$이므로

(△ABC의 둘레의 길이)

$=a+b+c$

$=(y+z)+(x+z)+(x+y)$

$=$ ❷ ☐ $(x+y+z)$

(2) △ABC$=$ ❸ ☐ $r(a+b+c)$

답 ❶ 2 ❷ 2 ❸ $\frac{1}{2}$

핵심 정리 16 외접사각형의 성질

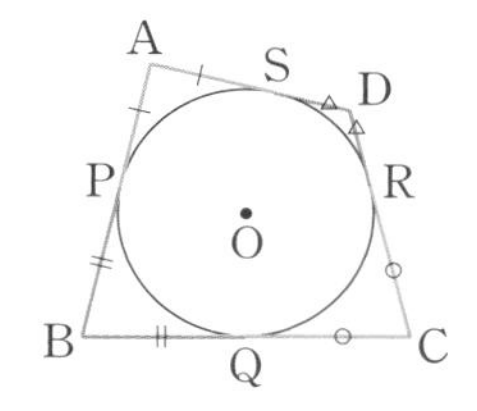

(1) 원의 외접사각형의 두 쌍의 대변의 길이의 합은 같다.

→ $\overline{AB}+\overline{DC}$

$=\overline{AD}+$ ❶ ☐

(2) 대변의 길이의 합이 같은 사각형은 원에 외접한다.

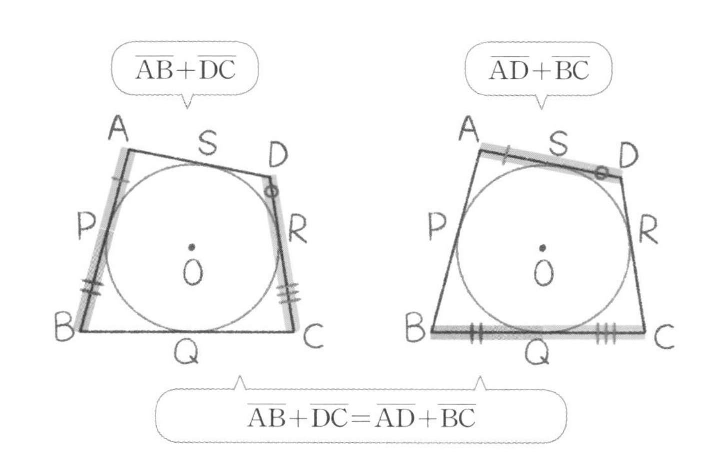

답 ❶ $\overline{BC}$

핵심 정리 14

예 1

오른쪽 그림에서 $\overline{PA}$, $\overline{PB}$는 원 O의 접선이고 두 점 A, B는 접점일 때, $\overline{PA}$의 길이를 구하시오.

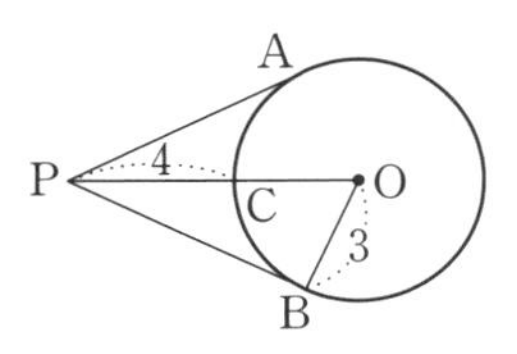

→ $\overline{OC}=\overline{OB}=$ ❶ ☐ 이므로

△PBO에서

$\overline{PB}=\sqrt{❷☐^2-3^2}=\sqrt{❸☐}=$ ❹ ☐

∴ $\overline{PA}=\overline{PB}=$ ❹ ☐

답 ❶ 3 ❷ 7 ❸ 40 ❹ $2\sqrt{10}$

핵심 정리 13

예 1

오른쪽 그림과 같은 원 O에서 $\overline{ON}$의 길이를 구하시오.

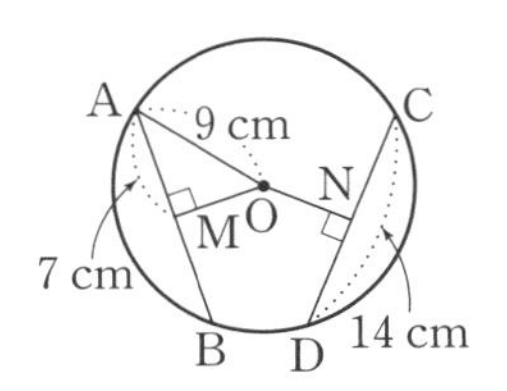

→ △OAM에서

$\overline{OM}=\sqrt{9^2-7^2}=\sqrt{❶☐}=$ ❷ ☐ (cm)

$\overline{OM}\perp\overline{AB}$이므로

$\overline{AB}=2\overline{AM}=2\times7=14$ (cm)

이때 $\overline{AB}=\overline{CD}$이므로

$\overline{ON}=\overline{OM}=$ ❷ ☐ cm

답 ❶ 32 ❷ $4\sqrt{2}$

핵심 정리 16

예 1

오른쪽 그림에서 □ABCD는 원 O에 외접하고 네 점 P, Q, R, S는 접점일 때, x의 값을 구하시오.

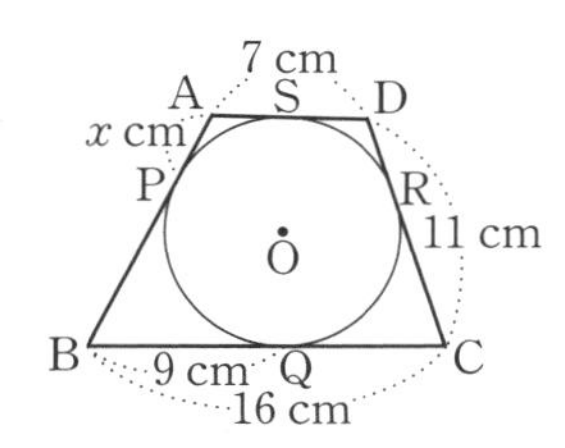

→ $\overline{BP}=\overline{BQ}=9$ cm이고

$\overline{AB}+\overline{DC}=\overline{AD}+$ ❶ ☐ 이므로

$(x+9)+11=7+$ ❷ ☐

∴ $x=$ ❸ ☐

답 ❶ $\overline{BC}$ ❷ 16 ❸ 3

핵심 정리 15

예 1

오른쪽 그림에서 원 O가 △ABC의 내접원이고 세 점 D, E, F는 접점일 때, $\overline{AD}$의 길이를 구하시오.

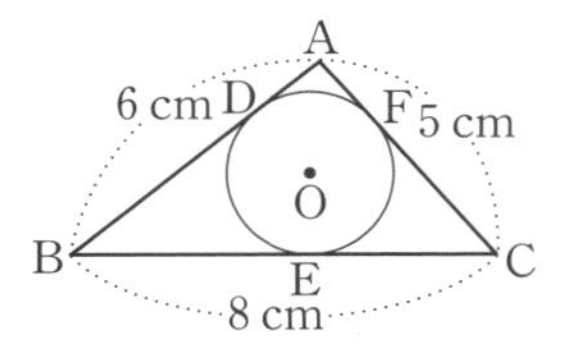

→ $\overline{AD}=x$ cm라 하면

$\overline{BE}=\overline{BD}=($ ❶ ☐ $)$ cm

$\overline{AF}=\overline{AD}=x$ cm이므로

$\overline{CE}=\overline{CF}=($ ❷ ☐ $)$ cm

이때 $\overline{BC}=\overline{BE}+\overline{CE}$이므로

$8=($ ❶ ☐ $)+($ ❷ ☐ $)$

$2x=$ ❸ ☐ ∴ $x=$ ❹ ☐

따라서 $\overline{AD}$의 길이는 ❹ ☐ cm이다.

답 ❶ $6-x$ ❷ $5-x$ ❸ 3 ❹ $\frac{3}{2}$

book.chunjae.co.kr

교재 내용 문의 ························ 교재 홈페이지 ▸ 중등 ▸ 교재상담
교재 내용 외 문의 ···················· 교재 홈페이지 ▸ 고객센터 ▸ 1:1문의
발간 후 발견되는 오류 ················ 교재 홈페이지 ▸ 중등 ▸ 학습지원 ▸ 학습자료실

7일 끝

기말고사

7일 끝으로 끝내자!

중학 **수학** 3-2

BOOK 2

천재교육

언제나 만점이고 싶은 친구들

Welcome!

숨 돌릴 틈 없이 찾아오는 시험과 평가,
성적과 입시 그리고 미래에 대한 걱정.
중·고등학교에서 보내는 6년이란 시간은
때때로 힘들고, 버겁게 느껴지곤 해요.

그런데 여러분, 그거 아세요?
지금 이 시기가 노력의 대가를
가장 잘 확인할 수 있는 시간이라는 걸요.

안 돼, 못하겠어, 해도 안 될 텐데-
어렵게 생각하지 말아요. 천재교육이 있잖아요.
첫 시작의 두려움을 첫 마무리의 뿌듯함으로 바꿔줄게요.

펜을 쥐고 이 책을 펼친 순간
여러분 앞에 무한한 가능성의 길이 열렸어요.

우리와 함께 꽃길을 향해 걸어가 볼까요?

#시험대비
#핵심정복

7일 끝
중간고사
기말고사

Chunjae
Makes
Chunjae

[7일 끝] 중학 수학 3-2

저자	최용준, 해법수학연구회
제작	황성진, 조규영
발행일	2021년 6월 15일 초판 2021년 6월 15일 1쇄
발행인	(주)천재교육
주소	서울시 금천구 가산로9길 54
신고번호	제2001-000018호
고객센터	1577-0902
교재 내용문의	(02)3282-8852

※ 정답 분실 시에는 천재교육 홈페이지에서 내려받으세요.

7일 끝으로 끝내자!

중학 **수학** 3-2

BOOK 2

기 말 고 사 대 비

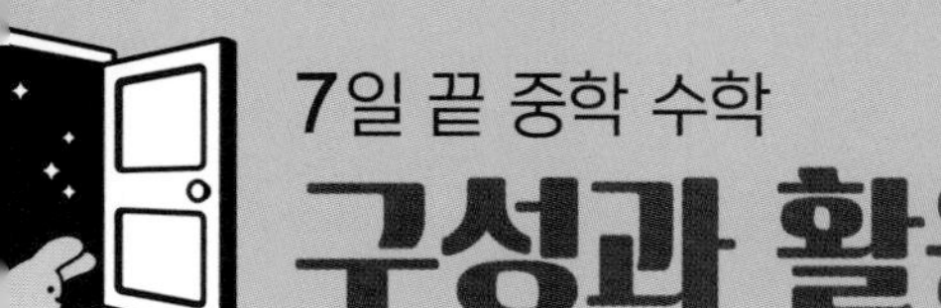

7일 끝 중학 수학

구성과 활용

시험 공부 시작

생각 열기

공부할 내용을 만화로 가볍게 살펴보며 학습을 준비해 보세요.

❶ 공부할 내용을 살피며 핵심 학습 요소를 확인해 보세요.

❷ 이것만은 꼭꼭!을 통해 실수하기 쉬운 개념을 짚어 보세요.

본격 공부 중

교과서 **핵심 정리** + 시험지 속 **개념 문제**

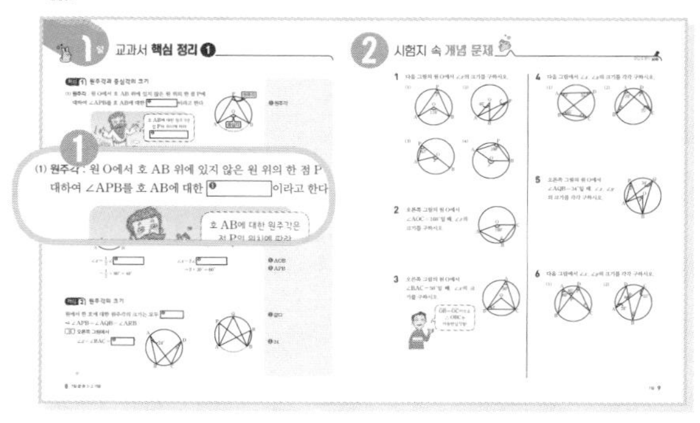

꼭 알아야 할 교과서 핵심 내용을 익히고 시험지 속 개념 문제를 풀며 제대로 이해했는지 확인해 보세요.

❶ 빈칸을 채우며 교과서 핵심 내용을 다시 한번 확인해 보세요.

❷ 교과서 핵심과 관련된 시험지 속 개념 문제를 풀며 공부한 내용을 확인해 보세요.

교과서 기출 베스트 1회, 2회

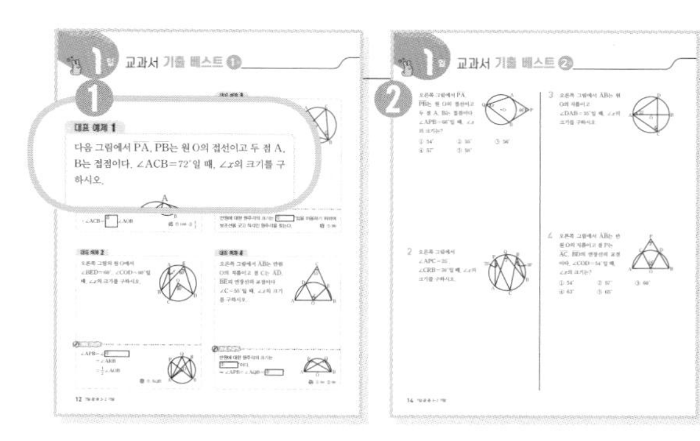

다양한 유형의 문제를 풀어 보며 공부한 내용을 점검해 보세요.

❶ 교과서 기출 베스트 1회에서는 대표 예제 문제를 풀며 시험에 자주 나오는 문제를 확인해 보세요.

❷ 교과서 기출 베스트 1회와 쌍둥이 문제로 구성된 교과서 기출 베스트 2회를 한번 더 풀면서 실력을 다져 보세요.

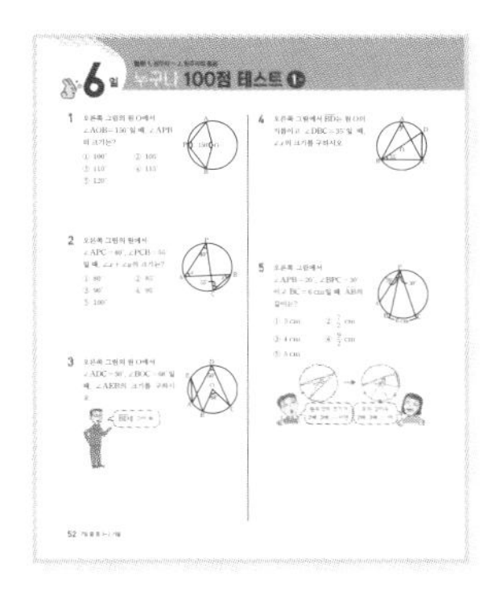

누구나 100점 테스트 1회, 2회

앞에서 공부한 개념을 이해했는지 문제를 풀어 점검해 보세요.

서술형·사고력 테스트

서술형·사고력 문제를 집중적으로 풀며 서술형·사고력 문제에 대한 적응력을 높여 보세요.

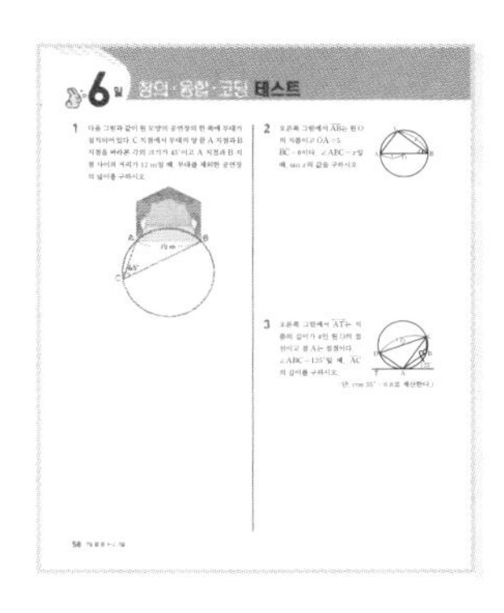

창의·융합·코딩 테스트

앞에서 공부한 개념이 어떻게 이용되는지 알고 문제 해결력을 키워 보세요.

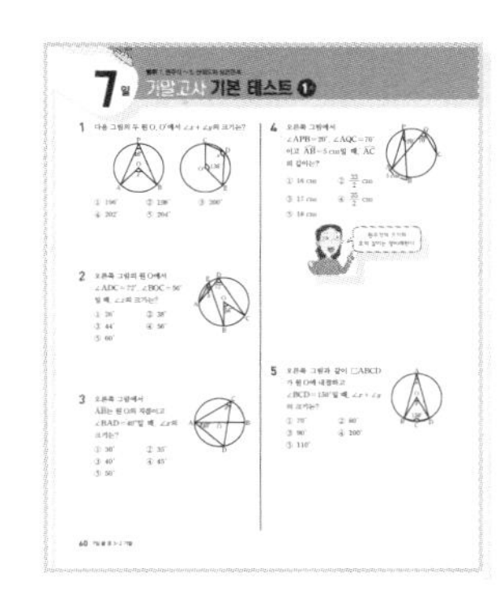

기말고사 기본 테스트 1회, 2회

시험 문제에 가까운 예상 문제를 풀며 실전에 대비해 보세요.

튼튼이·짝짝이 공부하기

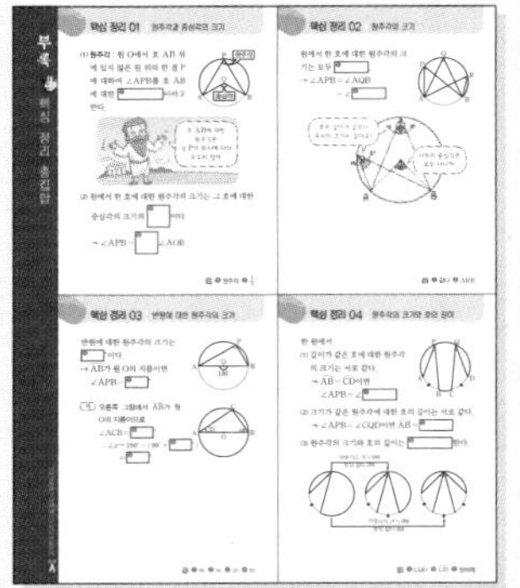

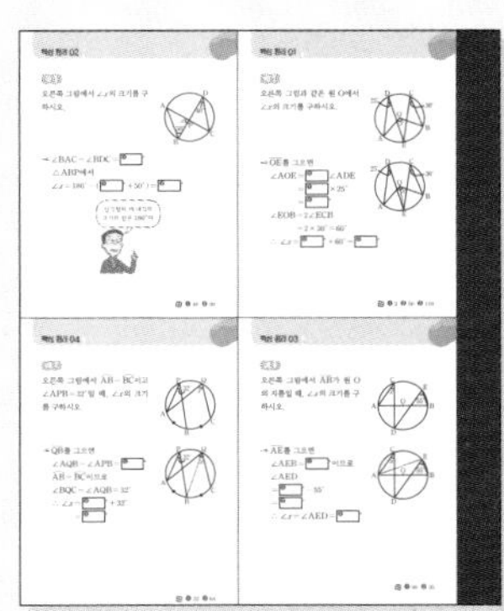

핵심 정리 총집합 카드를 휴대하며 이동하는 중이나 시험 직전에 활용해 보세요.

7일 끝 중학 수학 3-2 기말

차례

1일 원주각 06

2일 원주각의 활용 16

3일 대푯값 26

4일 산포도 34

5일 산점도와 상관관계 42

누구나 **100점 테스트** 1회 52

누구나 **100점 테스트** 2회 54

서술형 · 사고력 **테스트** 56

창의 · 융합 · 코딩 **테스트** 58

기말고사 **기본 테스트** 1회 60

기말고사 **기본 테스트** 2회 64

1일 원주각

호 AB에 대한 원주각은 점 P의 위치에 따라 무수히 많아.
원주각
중심각
원주각의 크기는 중심각의 크기의 $\frac{1}{2}$이므로 $\angle APB=\frac{1}{2}\angle AOB$
한 호에 대한 원주각의 크기는 모두 같아.
$\overline{CF}$를 그어 볼까?
$\angle BFC=\angle BAC$, $\angle CFD=\angle CED$이니까 $\angle x=\angle a+\angle b$
(원주각의 크기) $=\frac{1}{2}\times$(중심각의 크기) 이니까
반원의 원주각의 크기는 90°야.
180°×½=90°
180°
지름
반원

공부할 내용

❶ 원주각과 중심각의 크기
❷ 원주각의 크기
❸ 반원에 대한 원주각의 크기
❹ 원주각의 크기와 호의 길이

이것만은 꼭꼭!

1. 원에서 한 호에 대한 원주각의 크기는 그 호에 대한 중심각의 크기의 ❶ ☐ 이다.

→ $\angle APB = \frac{1}{2}\angle$ ❷ ☐

2. 원에서 한 호에 대한 원주각의 크기는 모두 ❸ ☐.

→ $\angle APB = \angle AQB = \angle ARB$

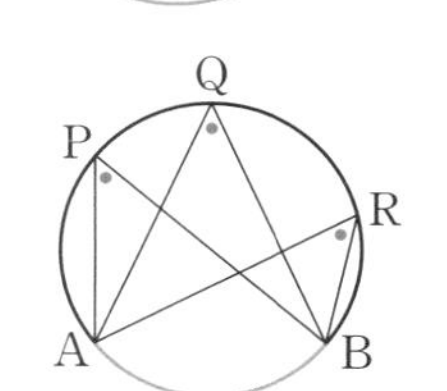

3. 한 원에서 원주각의 크기와 호의 길이는 ❹ ☐ 한다.

답 ❶ $\frac{1}{2}$ ❷ AOB ❸ 같다 ❹ 정비례

1일 교과서 핵심 정리 ❶

핵심 1 원주각과 중심각의 크기

(1) **원주각** : 원 O에서 호 AB 위에 있지 않은 원 위의 한 점 P에 대하여 ∠APB를 호 AB에 대한 ❶ ______ 이라고 한다.

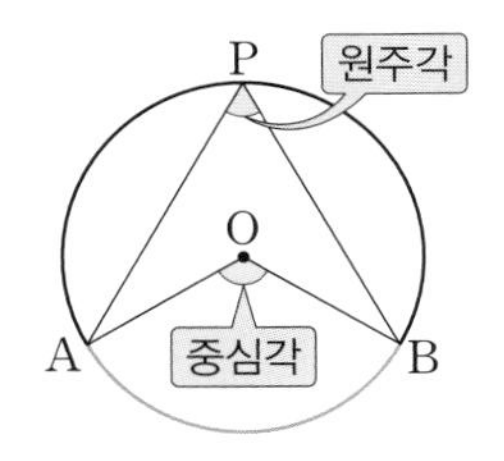

(2) **원주각과 중심각의 크기**

원에서 한 호에 대한 원주각의 크기는 그 호에 대한 중심각의 크기의 ❸ ______ 이다.

→ $\angle APB=\frac{1}{2}\angle$ ❹ ______ (원주각 / 중심각)

예 ①

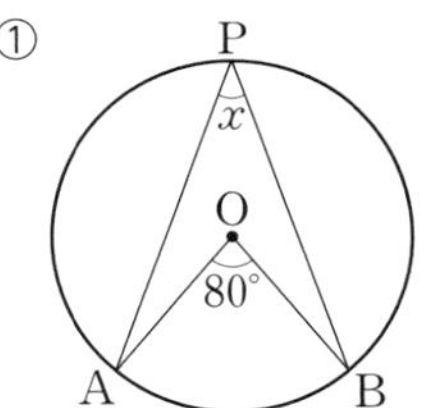

$\angle x=\frac{1}{2}\angle$ ❺ ______

$=\frac{1}{2}\times 80^\circ=40^\circ$

②

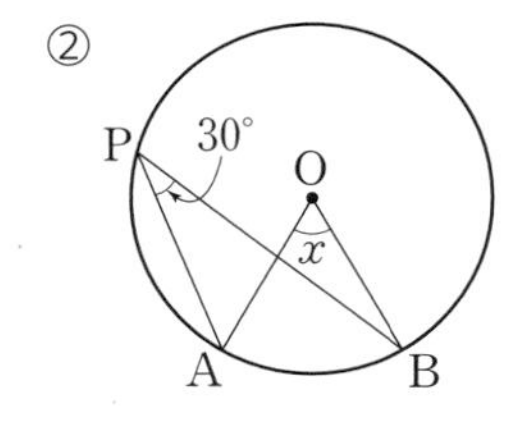

$\angle x=2\angle$ ❻ ______

$=2\times 30^\circ=60^\circ$

핵심 2 원주각의 크기

원에서 한 호에 대한 원주각의 크기는 모두 ❼ ______.

→ $\angle APB=\angle AQB=\angle ARB$

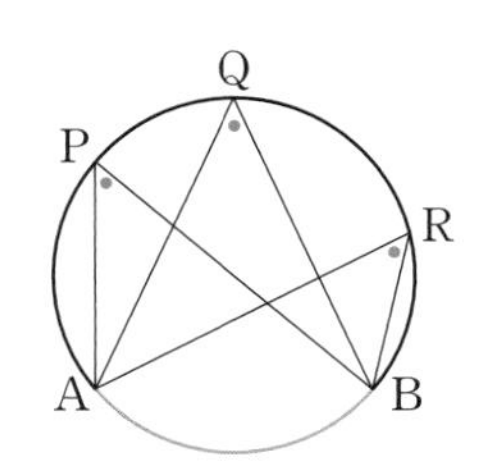

예 오른쪽 그림에서

$\angle x=\angle BAC=$ ❽ ______ °

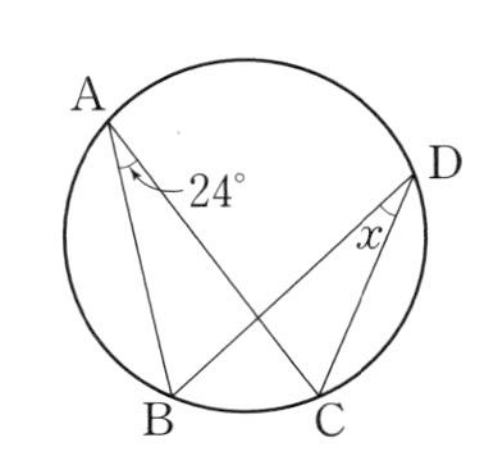

❶ 원주각
❷ 무수히 많다
❸ $\frac{1}{2}$
❹ AOB
❺ AOB
❻ APB
❼ 같다
❽ 24

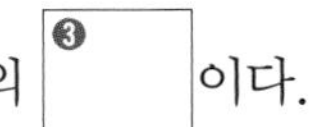

시험지 속 개념 문제

정답과 풀이 30쪽

1 다음 그림의 원 O에서 $\angle x$의 크기를 구하시오.

(1)

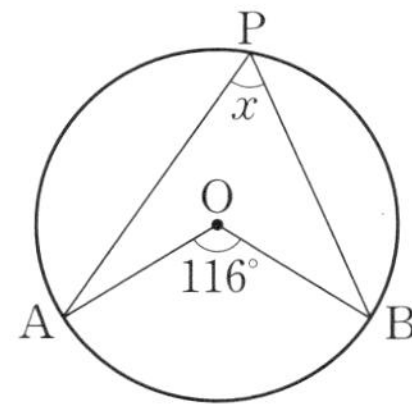

(2)

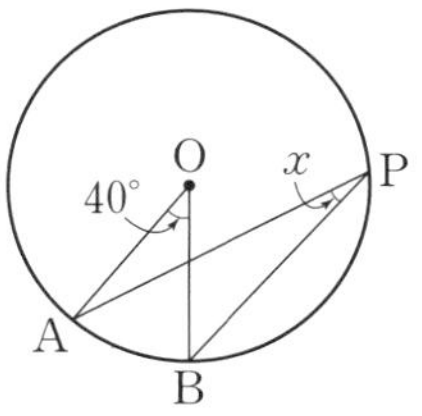

(3)

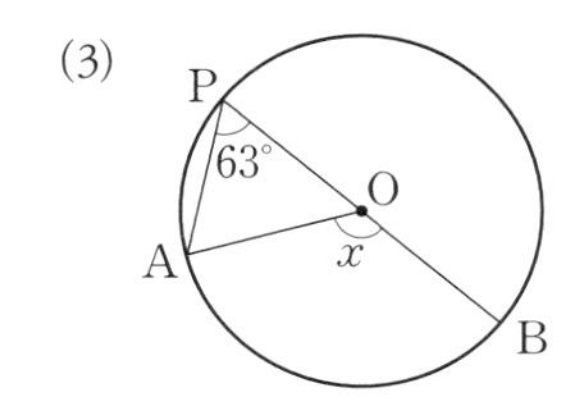

(4)

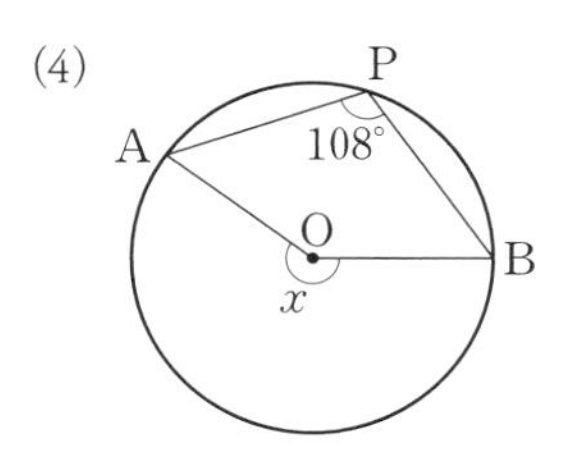

2 오른쪽 그림의 원 O에서 $\angle AOC=160^\circ$일 때, $\angle x$의 크기를 구하시오.

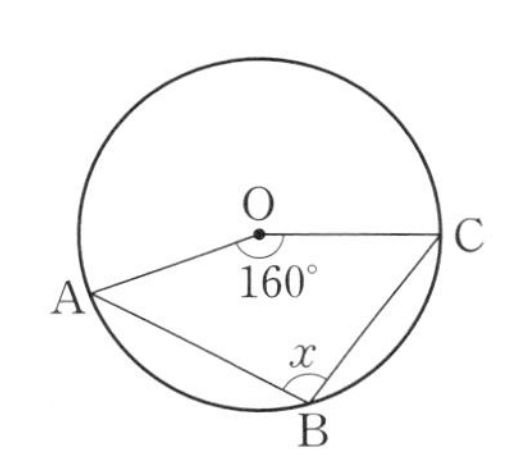

3 오른쪽 그림의 원 O에서 $\angle BAC=50^\circ$일 때, $\angle x$의 크기를 구하시오.

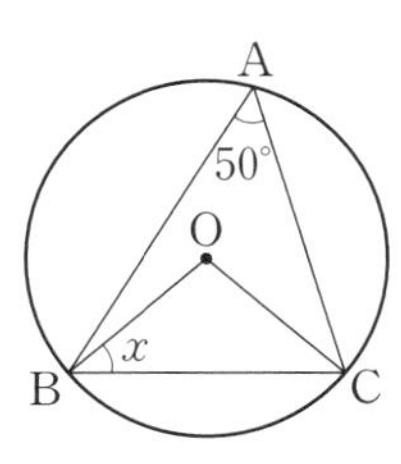

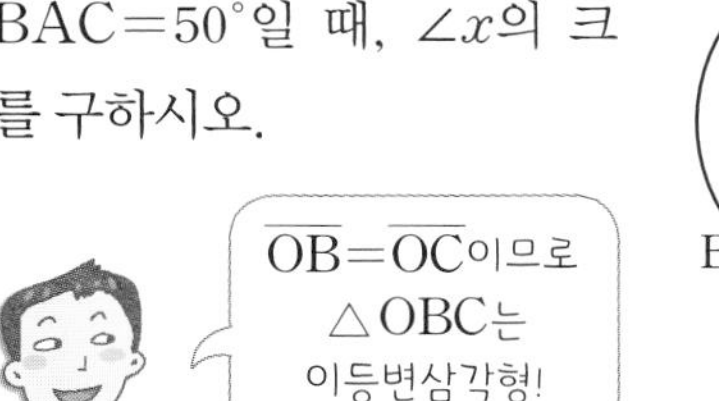

4 다음 그림에서 $\angle x$, $\angle y$의 크기를 각각 구하시오.

(1)

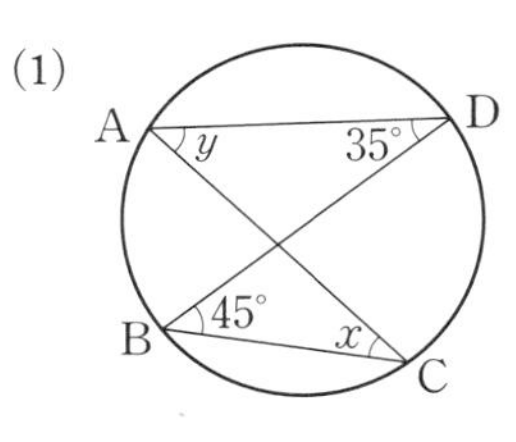

(2)

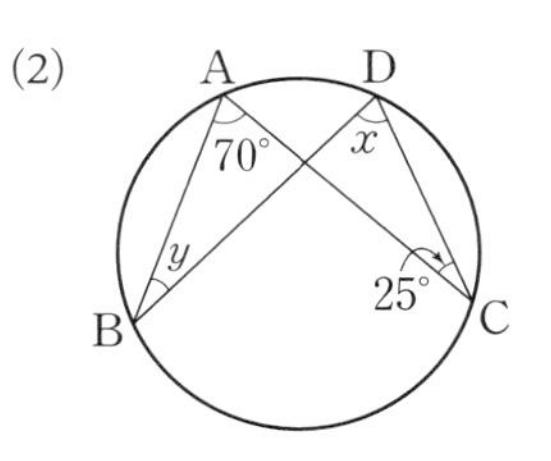

5 오른쪽 그림의 원 O에서 $\angle AQB=34^\circ$일 때, $\angle x$, $\angle y$의 크기를 각각 구하시오.

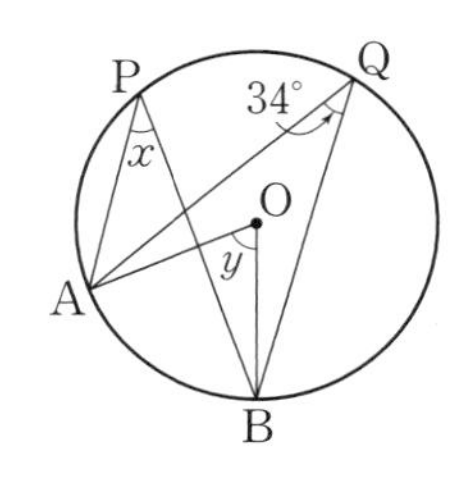

6 다음 그림에서 $\angle x$, $\angle y$의 크기를 각각 구하시오.

(1)

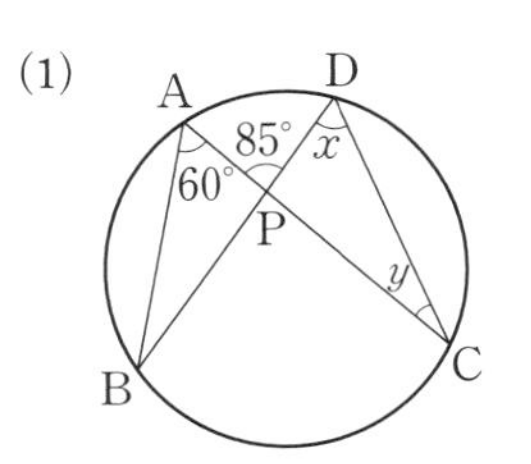

(2)

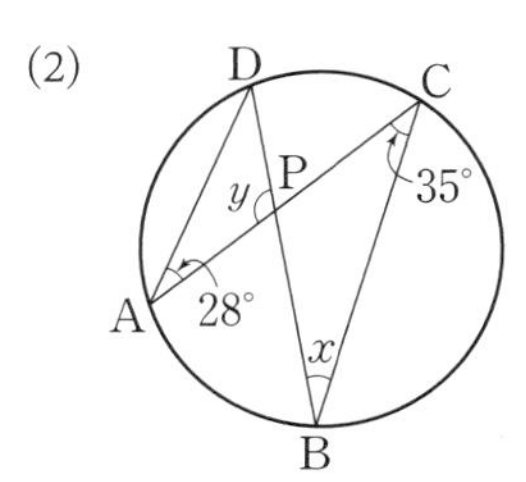

1일 교과서 핵심 정리 ❷

핵심 3 반원에 대한 원주각의 크기

반원에 대한 원주각의 크기는 ❶ [ ]°이다.

→ $\overline{AB}$가 원 O의 ❷ [ ]이면 $\angle APB=90^\circ$

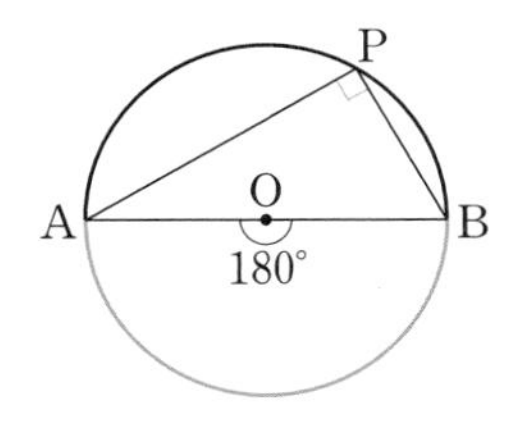

예 오른쪽 그림에서 $\overline{AB}$가 원 O의 지름 이므로

$\angle ACB=$ ❸ [ ]°

따라서 △ABC에서

$\angle x=180^\circ-(90^\circ+70^\circ)=20^\circ$

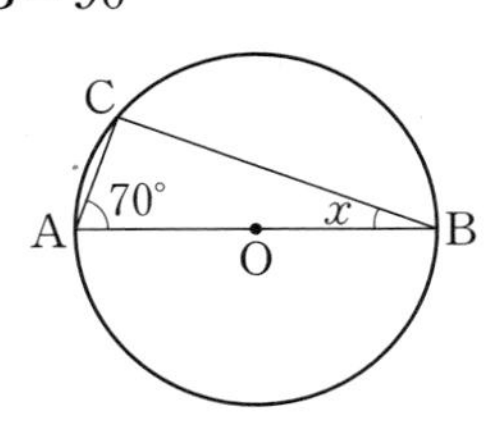

❶ 90
❷ 지름
❸ 90

핵심 4 원주각의 크기와 호의 길이

한 원에서

(1) 길이가 같은 호에 대한 원주각의 크기는 서로 ❹ [ ].

→ $\widehat{AB}=\widehat{CD}$이면 $\angle APB=\angle CQD$

(2) 크기가 같은 원주각에 대한 호의 길이는 서로 ❺ [ ].

→ $\angle APB=\angle CQD$이면 $\widehat{AB}=\widehat{CD}$

(3) 원주각의 크기와 호의 길이는 ❻ [ ]한다.

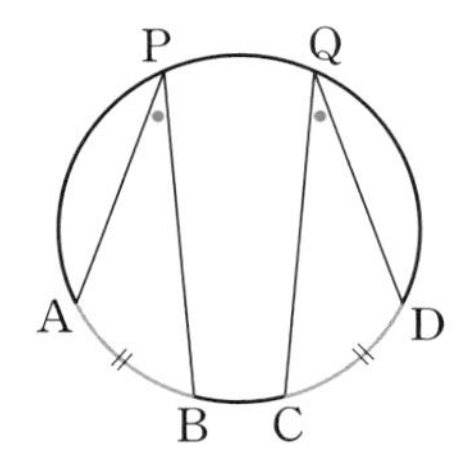

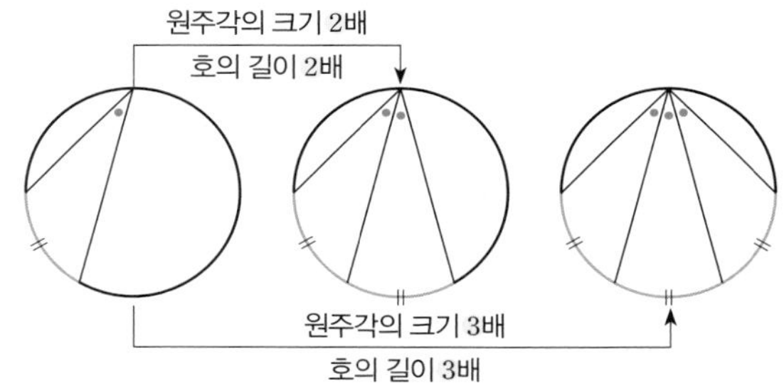

예 ①

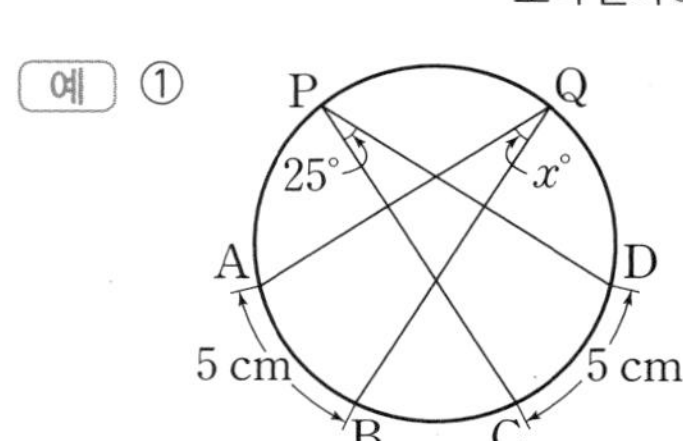

$\widehat{AB}=\widehat{CD}$이므로

$\angle AQB=\angle CPD$

$\therefore x=$ ❼ [ ]

②

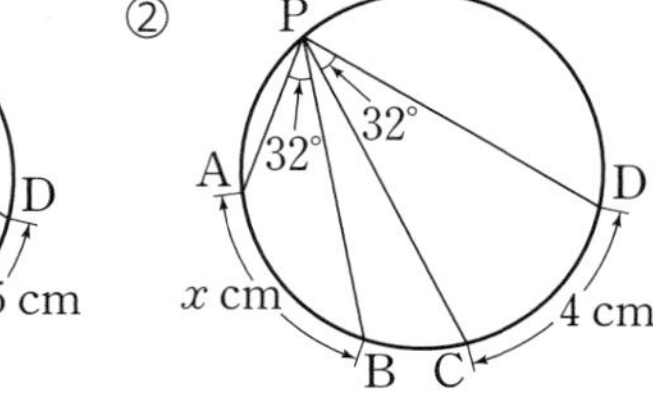

$\angle APB=\angle CPD$이므로

$\widehat{AB}=\widehat{CD}$

$\therefore x=$ ❽ [ ]

③

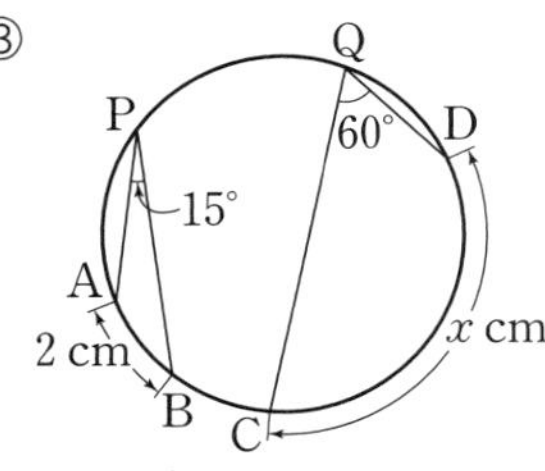

$15^\circ : 60^\circ=2 : x$이므로

$1 : 4=2 : x$

$\therefore x=8$

❹ 같다
❺ 같다
❻ 정비례
❼ 25
❽ 4

시험지 속 개념 문제

7 다음 그림에서 $\overline{AB}$가 원 O의 지름일 때, $\angle x$의 크기를 구하시오.

(1)

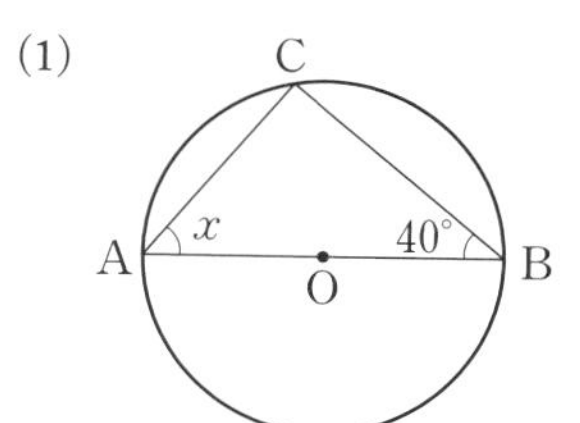

(2)

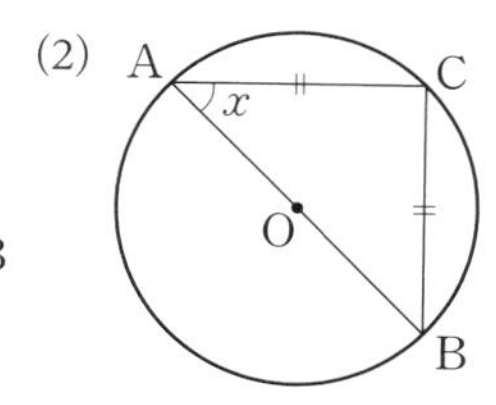

8 오른쪽 그림에서 $\overline{AB}$는 원 O의 지름이고 $\angle PAO=65°$일 때, $\angle x$의 크기를 구하시오.

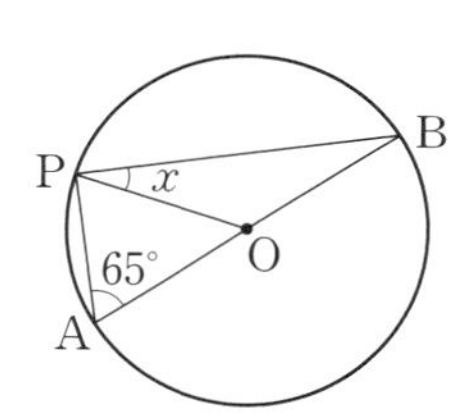

9 다음 그림에서 $\overline{AC}$가 원 O의 지름일 때, $\angle x$의 크기를 구하시오.

(1)

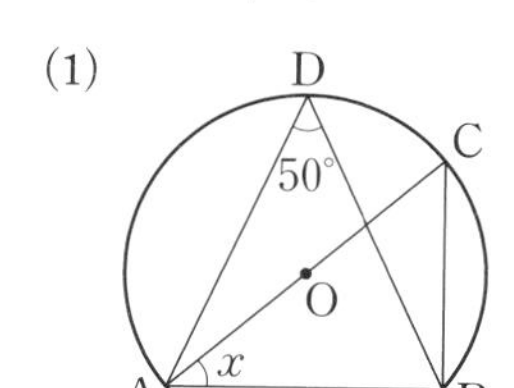

(2)

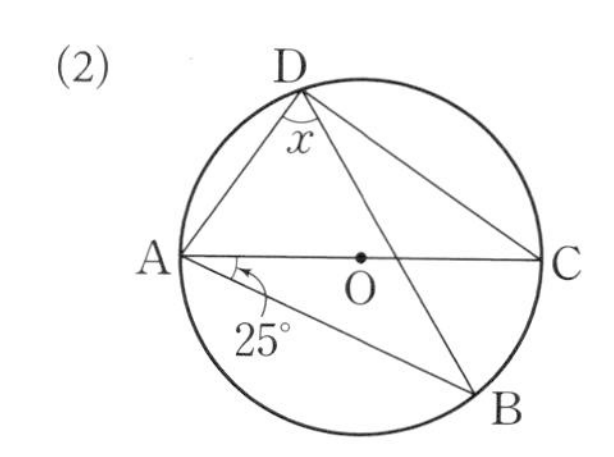

10 다음 그림에서 x의 값을 구하시오.

(1)

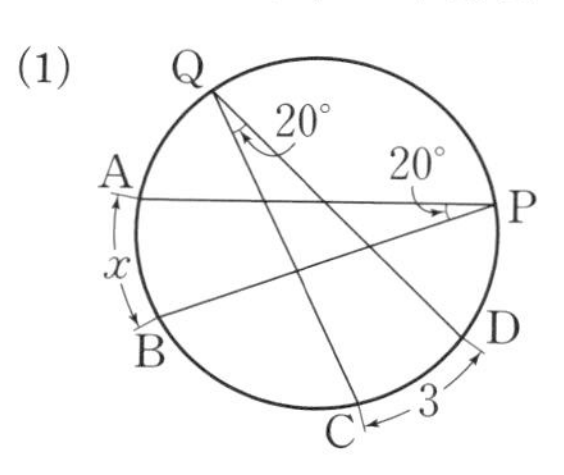

(2)

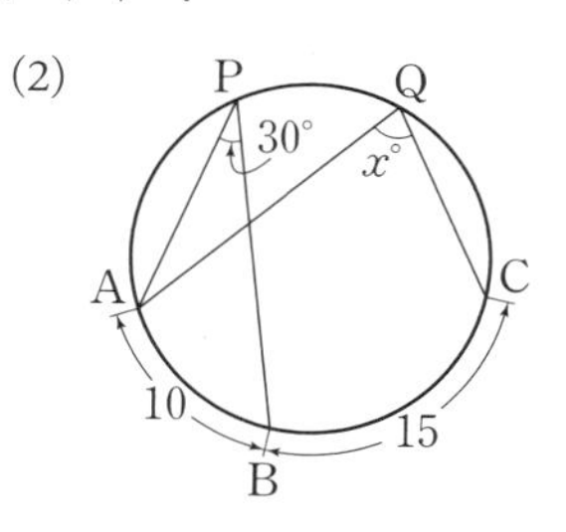

11 오른쪽 그림의 원 O에서 $\widehat{AB}=\widehat{BC}$이고 $\angle BOC=70°$일 때, $\angle x$의 크기를 구하시오.

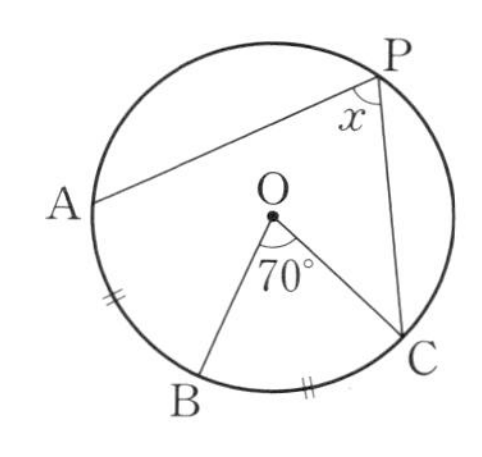

12 오른쪽 그림에서 점 P는 두 현 AB, CD의 교점이다. $\widehat{BD}=9$ cm, $\angle ABC=20°$, $\angle APC=80°$일 때, $\widehat{AC}$의 길이를 구하시오.

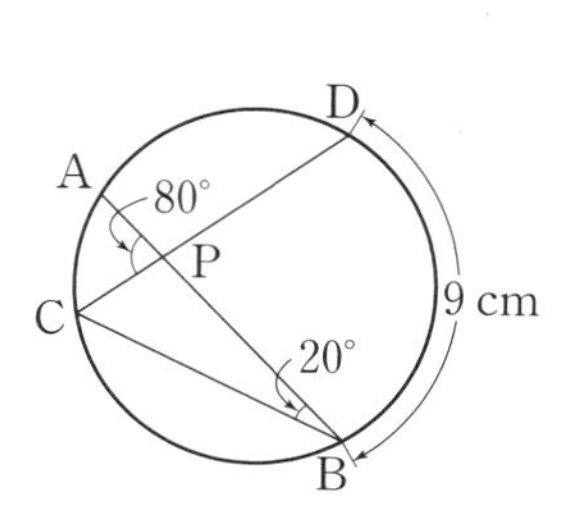

1일 교과서 기출 베스트 1회

대표 예제 1

다음 그림에서 $\overline{PA}$, $\overline{PB}$는 원 O의 접선이고 두 점 A, B는 접점이다. $\angle ACB=72^\circ$일 때, $\angle x$의 크기를 구하시오.

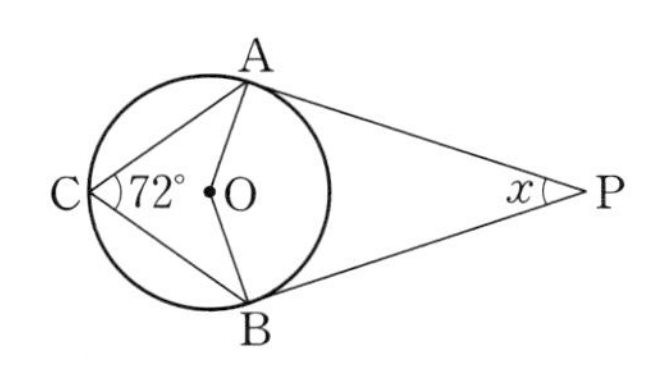

개념 가이드

$\overline{PA}$, $\overline{PB}$가 원 O의 접선일 때

- $\angle PAO=\angle PBO=90^\circ$이므로
  $\angle AOB+\angle APB$
  $=$ ① $^\circ$

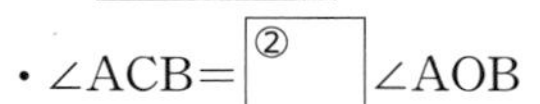

- $\angle ACB=$ ② $\angle AOB$

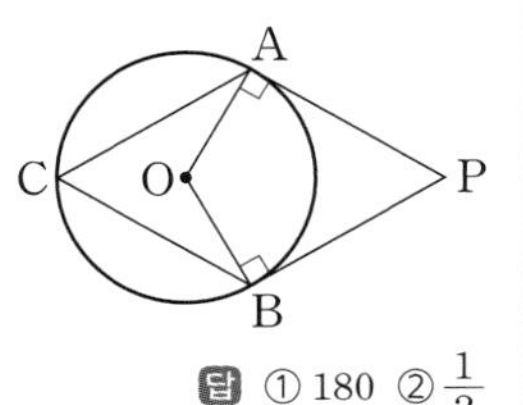

답 ① 180 ② $\frac{1}{2}$

대표 예제 3

오른쪽 그림에서 $\overline{AB}$는 원 O의 지름이고 $\angle CDB=60^\circ$일 때, $\angle x$의 크기를 구하시오.

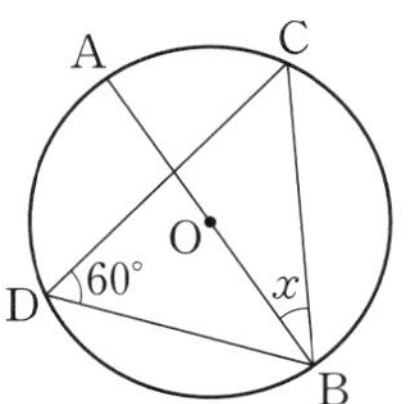

개념 가이드

반원에 대한 원주각의 크기는 ① °임을 이용하기 위하여 보조선을 긋고 직각인 원주각을 찾는다.

답 ① 90

대표 예제 2

오른쪽 그림의 원 O에서 $\angle BED=60^\circ$, $\angle COD=80^\circ$일 때, $\angle x$의 크기를 구하시오.

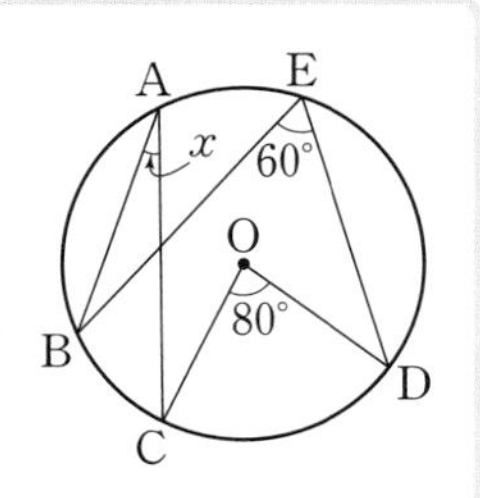

개념 가이드

$\angle APB=\angle$ ①
$=\angle ARB$
$=\frac{1}{2}\angle AOB$

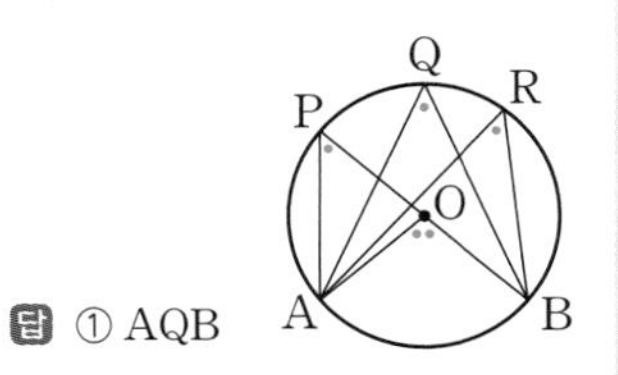

답 ① AQB

대표 예제 4

오른쪽 그림에서 $\overline{AB}$는 반원 O의 지름이고 점 C는 $\overline{AD}$, $\overline{BE}$의 연장선의 교점이다. $\angle C=55^\circ$일 때, $\angle x$의 크기를 구하시오.

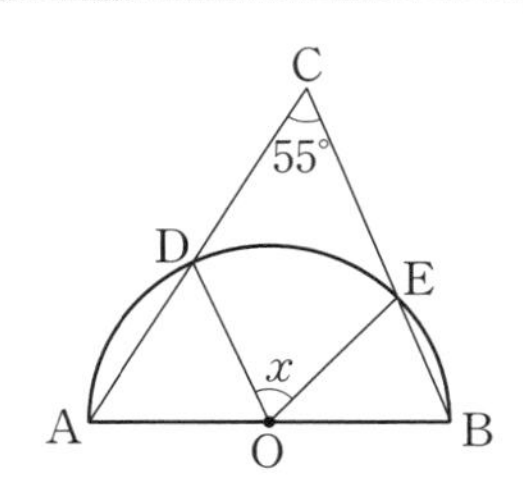

개념 가이드

반원에 대한 원주각의 크기는
① °이다.
→ $\angle APB=\angle AQB=$ ② $^\circ$

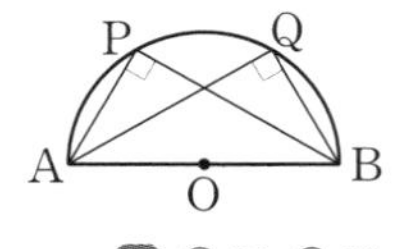

답 ① 90 ② 90

대표 예제 5

오른쪽 그림과 같이 반지름의 길이가 8 cm인 원 O에서 $\angle BAC = 75^\circ$일 때, $\triangle OBC$의 넓이를 구하시오.

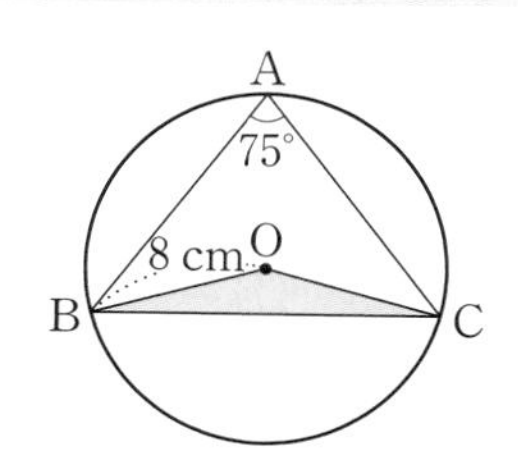

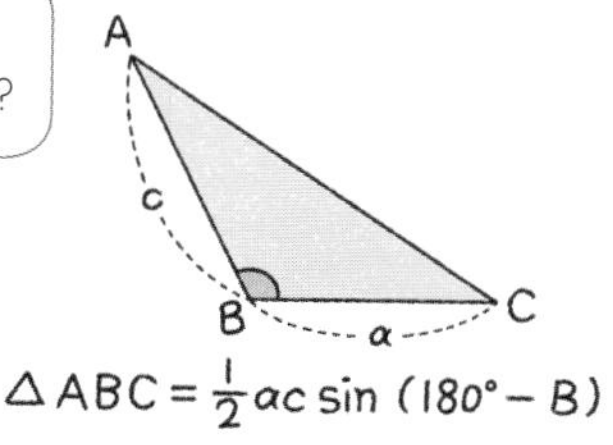

개념 가이드

(중심각의 크기)= ① ×(원주각의 크기)

 ① 2

대표 예제 6

오른쪽 그림에서 $\widehat{AB} = \widehat{CD}$이고 $\angle ACB = 29^\circ$일 때, $\angle x$의 크기를 구하시오.

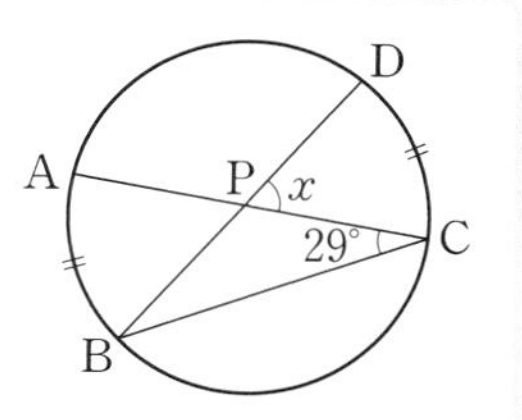

개념 가이드

한 원에서 길이가 같은 호에 대한 원주각의 크기는 서로 ① .

답 ① 같다

대표 예제 7

오른쪽 그림에서 $\widehat{AB} : \widehat{BC} : \widehat{CA} = 5 : 6 : 7$일 때, $\angle x$의 크기를 구하시오.

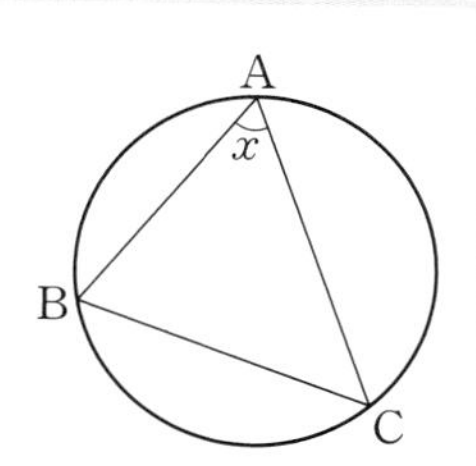

개념 가이드

$\widehat{AB} : \widehat{BC} : \widehat{CA} = a : b : c$이면

$\angle C : \angle A : \angle B = a : b : c$이므로

- $\angle C = \dfrac{①}{a+b+c} \times 180^\circ$
- $\angle A = \dfrac{②}{a+b+c} \times 180^\circ$
- $\angle B = \dfrac{③}{a+b+c} \times 180^\circ$

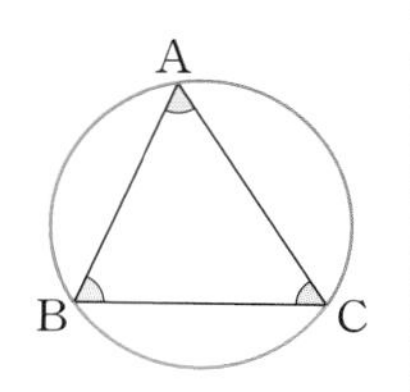

답 ① a ② b ③ c

대표 예제 8

오른쪽 그림에서 $\widehat{AB}$의 길이는 원주의 $\dfrac{1}{5}$이고 $\widehat{AB} : \widehat{CD} = 1 : 2$일 때, $\angle x$의 크기를 구하시오.

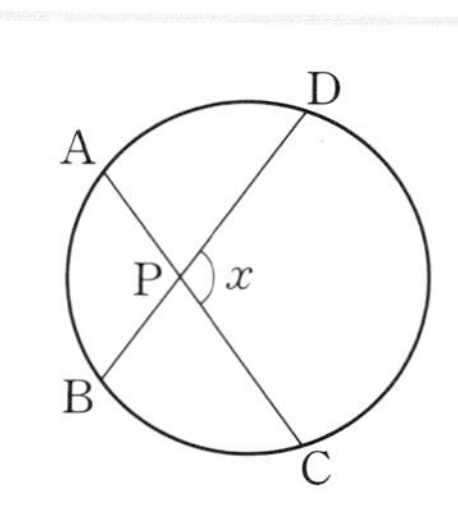

개념 가이드

한 원에서 모든 호에 대한 원주각의 크기의 합은 180°이므로 $\widehat{AB}$의 길이가 원주의

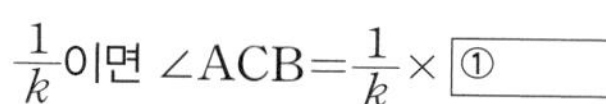
$\dfrac{1}{k}$이면 $\angle ACB = \dfrac{1}{k} \times$ ① °

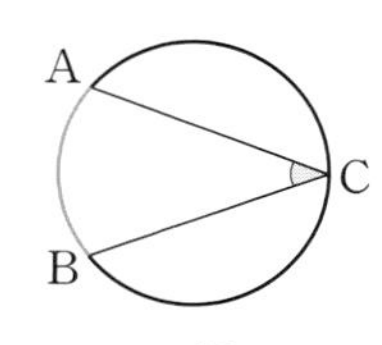

답 ① 180

1일 교과서 기출 베스트 2회

1 오른쪽 그림에서 $\overline{PA}$, $\overline{PB}$는 원 O의 접선이고 두 점 A, B는 접점이다. $\angle APB=66^\circ$일 때, $\angle x$의 크기는?

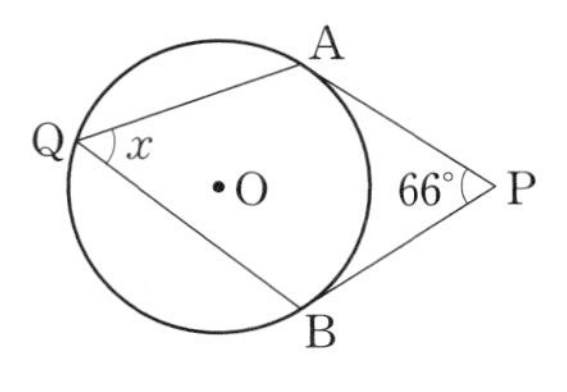

① 54°　② 55°　③ 56°
④ 57°　⑤ 58°

2 오른쪽 그림에서 $\angle APC=25^\circ$, $\angle CRB=30^\circ$일 때, $\angle x$의 크기를 구하시오.

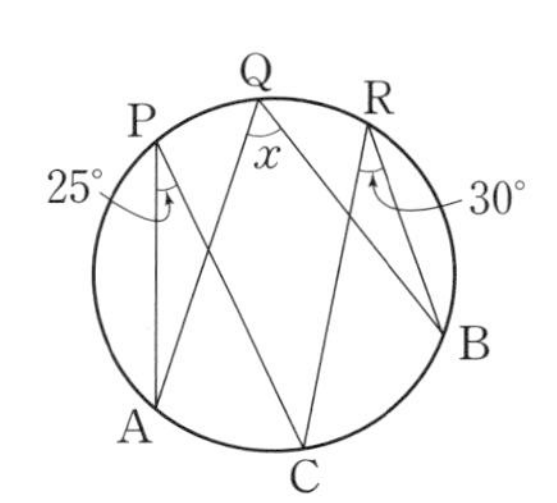

3 오른쪽 그림에서 $\overline{AB}$는 원 O의 지름이고 $\angle DAB=35^\circ$일 때, $\angle x$의 크기를 구하시오.

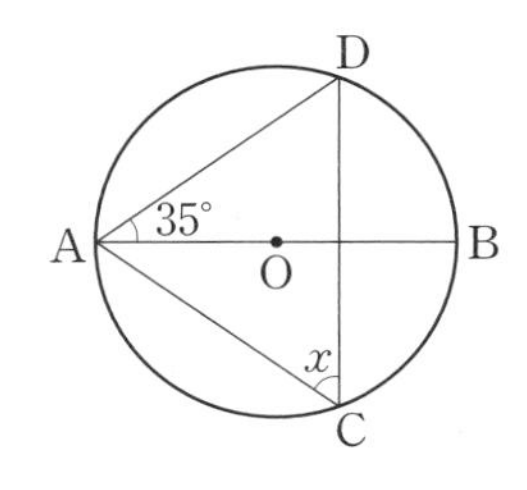

4 오른쪽 그림에서 $\overline{AB}$는 반원 O의 지름이고 점 P는 $\overline{AC}$, $\overline{BD}$의 연장선의 교점이다. $\angle COD=54^\circ$일 때, $\angle x$의 크기는?

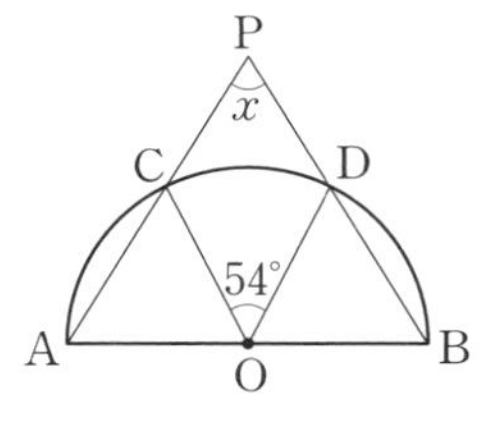

① 54°　② 57°　③ 60°
④ 63°　⑤ 65°

5 오른쪽 그림에서 $\overline{AB}$는 원 O의 지름이고 $\overline{AC}=5\text{ cm}$, $\angle CBA=30^\circ$일 때, 원 O의 반지름의 길이를 구하시오.

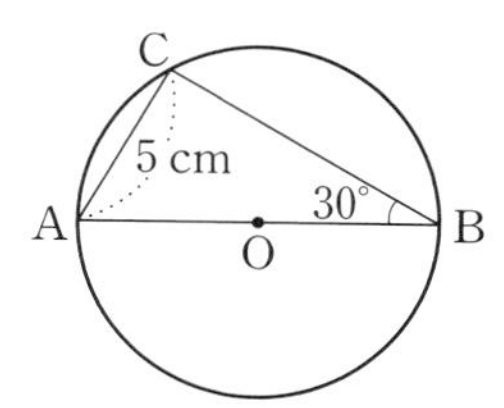

6 오른쪽 그림에서 $\widehat{AB}=\widehat{BC}$이고 $\angle ADB=30^\circ$, $\angle DBC=75^\circ$일 때, $\angle x$의 크기를 구하시오.

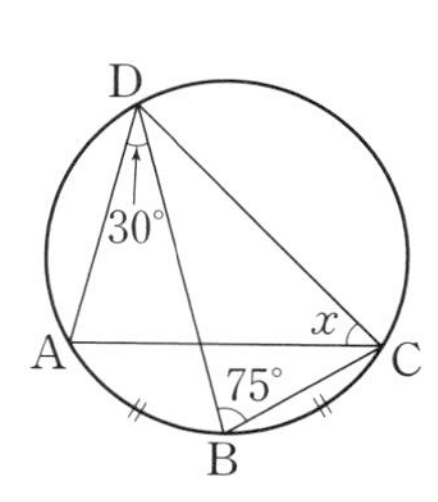

7 오른쪽 그림에서 $\overline{AB}$는 원 O의 지름이고 $\widehat{AC}:\widehat{CB}=2:3$일 때, $\angle x$의 크기를 구하시오.

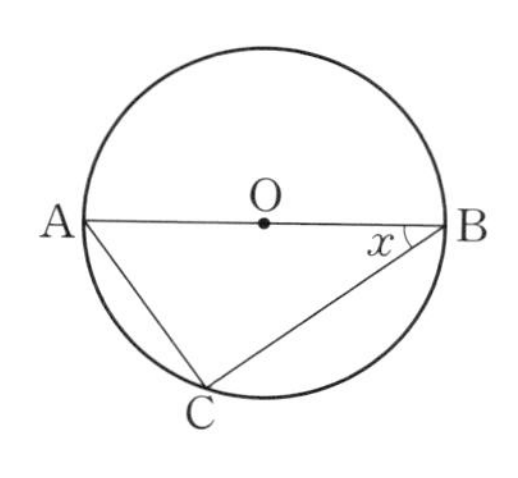

8 오른쪽 그림에서 $\widehat{AB}$의 길이는 원주의 $\frac{1}{6}$이고

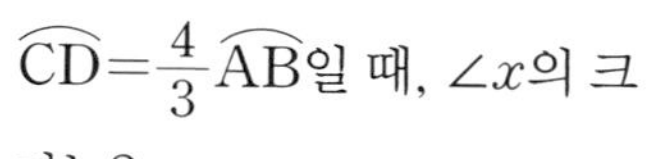

$\widehat{CD}=\frac{4}{3}\widehat{AB}$일 때, $\angle x$의 크기는?

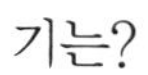

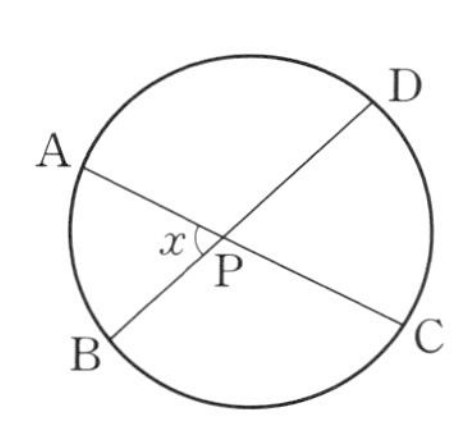

① 60° ② 65° ③ 70°
④ 75° ⑤ 80°

2일 원주각의 활용

∠ACB=∠ADB이니까 네 점 A, B, C, D는 한 원 위에 있…?
아니야. 두 점 C, D가 직선 AB에 대하여 같은 쪽에 있어야 해.
원에 내접하는 사각형의 성질을 정리해 보자!
대각
갈다
∠A+∠C=180°
∠B+∠D=180°
∠DCE=∠BAD
사각형이 원에 내접하기 위한 조건을 정리해 보자.
∠BAC=∠BDC
∠A+∠B=180°
또는 B+∠D=180°
합이 180°
∠DCE=∠BAD
크기가 같다

공부할 내용

❶ 네 점이 한 원 위에 있을 조건
❷ 원에 내접하는 사각형의 성질
❸ 사각형이 원에 내접하기 위한 조건
❹ 원의 접선과 현이 이루는 각

이것만은 꼭꼭!

1. (1) 원에 내접하는 사각형에서 한 쌍의 대각의 크기의 합은 180°이다.

→ $\angle A+\angle C=$ ❶ $\boxed{}$°, $\angle B+\angle D=180°$

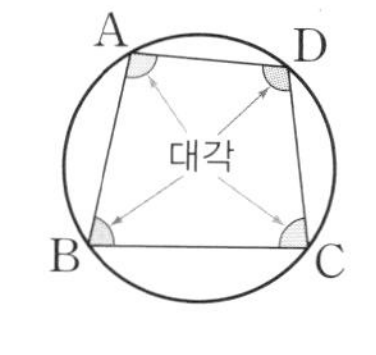

(2) 원에 내접하는 사각형에서 한 외각의 크기는 그와 이웃한 내각의 대각의 크기와 같다.

→ $\angle DCE=\angle$ ❷ $\boxed{}$

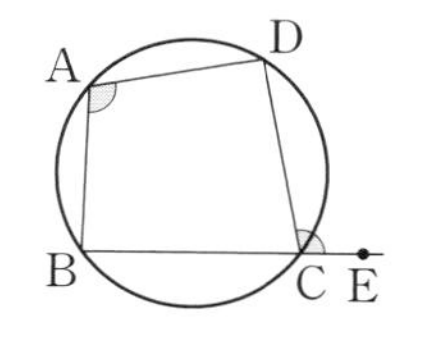

2. 원의 접선과 그 접점을 지나는 현이 이루는 각의 크기는 그 각의 내부에 있는 호에 대한 원주각의 크기와 같다.

→ $\angle BAT=\angle$ ❸ $\boxed{}$

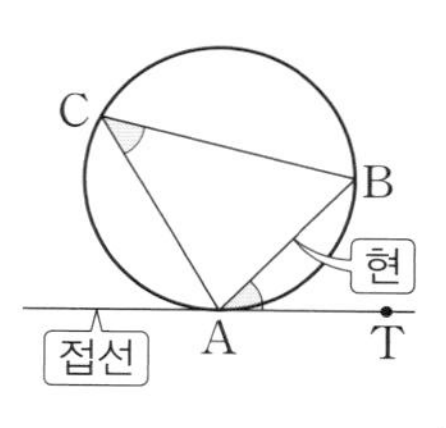

답 ❶ 180 ❷ BAD ❸ BCA

2일 교과서 핵심 정리 ①

핵심 1 네 점이 한 원 위에 있을 조건

두 점 C, D가 직선 AB에 대하여 같은 쪽에 있을 때, $\angle ACB = \angle$ ❶ ☐ 이면 네 점 A, B, C, D는 한 원 위에 있다.

→ □ABDC는 원에 내접하는 사각형이다.

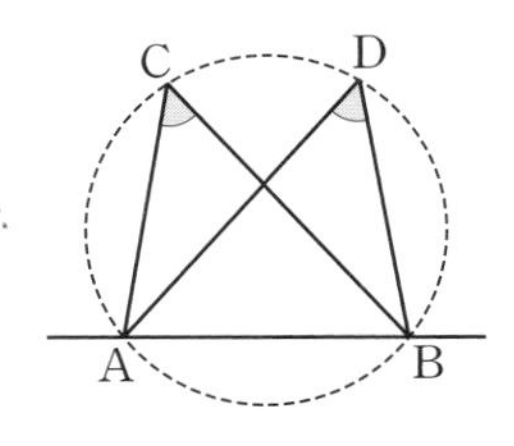

참고 네 점 A, B, C, D가 한 원 위에 있으면 $\angle$ ❷ ☐ $= \angle ADB$이다.

→ $\overset{\frown}{AB}$에 대한 원주각

예 ①

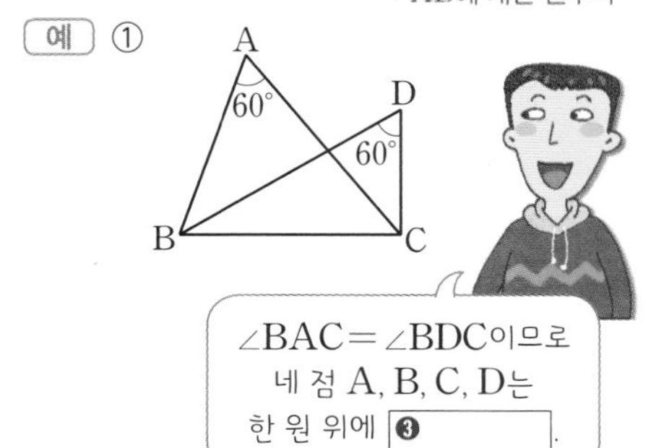

$\angle BAC = \angle BDC$이므로 네 점 A, B, C, D는 한 원 위에 ❸ ☐.

②

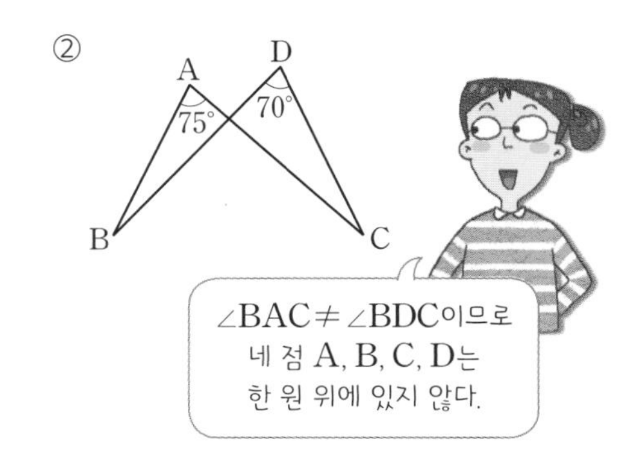

$\angle BAC \neq \angle BDC$이므로 네 점 A, B, C, D는 한 원 위에 있지 않다.

❶ ADB

❷ ACB

❸ 있다

핵심 2 원에 내접하는 사각형의 성질

(1) 원에 내접하는 사각형에서 한 쌍의 대각의 크기의 합은 ❹ ☐°이다.

→ $\angle A + \angle C = 180°$, $\angle B + \angle D =$ ❺ ☐°

예 오른쪽 그림에서 □ABCD가 원에 내접하므로

$\angle x + 100° = 180°$ $\therefore \angle x =$ ❻ ☐°

$70° + \angle y = 180°$ $\therefore \angle y = 110°$

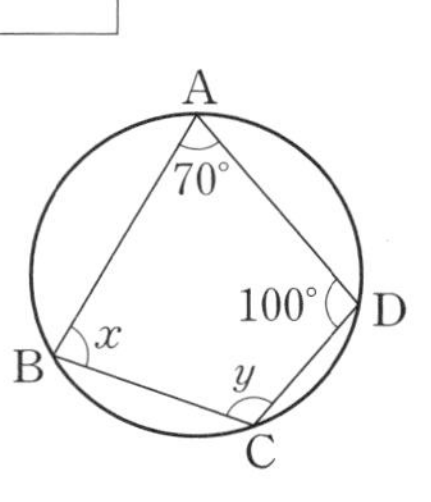

(2) 원에 내접하는 사각형에서 한 외각의 크기는 그와 이웃한 내각의 대각의 크기와 같다.

→ $\angle$ ❼ ☐ $= \angle BAD$

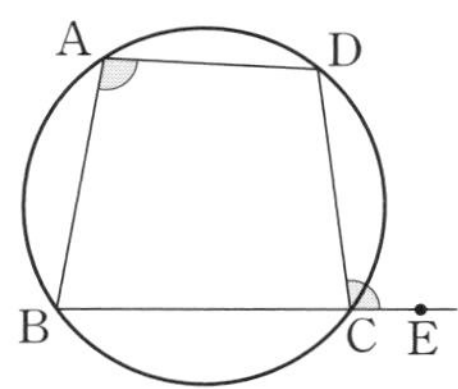

예 오른쪽 그림에서 □ABCD가 원에 내접하므로

$\angle x = \angle BAD =$ ❽ ☐°

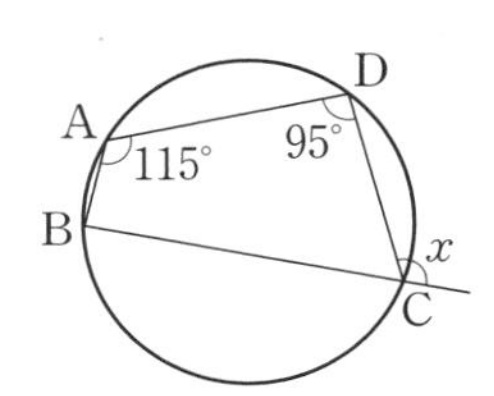

❹ 180

❺ 180

❻ 80

❼ DCE

❽ 115

1 다음 보기 중 네 점 A, B, C, D가 한 원 위에 있는 것을 모두 고르시오.

보기

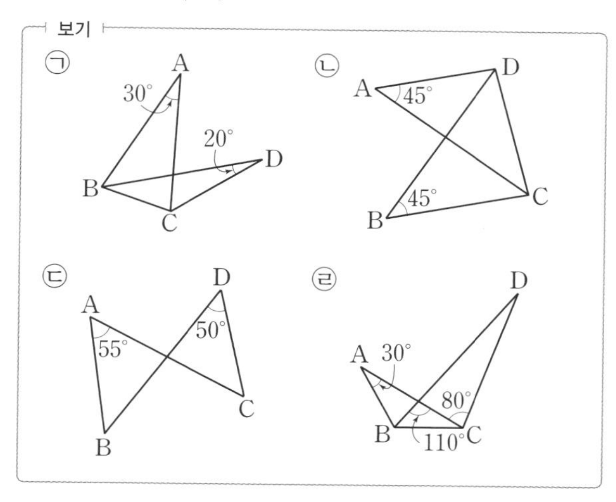

2 다음 그림에서 $\angle x$, $\angle y$의 크기를 각각 구하시오.

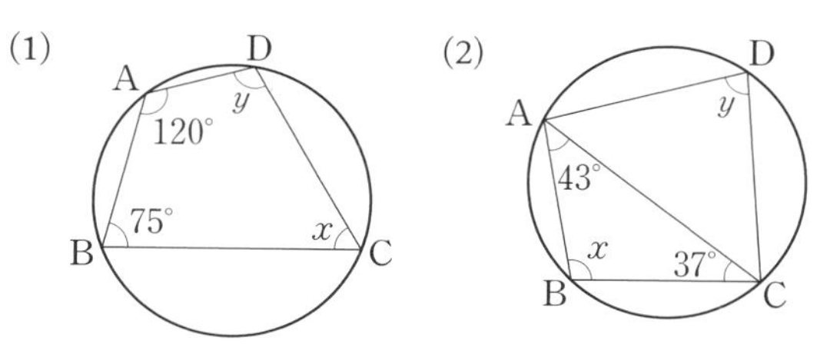

3 오른쪽 그림에서 □ABCD가 원 O에 내접하고 $\angle BCD=110^\circ$일 때, $\angle x$, $\angle y$의 크기를 각각 구하시오.

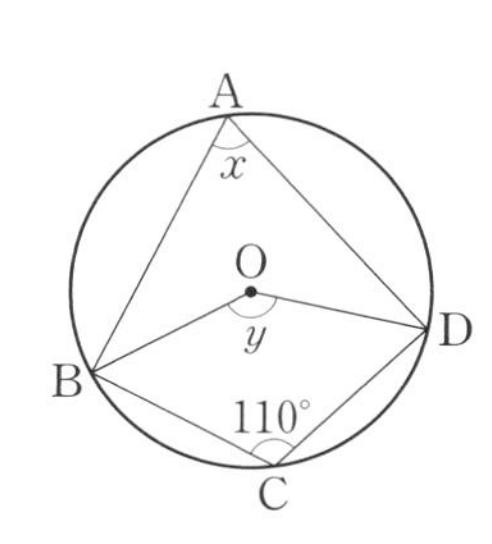

4 오른쪽 그림에서 □ABCD가 원에 내접하고 $\angle BAD=70^\circ$, $\angle ADC=106^\circ$일 때, $\angle x$, $\angle y$의 크기를 각각 구하시오.

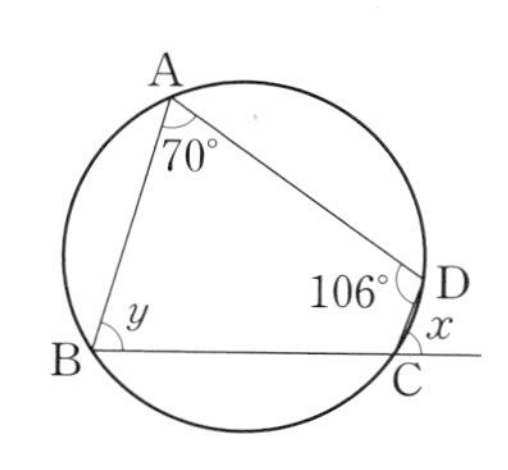

5 오른쪽 그림에서 □ABCD가 원에 내접하고 $\angle ACD=45^\circ$, $\angle DAC=50^\circ$일 때, $\angle x$의 크기를 구하시오.

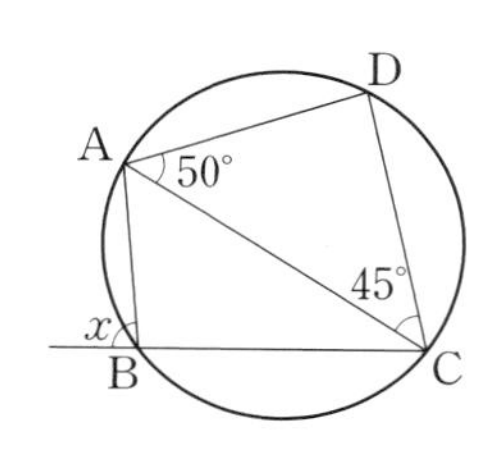

6 오른쪽 그림과 같이 □ABCD가 원에 내접하고 $\angle BDC=50^\circ$, $\angle DCE=100^\circ$일 때, $\angle x$의 크기를 구하시오.

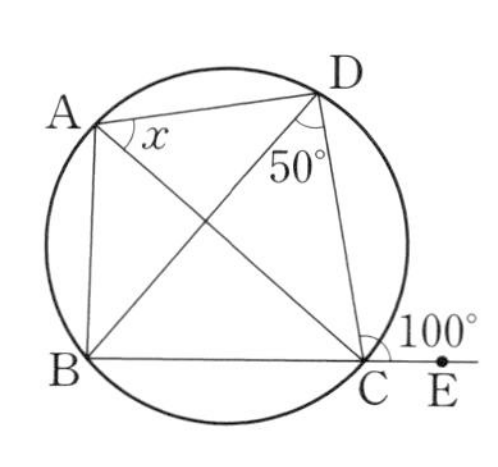

2일 교과서 핵심 정리 ❷

핵심 3 사각형이 원에 내접하기 위한 조건

다음 중 어느 하나를 만족하면 □ABCD는 원에 내접한다.

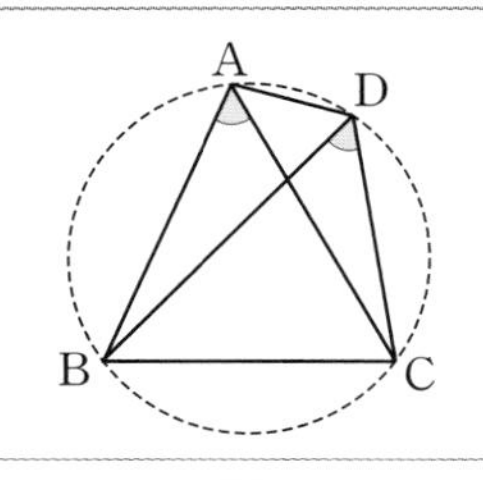	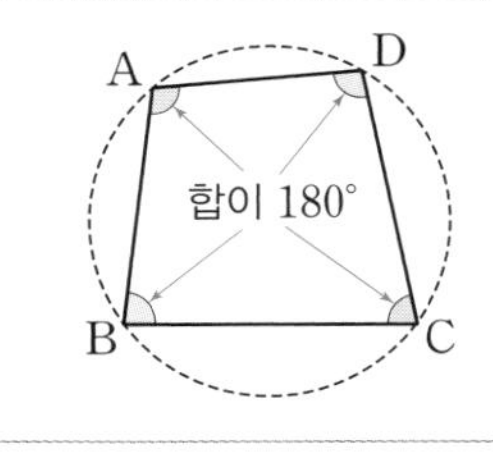	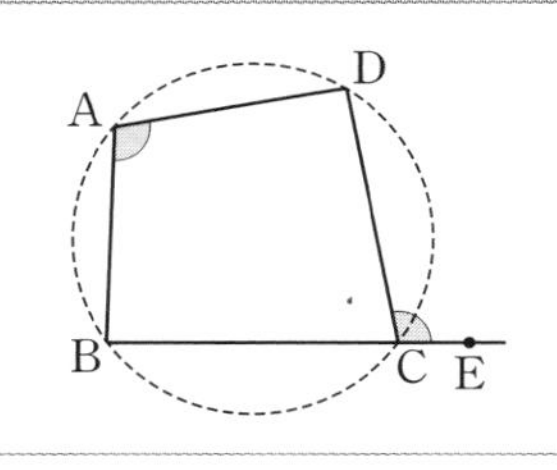
∠BAC=∠❶	∠A+∠C=❷ ° 또는 ∠B+∠D=180°	∠❸ =∠BAD

예 ①
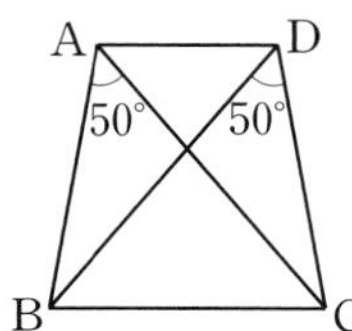

→ ∠BAC ❹ ∠BDC 이므로 □ABCD는 원에 내접한다.

②
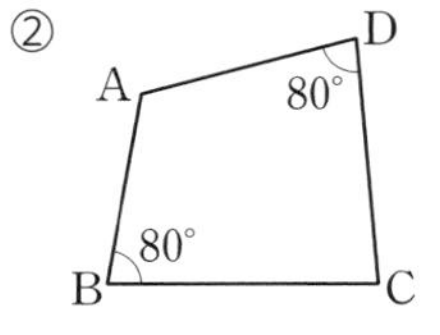

→ ∠B+∠D ❺ 180° 이므로 □ABCD는 원에 내접하지 않는다.

③
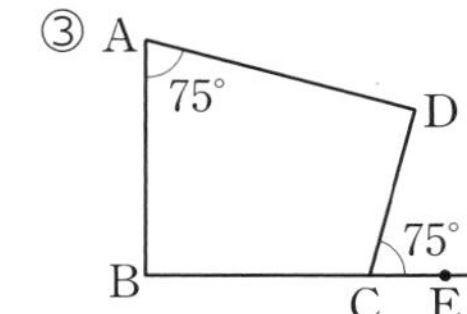

→ ∠DCE=∠BAD이므로 □ABCD는 원에 ❻ .

❶ BDC
❷ 180
❸ DCE
❹ =
❺ ≠
❻ 내접한다

핵심 4 원의 접선과 현이 이루는 각

원의 접선과 그 접점을 지나는 현이 이루는 각의 크기는 그 각의 내부에 있는 호에 대한 원주각의 크기와 같다.

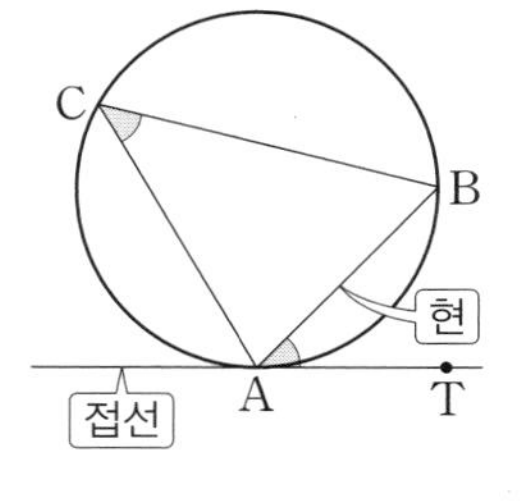

→ ∠BAT=∠❼

예 오른쪽 그림에서 $\overleftrightarrow{AT}$가 원의 접선이고 점 A가 접점일 때,
△CAB에서
∠BCA=180°−(55°+65°)=60°
∴ ∠x=∠BCA=❽ °

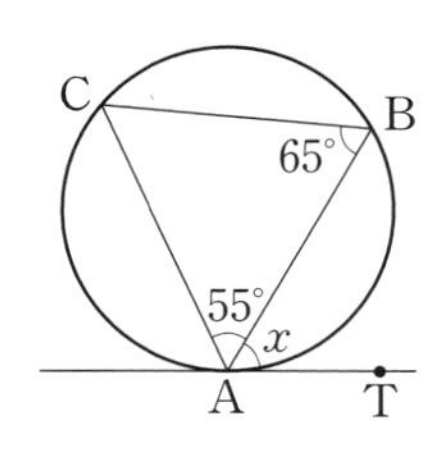

❼ BCA
❽ 60

시험지 속 개념 문제

정답과 풀이 33쪽

7 다음 보기 중 □ABCD가 원에 내접하는 것을 모두 고르시오.

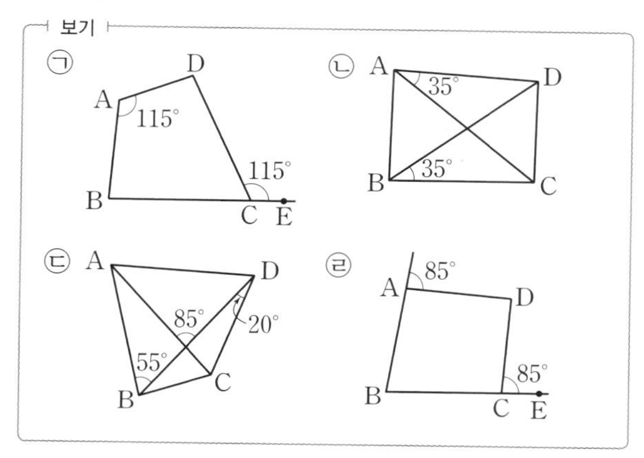

8 다음 그림에서 □ABCD가 원에 내접하도록 하는 $\angle x$의 크기를 구하시오.

(1)

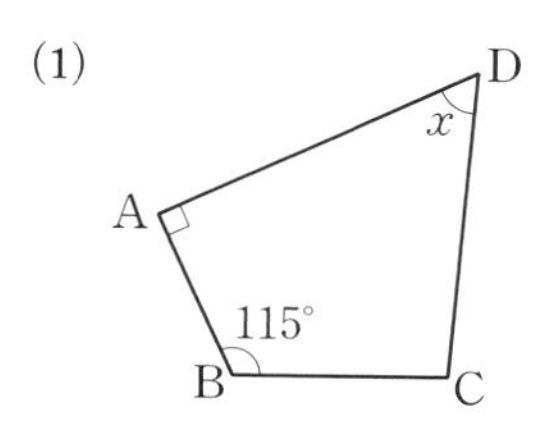

(2)

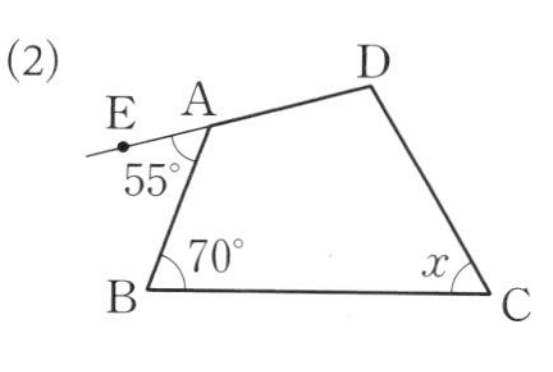

9 다음 그림에서 $\overleftrightarrow{AT}$는 원의 접선이고 점 A는 접점일 때, $\angle x$의 크기를 구하시오.

(1)

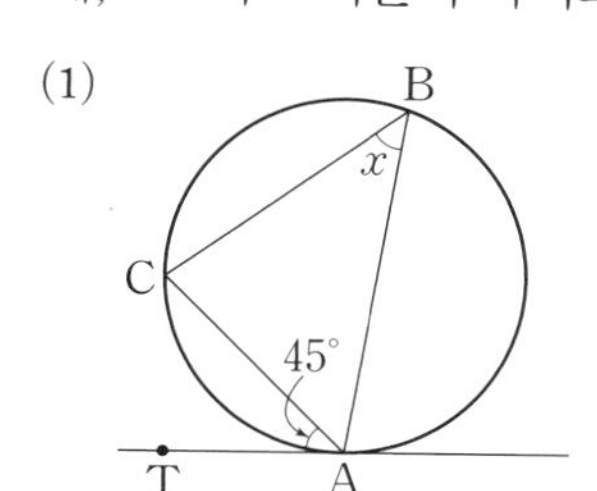

(2)

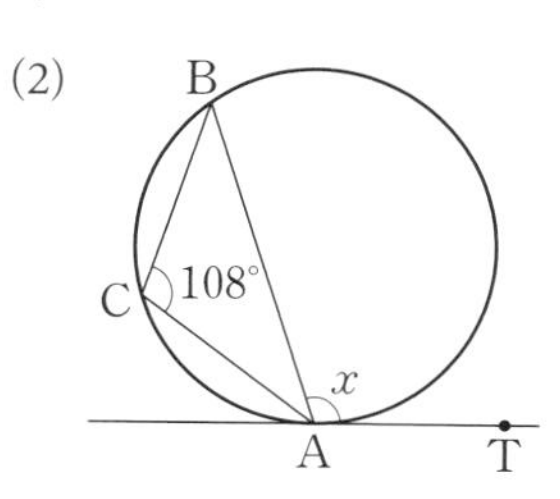

10 오른쪽 그림에서 $\overleftrightarrow{AT}$는 원의 접선이고 점 A는 접점일 때, $\angle x$의 크기를 구하시오.

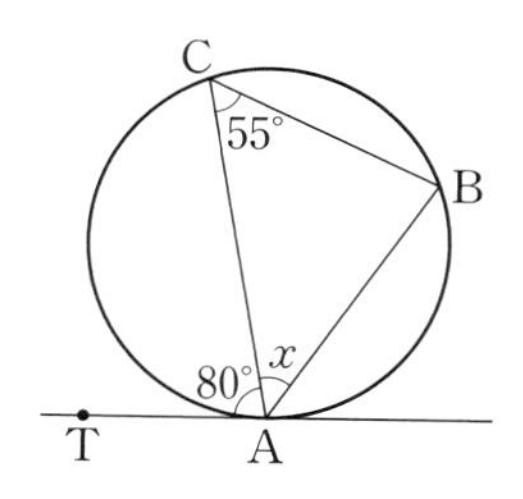

11 오른쪽 그림에서 $\overleftrightarrow{AT}$는 원 O의 접선이고 점 A는 접점이다. $\overline{BC}$가 원 O의 지름이고 $\angle BAT = 60°$일 때, $\angle x$의 크기를 구하시오.

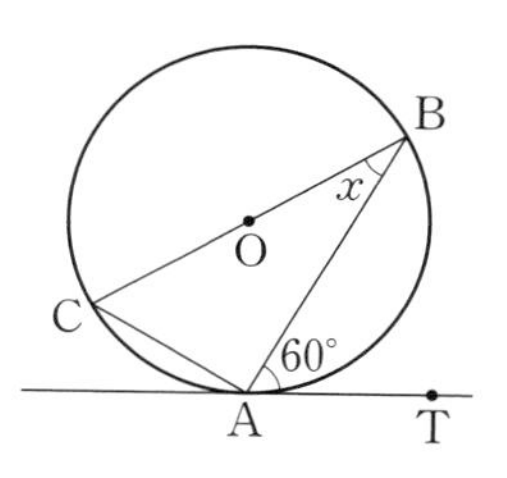

12 오른쪽 그림에서 $\overleftrightarrow{AT}$는 원 O의 접선이고 점 A는 접점이다. $\angle BAT = 40°$일 때, $\angle x$의 크기를 구하시오.

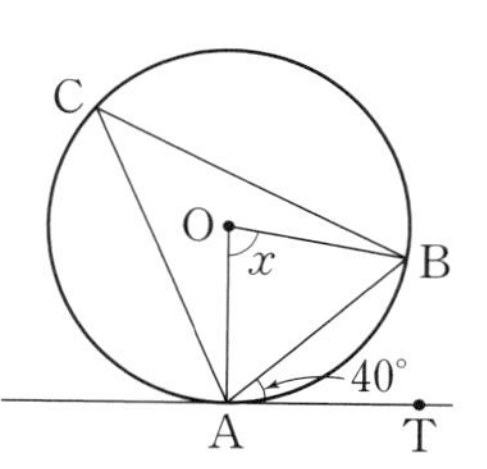

2일 교과서 기출 베스트 1회

대표 예제 1

다음 그림에서 네 점 A, B, C, D가 한 원 위에 있을 때, $\angle x$의 크기를 구하시오.

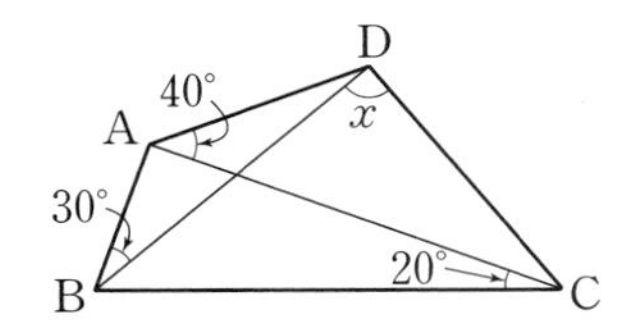

개념 가이드

네 점 A, B, C, D가 한 원 위에 있으면
$\angle BAC = \angle$ ①

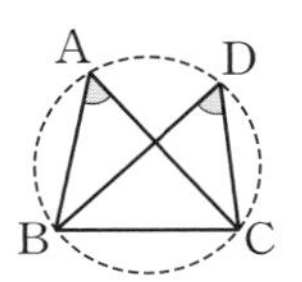

답 ① BDC

대표 예제 2

오른쪽 그림에서 □ABCD는 $\overline{BC}$가 지름인 원 O에 내접하고 $\overline{AB} = \overline{AC}$일 때, $\angle x$의 크기를 구하시오.

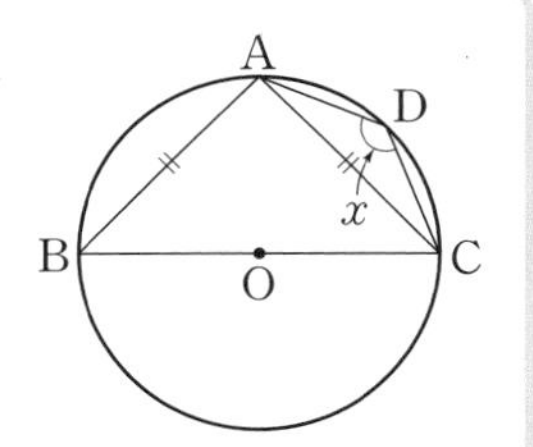

개념 가이드

원에 내접하는 사각형에서 한 쌍의 대각의 크기의 합은 180°이다.
→ $\angle A + \angle C =$ ①°
$\angle B + \angle D =$ ②°

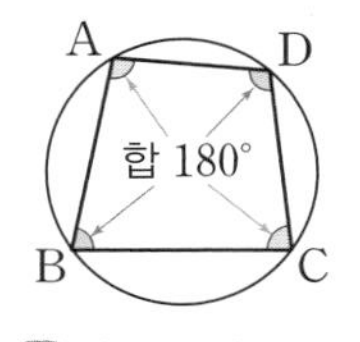

답 ① 180 ② 180

대표 예제 3

오른쪽 그림에서 오각형 ABCDE가 원 O에 내접하고 $\angle BAE = 120°$, $\angle CDE = 100°$일 때, $\angle x$의 크기를 구하시오.

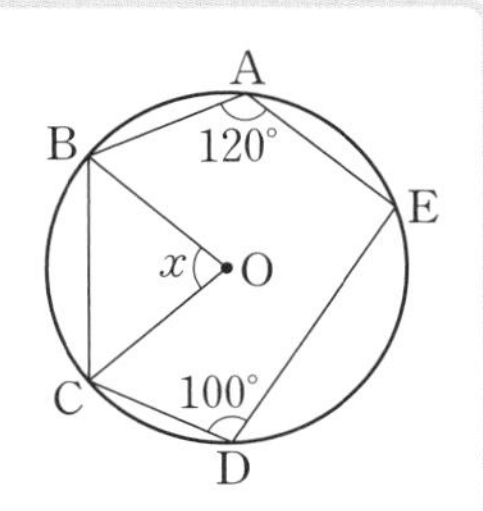

개념 가이드

원에 내접하는 다각형에서 각의 크기를 구할 때에는 보조선을 그어 원에 내접하는 ① 을 만든 후 대각의 크기의 합이 180°임을 이용한다.

답 ① 사각형

대표 예제 4

오른쪽 그림에서 □ABCD가 원 O에 내접할 때, $\angle x + \angle y$의 크기를 구하시오.

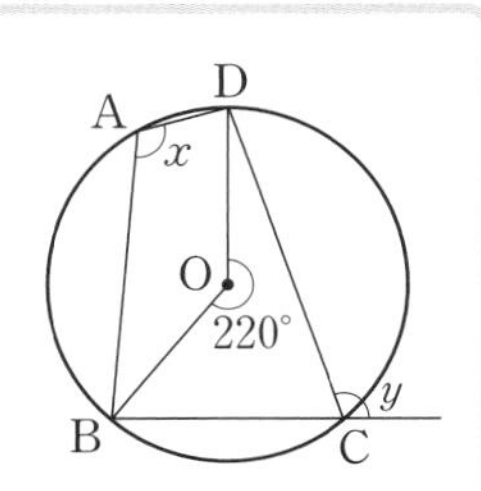

개념 가이드

원에 내접하는 사각형에서 한 외각의 크기는 그와 이웃한 내각의 대각의 크기와 같다.
→ $\angle DCE = \angle$ ①

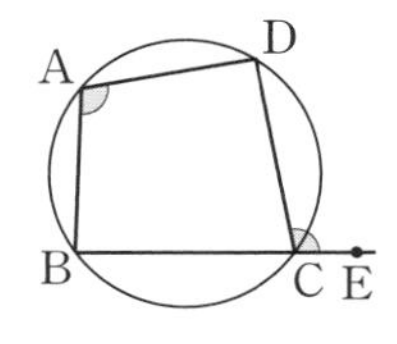

답 ① BAD

대표 예제 5

오른쪽 그림에서 □ABCD가 원에 내접하고 $\angle BPC=25^\circ$, $\angle AQB=47^\circ$일 때, $\angle x$의 크기를 구하시오.

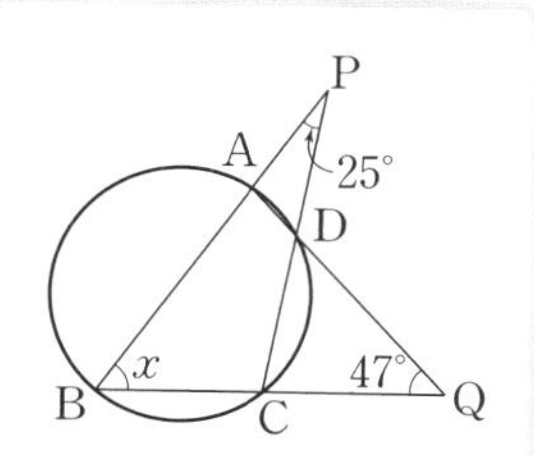

개념 가이드

- □ABCD가 원에 내접하므로 $\angle CDQ=\angle$ ①
- △PBC에서 $\angle PCQ=\angle PBC+\angle BPC$

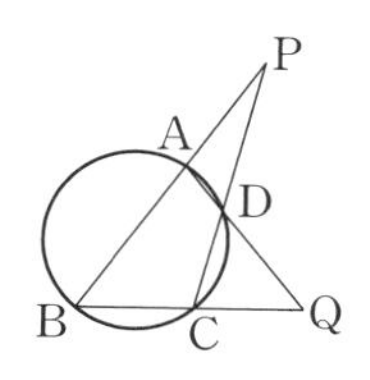

답 ① ABC

대표 예제 7

오른쪽 그림에서 $\overleftrightarrow{CT}$는 원의 접선이고 점 C는 접점이다. $\angle BAD=95^\circ$, $\angle BDC=40^\circ$일 때, $\angle x$의 크기를 구하시오.

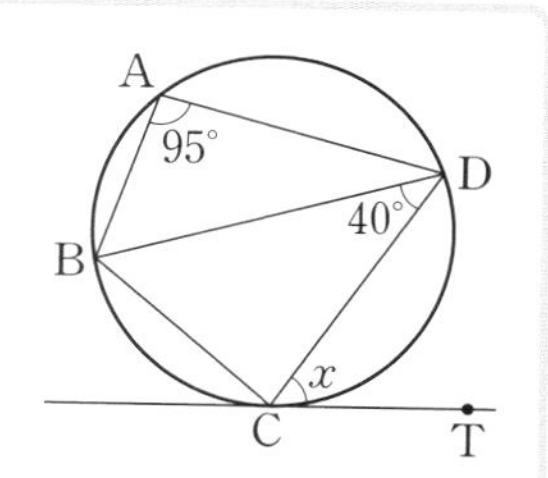

개념 가이드

$\overleftrightarrow{TT'}$이 원의 접선이고 점 A가 접점일 때

- $\angle CAT=\angle$ ①
- $\angle BAT'=\angle$ ②

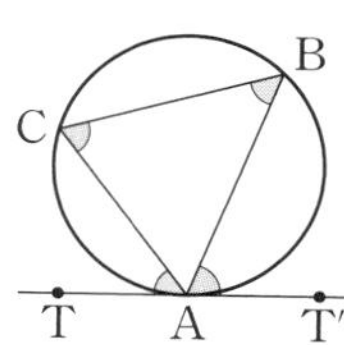

답 ① CBA ② BCA

대표 예제 6

오른쪽 그림과 같은 □ABCD에서 $\angle ADB=\angle ACB=25^\circ$, $\angle ABC=74^\circ$일 때, $\angle x$의 크기를 구하시오.

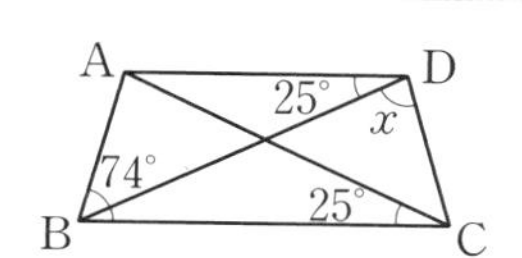

개념 가이드

□ABCD는 다음과 같은 경우에 원에 내접한다.

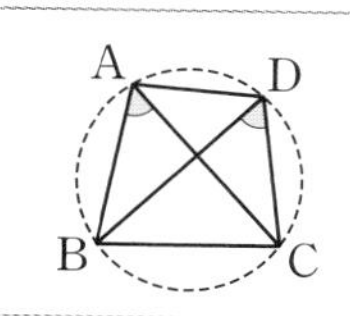	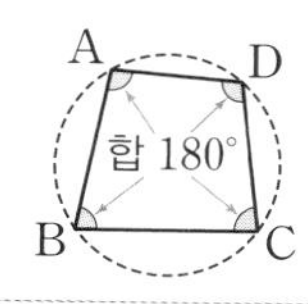	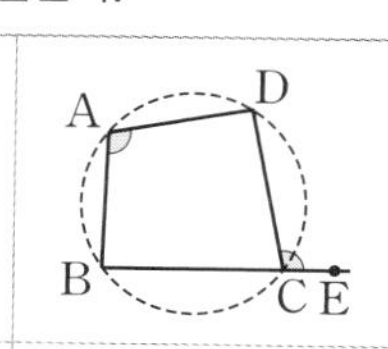
$\angle BAC$ $=\angle$ ①	$\angle A+\angle C=180^\circ$ 또는 $\angle B+\angle D=180^\circ$	$\angle DCE$ $=\angle$ ②

답 ① BDC ② BAD

대표 예제 8

오른쪽 그림에서 $\overline{PA}$는 원 O의 접선이고 점 A는 접점이다. $\overline{BC}$는 원 O의 지름이고 $\angle CBA=28^\circ$일 때, $\angle x$의 크기를 구하시오.

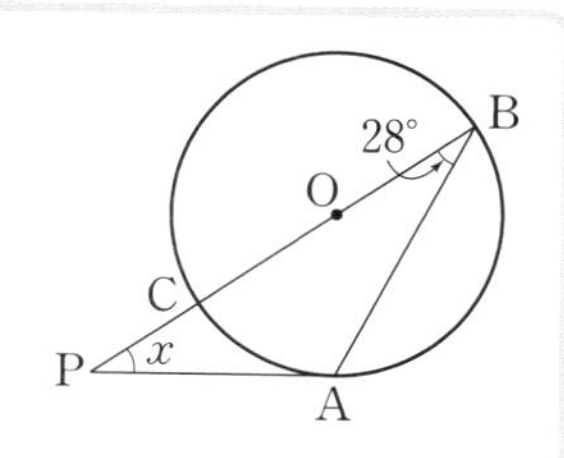

개념 가이드

$\overline{CA}$를 그으면
$\angle CAB=$ ① °
$\angle CAP=\angle$ ②

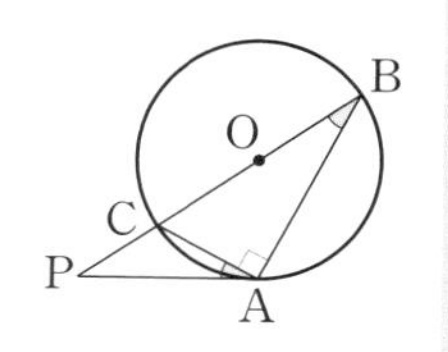

답 ① 90 ② CBA

교과서 기출 베스트 2회

1 오른쪽 그림에서 네 점 A, B, C, D가 한 원 위에 있도록 하는 $\angle x$의 크기를 구하시오.

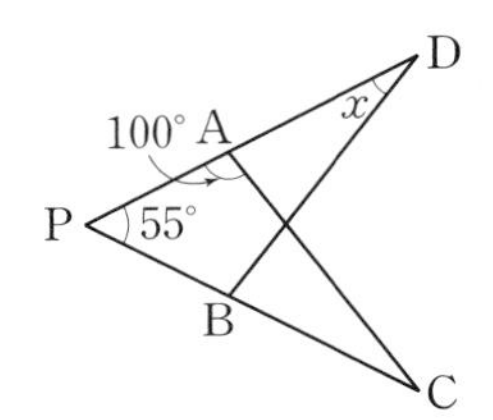

2 오른쪽 그림에서 □ABCD는 $\overline{BC}$가 지름인 원 O에 내접하고 $\angle ACB=20°$, $\angle DAC=25°$일 때, $\angle x$의 크기는?

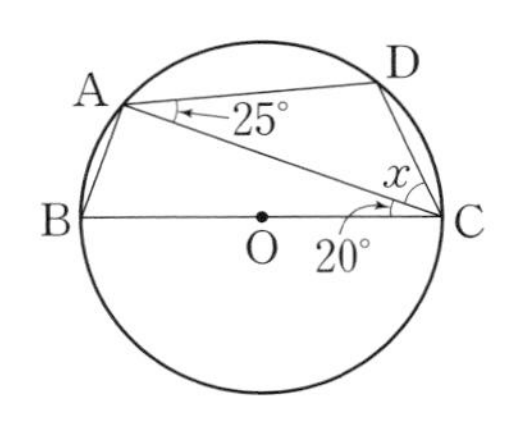

① 30° ② 35° ③ 40° ④ 45° ⑤ 50°

3 오른쪽 그림과 같이 오각형 ABCDE가 원 O에 내접하고 $\angle EAB=86°$, $\angle EDC=130°$일 때, $\angle x$의 크기를 구하시오.

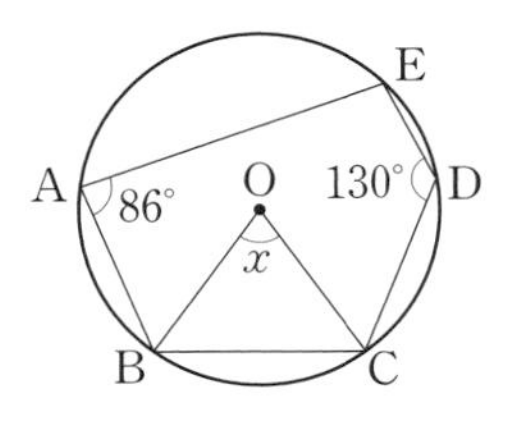

4 오른쪽 그림에서 □ABCD는 원에 내접하고 $\angle ABE=100°$, $\angle BAC=53°$, $\angle DBC=48°$일 때, $\angle x-\angle y$의 크기는?

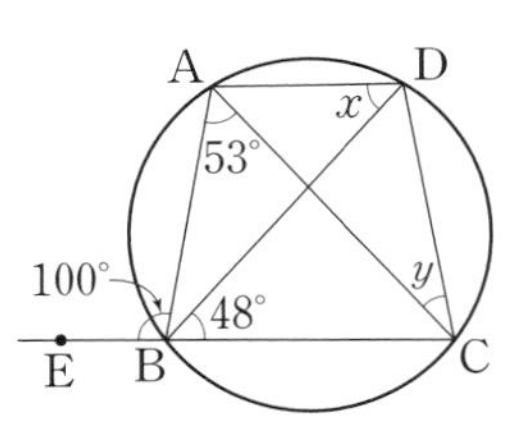

① 10° ② 15° ③ 20° ④ 25° ⑤ 30°

5 오른쪽 그림에서 □ABCD가 원에 내접하고 $\angle BEC=20^\circ$, $\angle DCB=60^\circ$일 때, $\angle x$의 크기를 구하시오.

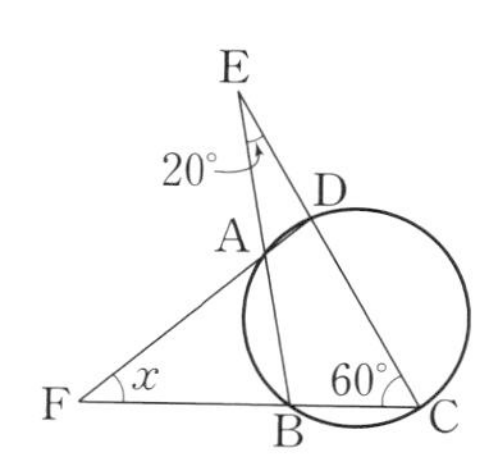

6 다음 중 □ABCD가 원에 내접하지 <u>않는</u> 것은?

①
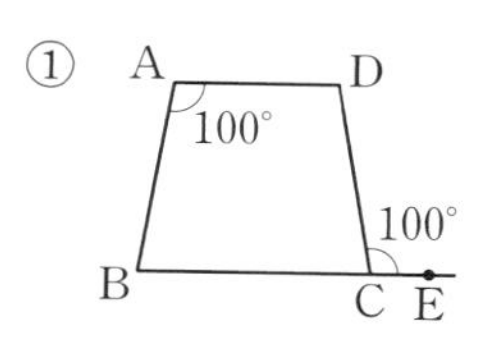

②
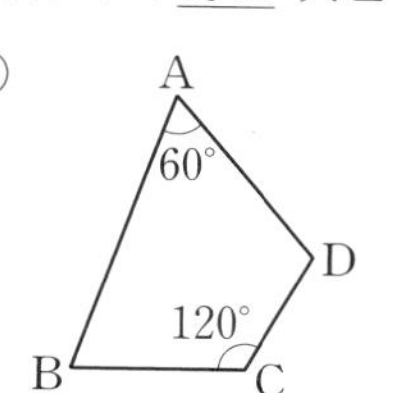

③
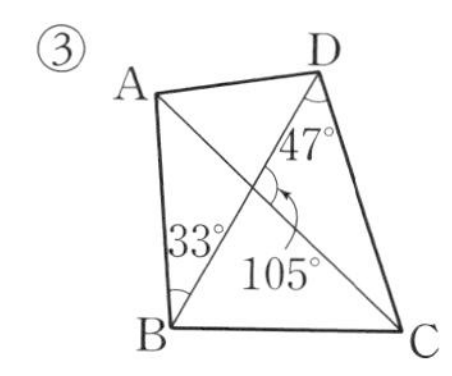

④
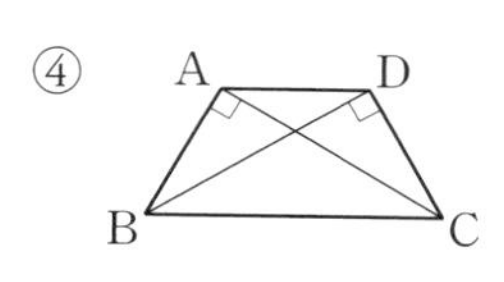

⑤
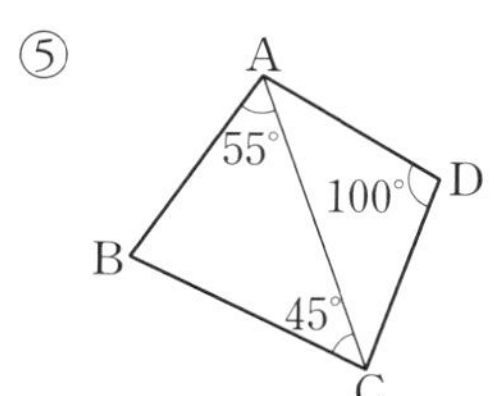

7 오른쪽 그림에서 $\overleftrightarrow{CT}$는 원의 접선이고 점 C는 접점이다. $\overset{\frown}{AB}=\overset{\frown}{BC}$, $\angle ACB=41^\circ$, $\angle ACD=53^\circ$일 때, $\angle x$의 크기는?

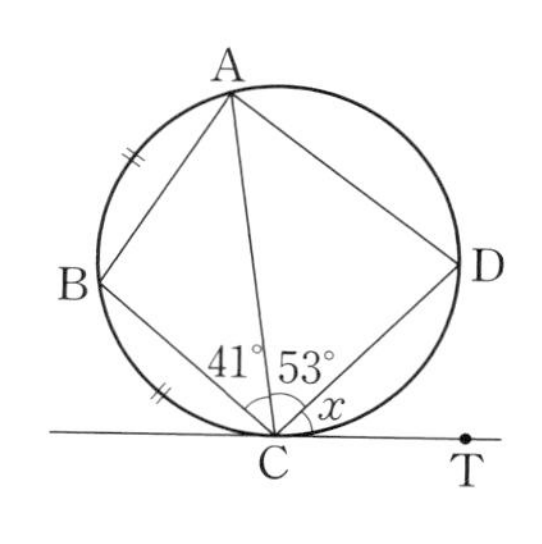

① 43° ② 44° ③ 45°
④ 46° ⑤ 47°

8 오른쪽 그림에서 $\overleftrightarrow{PA}$는 원 O의 접선이고 점 A는 접점이다. $\overline{CD}$는 원 O의 지름이고 $\angle CAP=38^\circ$일 때, $\angle x$의 크기를 구하시오.

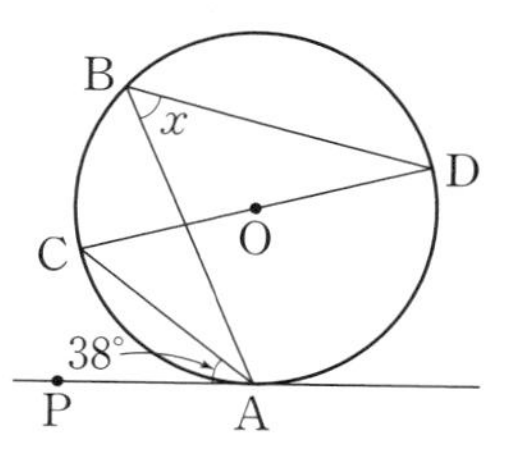

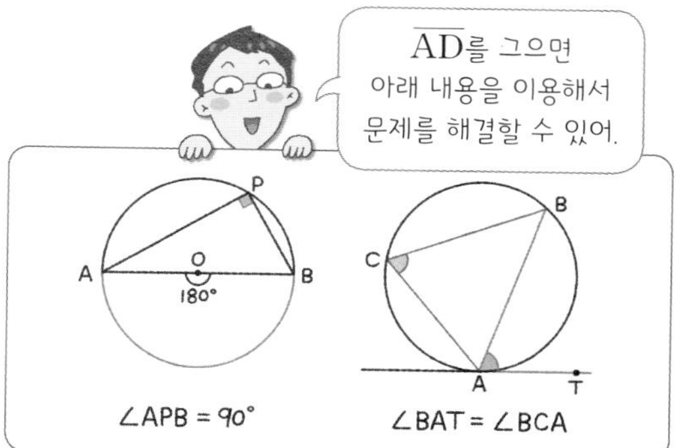

3일 대푯값

내 중간고사 성적의 평균 점수는?
과목 | 국어 | 영어 | 수학 | 사회 | 과학
점수(점) | 94 | 67 | 81 | 72 | 56
(평균)$=\frac{94+67+81+72+56}{5}=74$(점)
성적표
변량의 개수가 홀수이면 중앙에 놓이는 값이 중앙값이야.
4 1 2 2 3
주어진 변량을
작은 값 → 큰 값 순서로 나열
1, 2, 2, 3, 4
내가 중앙값
변량의 개수가 짝수이면 중앙에 놓이는 두 변량의 평균이 중앙값이지.
5 2 3 1 2 5
주어진 변량을
작은 값 → 큰 값 순서로 나열
1, 2, 2, 3, 5, 5
우리의 평균이 중앙값

공부할 내용

❶ 대푯값과 평균
❷ 중앙값
❸ 최빈값

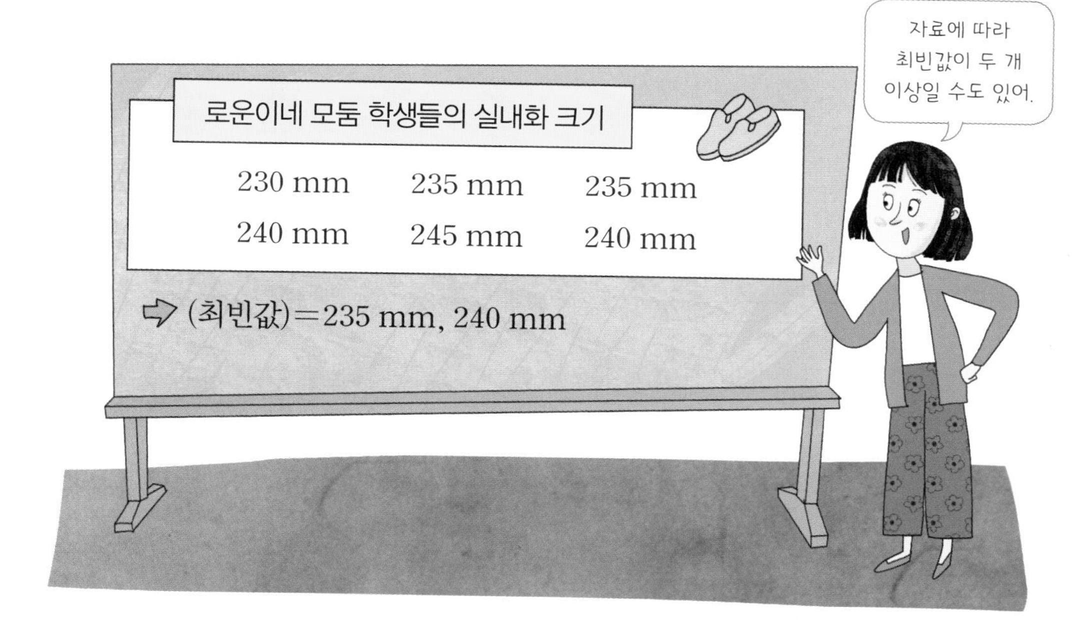

이것만은 꼭꼭!

1. 변량의 총합을 변량의 개수로 나눈 값이 평균이다. → (평균)$=\dfrac{(\text{변량의 ❶ }\square)}{(\text{변량의 개수})}$

2. 자료를 작은 값부터 크기순으로 나열할 때, 한가운데 놓인 값이 중앙값이다.

   (1) 변량의 개수가 ❷ ☐ → 한가운데 놓인 값

   (2) 변량의 개수가 ❸ ☐ → 한가운데 놓인 두 값의 평균

3. 변량 중 가장 많이 나타나는 값은 ❹ ☐ 이다.

답 ❶ 총합 ❷ 홀수 ❸ 짝수 ❹ 최빈값

교과서 핵심 정리 ❶

핵심 1 대푯값과 평균

(1) **대푯값** : 자료 전체의 특징을 대표적으로 나타내는 값

참고 대푯값에는 평균, 중앙값, 최빈값 등이 있고, 이 중 가장 많이 사용하는 것은 ❶ ______ 이다.

(2) **평균** : 변량(자료를 수량으로 나타낸 것)의 총합을 변량의 개수로 나눈 값

$$\rightarrow (\text{평균})=\frac{(\text{변량의 ❷ \_\_\_\_})}{(\text{변량의 ❸ \_\_\_\_})}$$

참고 평균은 대체로 자료의 중심 경향을 잘 나타낸다. 하지만 평균은 극단적인 값(매우 크거나 매우 작은 값)의 영향을 많이 받으므로 극단적인 값이 있는 경우에는 자료의 중심 경향을 제대로 나타낼 수 없다.

핵심 2 중앙값

(1) **중앙값** : 자료를 작은 값부터 크기순으로 나열할 때, 한가운데에 놓인 값

참고 변량 중에 극단적인 값이 있는 경우에는 평균보다 ❹ ______ 이 자료 전체의 특징을 더 잘 나타낸다.

(2) **중앙값을 구하는 방법** : 변량을 작은 값부터 크기순으로 나열할 때

① 변량의 개수가 ❺ ______ 이면 → 한가운데에 놓인 값

② 변량의 개수가 짝수이면 → 한가운데에 놓인 두 값의 ❻ ______

예 ① 자료 1, 2, 2, 3, 5의 중앙값은 2이다.
자료의 개수가 5개이므로 3번째 값

② 자료 1, 2, 2, 3, 5, 5의 중앙값은 $\frac{2+3}{2}=2.5$이다.
자료의 개수가 6개이므로 3번째와 4번째 값의 평균

핵심 3 최빈값

최빈값 : 변량 중 가장 ❼ ______ 나타나는 값

참고 ① 최빈값은 자료가 숫자로 주어지지 않은 경우에도 사용할 수 있다.
② 자료에 따라 최빈값이 ❽ ______ 개 이상일 수도 있다.

예 ① 자료 3, 4, 5, 3, 3, 6의 최빈값은 3이다.
② 자료 2, 4, 4, 6, 8, 8의 최빈값은 4와 8이다.
4와 8이 두 번씩 가장 많이 나타난다.

❶ 평균
❷ 총합
❸ 개수
❹ 중앙값
❺ 홀수
❻ 평균
❼ 많이
❽ 2

시험지 속 개념 문제

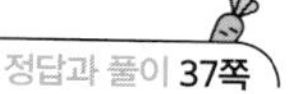

정답과 풀이 37쪽

1 다음 자료의 중앙값을 구하시오.

(1) 5, 6, 17, 9, 8, 10, 14

(2) 168, 171, 160, 77, 164, 171

2 다음 자료의 최빈값을 구하시오.

(1) 16, 21, 22, 18, 19, 12, 24, 21

(2) 6, 9, 3, 6, 6, 9, 2, 9

3 다음 자료의 평균을 a, 중앙값을 b, 최빈값을 c라고 할 때, $a-b+c$의 값을 구하시오.

7 8 3 6 8 4

4 다음 자료 중 평균을 대푯값으로 정하기에 가장 적절하지 않은 것은?

① 3, 3, 3, 3, 3 ② 1, 1, 1, 2, 3
③ 0, 1, 0, 1, 70 ④ 1, 2, 3, 4, 5
⑤ 10, 10, 20, 30, 30

5 다음 그림의 학생들이 설명하는 것은?

자료가 숫자로 주어지지 않은 경우에도 사용할 수 있어.

자료에 따라 그 값이 2개 이상일 수도 있어.

① 변량 ② 평균 ③ 중앙값
④ 최빈값 ⑤ 줄기와 잎 그림

6 다음 설명이 옳으면 ○표, 옳지 않으면 ×표를 ( ) 안에 써넣으시오.

(1) 자료 전체의 특징을 대표적으로 나타내는 값을 대푯값이라고 한다. ( )

(2) 주어진 자료의 변량 중에 매우 크거나 매우 작은 값이 있는 경우에는 대푯값으로 평균이 가장 적절하다. ( )

(3) 선호도를 조사한 자료의 대푯값으로는 최빈값이 적절하다. ( )

(4) 중앙값은 주어진 자료의 변량 중에 있다. ( )

3일 교과서 기출 베스트 1회

대표 예제 1

다음은 한 개의 주사위를 10번 던져서 나온 눈의 수를 조사하여 나타낸 것이다. 중앙값을 a, 최빈값을 b라고 할 때, $a+b$의 값을 구하시오.

5	4	4	6	2
1	6	1	3	1

개념 가이드

중앙값을 구할 때에는 자료를 작은 값부터 크기순으로 나열한 후 생각한다. 최빈값은 변량 중 가장 ① ______ 나타나는 값을 찾는다.

답 ① 많이

대표 예제 2

다음은 어느 반 학생들의 오래매달리기 기록을 조사하여 나타낸 줄기와 잎 그림이다. 중앙값을 a초, 최빈값을 b초라고 할 때, $b-a$의 값을 구하시오.

(0|7은 7초)

줄기	잎
0	7
1	3 3 5 7 8 8
2	4 4 4 6
3	0 3

개념 가이드

자료가 줄기와 잎 그림으로 주어진 경우에도 중앙값과 최빈값을 구할 수 있다. 줄기와 잎 그림에서 변량의 개수는 ① ______의 개수와 같다.

답 ① 잎

대표 예제 3

다음은 학생 8명의 턱걸이 기록을 조사하여 나타낸 것이다. 평균과 중앙값 중에서 이 자료의 대푯값으로 더 적절한 것은 무엇인지 말하고, 그 값을 구하시오.

(단위 : 회)

24	7	6	8	5	7	8	7

개념 가이드

변량 중에 극단적인 값이 있는 경우에는 평균보다 ① ______이 자료 전체의 특징을 더 잘 나타낸다.

답 ① 중앙값

대표 예제 4

다음은 10개의 변량을 크기순으로 나열한 것이다. 이 자료의 중앙값이 10일 때, x의 값을 구하시오.

1	2	6	7	8	x	15	17	18	20

개념 가이드

변량을 작은 값부터 ① ______순으로 나열한 후 변량의 개수가 홀수일 때와 짝수일 때에 따라 문제의 조건에 맞게 식을 세우고 미지수의 값을 구한다.

답 ① 크기

대표 예제 5

다음은 학생 6명의 일주일 동안의 운동 시간을 조사하여 나타낸 것이다. 운동 시간의 평균이 6시간일 때, 중앙값을 구하시오.

(단위 : 시간)

6	7	8	x	4	6

개념 가이드

$(\text{평균})=\dfrac{(\text{변량의 }\boxed{①\quad})}{(\text{변량의 개수})}$ 임을 이용하여 미지수의 값을 구한 후 변량을 작은 값부터 크기순으로 나열한다.

답 ① 총합

대표 예제 7

다음은 학생 5명의 1년 동안의 놀이 공원 방문 횟수를 조사하여 나타낸 것이다. 평균과 최빈값이 같을 때, x의 값을 구하시오.

(단위 : 회)

3	5	6	10	x

개념 가이드

① ☐ 은 변량 중 가장 많이 나타나는 값이다.

미지수를 제외한 전체 변량이 모두 다르면 최빈값은 바로 그 미지수야.

답 ① 최빈값

대표 예제 6

다음 자료의 평균이 7이고 최빈값이 9일 때, 중앙값을 구하시오.

3	7	9	x	8	y	10	4

개념 가이드

x, y를 제외한 6개의 변량이 모두 다르므로 x, y 중 적어도 하나는 ① ☐ 과 같아야 한다.

답 ① 최빈값

대표 예제 8

4개의 변량 8, a, 4, 12의 중앙값은 7이고, 5개의 변량 5, a, b, 1, 2의 중앙값은 4일 때, $a-b$의 값을 구하시오.

개념 가이드

변량을 작은 값부터 크기순으로 나열할 때, 중앙값은
- 변량의 개수가 홀수 : 한가운데에 놓인 값
- 변량의 개수가 짝수 : 한가운데에 놓인 두 값의 ① ☐

답 ① 평균

교과서 기출 베스트 2회

1 다음 자료의 평균을 a, 중앙값을 b, 최빈값을 c라고 할 때, $a+b+c$의 값은?

4 7 5 13 6 4 3

① 11 ② 12 ③ 13
④ 14 ⑤ 15

2 다음은 지은이네 반 학생 14명의 교복 상의 사이즈를 조사하여 나타낸 줄기와 잎 그림이다. 중앙값을 a호, 최빈값을 b호라고 할 때, $a-b$의 값은?

(8|0은 80호)

줄기	잎
8	0 0 5
9	0 0 0 0 5 5
10	0 0 5 5 5

① 0 ② 2.5 ③ 5
④ 10 ⑤ 12.5

3 아래 표는 독서 동아리 회원 10명이 한 달 동안 읽은 책의 수를 조사하여 나타낸 것이다. 다음 중 옳은 설명을 하는 학생을 모두 고르시오.

책의 수(권)	1	2	3	4	5	21
회원 수(명)	1	2	3	x	1	1

하나: x의 값은 3이다.
성철: 최빈값은 4권이다.
고은: 중앙값은 3권이다.
우식: 평균은 4.8권이다.
지우: 대푯값으로 중앙값보다 평균이 더 적절하다.

4 다음은 학생 6명의 한 달 동안의 봉사 활동 시간을 조사하여 크기순으로 나열한 것이다. 중앙값이 7시간일 때, 평균을 구하시오.

(단위 : 시간)

3 4 6 x 12 15

5 다음은 학생 8명의 과학 성적을 조사하여 나타낸 것이다. 과학 성적의 평균이 90점일 때, 중앙값과 최빈값을 각각 구하시오.

(단위 : 점)

100	85	100	95	x	90	85	80

6 다음 자료의 평균이 1이고 최빈값이 -3일 때, 중앙값은?

3	a	6	b	-3	8

① -3 ② -1 ③ 0
④ 3 ⑤ 4.5

7 다음 자료의 평균과 최빈값이 같을 때, x의 값을 구하시오.

8	9	10	x	6	4	8	8

8 5개의 변량 3, 5, a, 9, 8의 중앙값은 6이고, 6개의 변량 2, 7, a, b, 10, 12의 중앙값은 8일 때, ab의 값은?

① 27 ② 36 ③ 48
④ 54 ⑤ 60

4일 산포도

〈수호의 중간고사 성적〉

과목	국어	영어	수학	사회	과학
점수(점)	94	67	81	72	56
평균(점)	$\frac{94+67+81+72+56}{5}=74$(점)				
편차(점)	$94-74=20$	$67-74=-7$	$81-74=7$	$72-74=-2$	$56-74=-18$

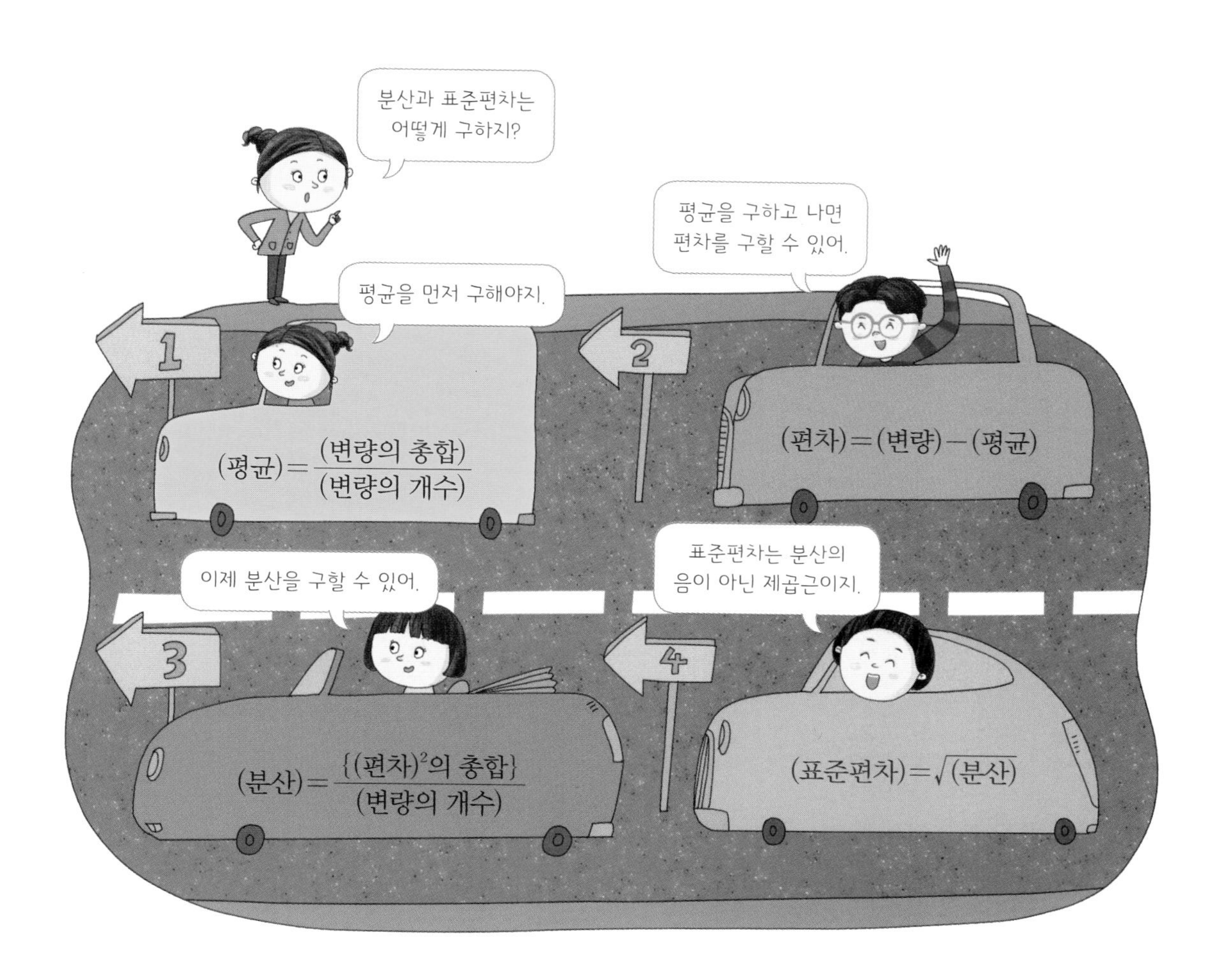

이것만은 꼭꼭!

1. 어떤 자료의 각 변량에서 평균을 뺀 값을 편차라 하고, 편차의 총합은 ❶ ☐ 이다.
   → (편차)=(변량)−(❷ ☐)

2. 표준편차는 다음과 같은 순서로 구한다.

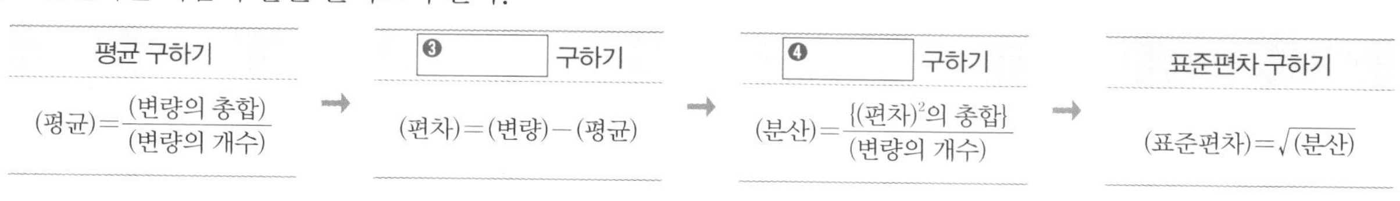

답 ❶ 0 ❷ 평균 ❸ 편차 ❹ 분산

교과서 핵심 정리 ❶

핵심 1 산포도와 편차

(1) **산포도** : 변량이 흩어져 있는 정도를 하나의 수로 나타낸 값

참고 산포도에는 분산, 표준편차 등이 있다.

① 변량들이 대푯값을 중심으로 가까이 모여 있을수록 산포도는 ❶ ______.

② 변량들이 대푯값을 중심으로 멀리 흩어져 있을수록 산포도는 커진다.

(2) **편차** : 어떤 자료의 각 변량에서 평균을 뺀 값

→ (편차)=(변량)−(❷ ______)

① 편차의 총합은 항상 ❸ ______이다.

② 평균보다 큰 변량의 편차는 ❹ ______이고, 평균보다 작은 변량의 편차는 음수이다.

③ 편차의 절댓값이 클수록 그 변량은 평균에서 멀리 떨어져 있고, 편차의 절댓값이 작을수록 그 변량은 평균에 가까이 있다.

❶ 작아진다

❷ 평균

❸ 0

❹ 양수

핵심 2 분산과 표준편차

(1) **분산** : 어떤 자료의 편차의 제곱의 평균

→ $(\text{분산})=\dfrac{\{(\text{❺ ______})^2\text{의 총합}\}}{(\text{변량의 개수})}$

(2) **표준편차** : 분산의 음이 아닌 제곱근

→ $(\text{표준편차})=\sqrt{(\text{❻ ______})}$

주의 평균, 편차, 표준편차의 단위는 주어진 변량의 단위와 같다.

(3) **분산과 표준편차를 이용한 자료의 분석**

① 분산과 표준편차가 ❼ ______.

→ 변량들이 평균을 중심으로 가까이 모여 있다.

→ 자료의 분포가 ❽ ______.

② 분산과 표준편차가 크다.

→ 변량들이 평균을 중심으로 멀리 흩어져 있다.

→ 자료의 분포가 고르지 않다.

표준편차를 구하는 순서

평균 구하기
↓
편차 구하기
↓
분산 구하기
↓
표준편차 구하기

❺ 편차

❻ 분산

❼ 작다

❽ 고르다

시험지 속 개념 문제

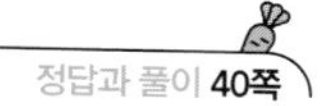

정답과 풀이 40쪽

1 다음 표는 세정이의 기말고사 5과목의 성적의 편차를 조사하여 나타낸 것이다. 기말고사 5과목의 성적의 평균이 80점일 때, 물음에 답하시오.

과목	국어	영어	수학	사회	과학
편차(점)	x	-5	7	-4	4

(1) x의 값을 구하시오.

(2) 영어 성적을 구하시오.

(3) 국어 성적과 사회 성적의 차를 구하시오.

2 다음은 경수의 5회에 걸친 미술 수행 평가 성적을 조사하여 나타낸 것이다. 물음에 답하시오.

(단위 : 점)

6　10　8　7　4

(1) 평균을 구하시오.

(2) 표를 완성하시오.

성적(점)	6	10	8	7	4
편차(점)					
$(편차)^2$					

(3) 분산을 구하시오.

(4) 표준편차를 구하시오.

3 다음은 민재가 6회에 걸쳐 제기차기를 한 횟수의 편차를 조사하여 나타낸 것이다. 표준편차를 구하시오.

(단위 : 회)

-2　-5　3　1　3　0

4 다음 자료의 분산과 표준편차를 각각 구하시오.

12　9　10　7　12　10

5 아래 표는 어느 반 학생들의 수학 성적과 과학 성적의 평균과 표준편차를 조사하여 나타낸 것이다. 다음 중 옳은 설명을 한 학생을 고르시오.

과목	수학	과학
평균(점)	65	65
표준편차(점)	4	4.5

지수

병찬

우리

4일 교과서 기출 베스트 1회

대표 예제 1

다음 표는 학생 6명의 영어 성적의 편차를 조사하여 나타낸 것이다. 영어 성적의 평균이 72점일 때, 학생 D의 영어 성적을 구하시오.

학생	A	B	C	D	E	F
편차(점)	3	-2	-4		1	-2

개념 가이드

- 편차의 총합은 항상 ① ☐이다.
- (편차)=(변량)−(평균)이므로 (변량)=(평균)+(② ☐)

답 ① 0 ② 편차

대표 예제 2

다음 표는 학생 5명의 줄넘기 기록의 편차를 조사하여 나타낸 것이다. 줄넘기 기록의 분산을 구하시오.

학생	A	B	C	D	E
편차(회)	4	-3	x	2	-1

개념 가이드

(분산)=$\dfrac{\{(\text{① ☐})^2\text{의 총합}\}}{(\text{변량의 개수})}$임을 이용하여 분산을 구한다.

답 ① 편차

대표 예제 3

다음은 학생 7명의 일주일 동안의 PC 게임 시간을 조사하여 나타낸 것이다. PC 게임 시간의 표준편차를 구하시오.

(단위 : 시간)

7 6 10 15 14 8 10

개념 가이드

평균 → 편차 → (① ☐)²의 총합 → 분산 → ② ☐ 의 순서로 구한다.

답 ① 편차 ② 표준편차

대표 예제 4

다음은 호준이가 최근 5번의 농구 경기에서 얻은 점수를 조사하여 나타낸 것이다. 평균이 5점일 때, 분산을 구하시오.

(단위 : 점)

5 3 6 x 7

개념 가이드

(평균)=$\dfrac{(\text{변량의 총합})}{(\text{변량의 ① ☐})}$임을 이용하여 미지수의 값을 구한 후 분산을 구한다.

답 ① 개수

대표 예제 5

5개의 변량 $x, y, 1, 2, 6$의 평균이 3이고 표준편차가 2일 때, x^2+y^2의 값은?

① 20 ② 21 ③ 22
④ 23 ⑤ 24

개념 가이드

- (표준편차)$=\sqrt{(\boxed{①})}$이므로 (분산)=(표준편차)^2
- 평균과 표준편차를 이용하여 x, y에 대한 식을 세운다.

답 ① 분산

대표 예제 6

5개의 변량 $6, 10, 12, x+1, 6-x$의 분산이 12일 때, x의 값을 모두 구하시오.

개념 가이드

$$(\text{평균})=\frac{(\text{변량의 } \boxed{①})}{(\text{변량의 개수})}$$

답 ① 총합

대표 예제 7

다음 중 옳은 것을 모두 고르면? (정답 2개)

① 분산이 클수록 자료의 분포가 고르다고 할 수 있다.
② 편차의 총합은 항상 0이다.
③ 편차의 절댓값이 클수록 그 변량은 평균에 가까이 있다.
④ 분산은 편차의 제곱의 평균이다.
⑤ 표준편차가 작을수록 변량들이 평균을 중심으로 멀리 흩어져 있다.

개념 가이드

분산과 표준편차가 작을수록 변량들이 $\boxed{①}$을 중심으로 가까이 모여 있고, 분산과 표준편차가 클수록 변량들이 평균을 중심으로 멀리 흩어져 있다.

답 ① 평균

대표 예제 8

아래 표는 어느 중학교 3학년 5개 반 학생들의 국어 성적의 평균과 표준편차를 조사하여 나타낸 것이다. 다음 중 옳은 것은?

반	1	2	3	4	5
평균(점)	60	60	63	58	69
표준편차(점)	4.2	3.8	4.1	2.5	2.9

① 1반의 학생 수가 2반의 학생 수보다 더 많다.
② 3반에는 국어 성적이 90점 이상인 학생이 없다.
③ 4반의 국어 성적이 3반의 국어 성적보다 더 고르다.
④ 국어 성적이 가장 낮은 학생은 4반에 있다.
⑤ 국어 성적이 80점 이상인 학생은 5반이 4반보다 더 많다.

개념 가이드

- 표준편차가 $\boxed{①}$. → 자료의 분포가 고르다.
- 표준편차가 $\boxed{②}$. → 자료의 분포가 고르지 않다.

답 ① 작다 ② 크다

교과서 기출 베스트 2회

1 다음 표는 어느 야구팀이 6일 동안의 경기에서 친 안타 수의 편차를 조사하여 나타낸 것이다. 안타 수의 평균이 12개일 때, 수요일에 친 안타 수는?

요일	월	화	수	목	금	토
편차(개)	3	-3	x	2	0	4

① 3개 ② 4개 ③ 5개
④ 6개 ⑤ 7개

2 아래 표는 학생 5명의 사회 성적의 편차를 조사하여 나타낸 것이다. 사회 성적의 평균이 70점일 때, 다음 중 옳은 것은?

학생	A	B	C	D	E
편차(점)	-2	3	-3	x	1

① 학생 D의 편차는 -2점이다.
② 사회 성적의 분산은 7이다.
③ 학생 A와 학생 B의 사회 성적의 차는 1점이다.
④ 사회 성적이 가장 높은 학생은 C이다.
⑤ 학생 D의 사회 성적은 71점이다.

3 다음 자료는 슬기네 모둠 학생 5명의 일주일 동안의 취미 활동 시간을 조사하여 나타낸 것이다. 취미 활동 시간의 표준편차는?

(단위 : 시간)

3 6 4 7 5

① $\sqrt{2}$시간 ② 2시간 ③ $\sqrt{10}$시간
④ 10시간 ⑤ $2\sqrt{5}$시간

4 다음 표는 학생 5명의 윗몸일으키기 기록을 조사하여 나타낸 것이다. 윗몸일으키기 기록의 평균이 20회일 때, 분산은?

학생	A	B	C	D	E
기록(회)	18	21	20	x	17

① $\sqrt{6}$ ② $3\sqrt{2}$ ③ 6
④ $6\sqrt{3}$ ⑤ 12

5 5개의 변량 10, 11, 12, x, y의 평균이 12이고 분산이 4일 때, x^2+y^2의 값은?

① 364 ② 366 ③ 370
④ 375 ⑤ 382

6 5개의 변량 7, x, 6, $8-x$, 4의 표준편차가 $\sqrt{2}$일 때, 모든 x의 값의 합을 구하시오.

7 다음 중 옳은 설명을 한 학생을 고르시오.

주익  표준편차는 편차의 평균이다.

현규  분산이 작을수록 표준편차는 크다.

지나  산포도에는 평균, 중앙값, 최빈값 등이 있다.

선경  편차의 절댓값이 작을수록 그 변량은 평균에서 멀리 떨어져 있다.

수지  평균보다 큰 변량의 편차는 양수이다.

8 아래 표는 어느 중학교 1학년 3개 반 학생들의 수학 성적의 평균과 표준편차를 조사하여 나타낸 것이다. 다음 중 옳은 것은?

반	A	B	C
평균(점)	82	84	86
표준편차(점)	2.6	3.5	3.1

① B반의 학생 수가 가장 적다.
② 수학 성적이 가장 높은 학생은 C반에 있다.
③ 전체 학생들의 수학 성적의 평균은 84점이다.
④ 수학 성적이 가장 고른 반은 A반이다.
⑤ 수학 성적이 85점 이상인 학생은 C반이 가장 많다.

5일 산점도와 상관관계

두 변량 x, y를 순서쌍으로 하는 점 (x, y)를 좌표평면 위에 나타낸 그림이 산점도야.
(키, 몸무게)
(165 cm, 55 kg)
x y
y(kg)
60
55
50
45
40
0
145 150 155 160 165 170 x(cm)
'같은', '높은', '낮은'과 같이 두 변량을 비교하는 조건이 주어지면 대각선을 그어.
$x=y$
$x>y$
$x<y$
$x\le a$ $x\ge a$
a
$y\ge b$
b
$y\le b$
'이상', '이하'의 조건이 주어지면 가로선 또는 세로선을 그으면 되겠네요!

이것만은 꼭꼭!

1. 산점도에서
   (1) '같은', '높은', '낮은'과 같이 두 변량을 비교하는 조건이 주어지면 ❶ ＿＿＿＿ 을 긋는다.
   (2) '이상', '이하'의 조건이 주어지면 ❷ ＿＿＿＿ 또는 세로선을 긋는다.

2. (1) 양의 상관관계　　(2) ❸ ＿＿ 의 상관관계　　(3) 상관관계가 없다.

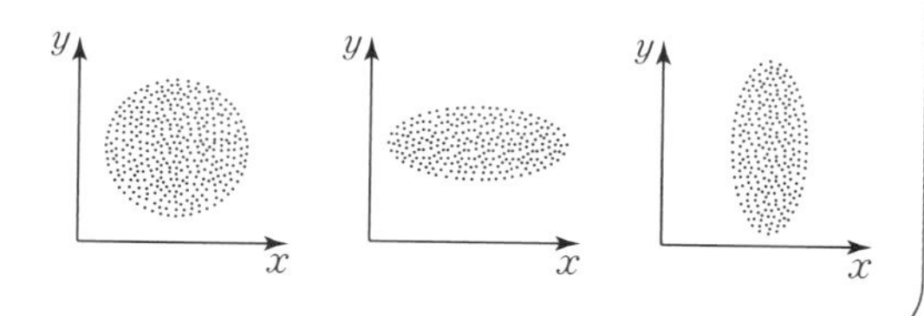

답 ❶ 대각선 ❷ 가로선 ❸ 음

교과서 핵심 정리 ❶

핵심 1 산점도

(1) **산점도** : 두 변량 x, y를 순서쌍으로 하는 점 (x, y)를 ❶ [　　] 위에 나타낸 그림

(2) **산점도 해석하기**

① '같은', '높은', '낮은'과 같이 두 변량을 비교하는 조건이 주어지면 ❷ [　　]을 긋는다.

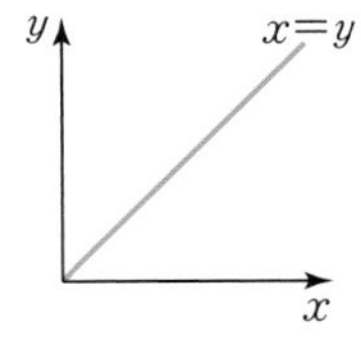

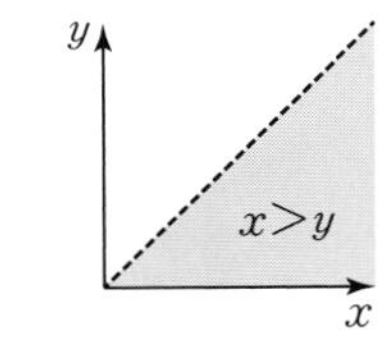

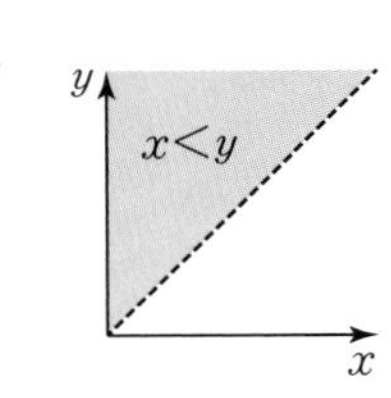

x와 y가 ❸ [　　].
→ 대각선 위의 점

x가 y보다 크다.
→ 대각선의 ❹ [　　]쪽에 있는 점

x가 y보다 작다.
→ 대각선의 ❺ [　　]쪽에 있는 점

② '이상', '이하'의 조건이 주어지면 가로선 또는 ❻ [　　]을 긋는다.

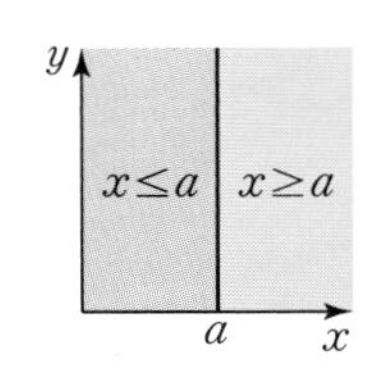

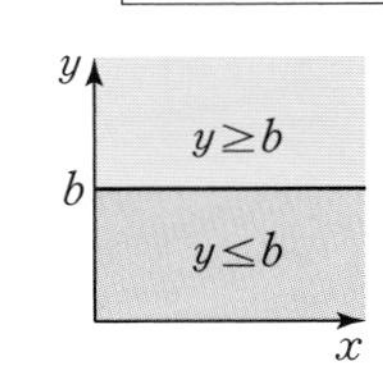

참고 이상, 이하이면 가로선과 세로선 위의 점을 포함하고 초과, 미만이면 가로선과 세로선 위의 점을 포함하지 않는다.

예

1차 점수와 2차 점수가 같은 학생 수는 직선 l 위에 있는 점의 개수와 같으므로 ❼ [　　]명이다.

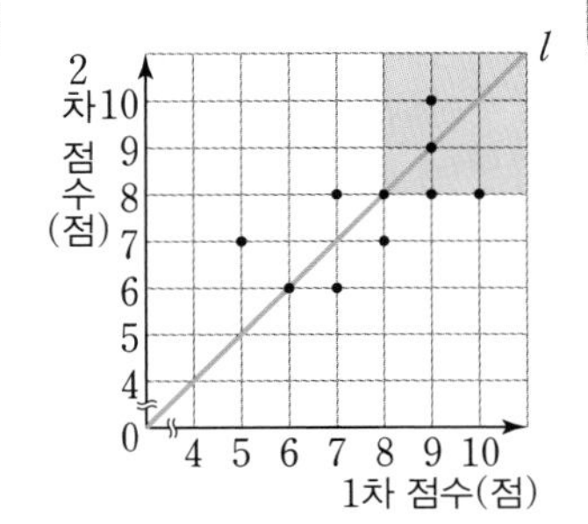

1차 점수와 2차 점수가 모두 8점 이상인 학생 수는 색칠한 부분에 속하는 점의 개수와 같으므로 ❽ [　　]명이다.

❶ 좌표평면
❷ 대각선
❸ 같다
❹ 아래
❺ 위
❻ 세로선
❼ 3
❽ 5

시험지 속 개념 문제

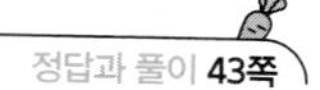

정답과 풀이 43쪽

1 다음 표는 진희네 반 학생 20명의 수학 성적과 영어 성적을 조사하여 나타낸 것이다. 물음에 답하시오.

수학(점)	3	6	2	9	4	10	2	8	7	5
영어(점)	4	8	2	9	6	9	3	9	7	3

수학(점)	4	8	5	8	6	1	6	9	4	7
영어(점)	3	7	5	6	6	1	5	8	4	6

(1) 수학 성적과 영어 성적에 대한 산점도를 그리시오.

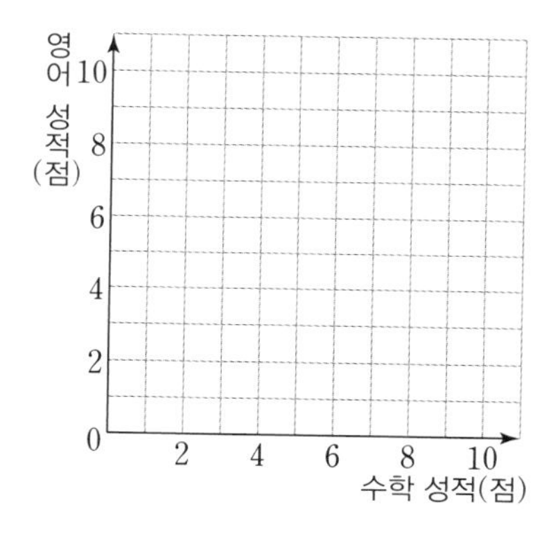

(2) 수학 성적과 영어 성적이 같은 학생 수를 구하시오.

(3) 수학 성적과 영어 성적이 모두 4점 이하인 학생 수를 구하시오.

(4) 영어 성적이 수학 성적보다 높은 학생 수를 구하시오.

2 다음은 어느 반 학생 21명의 왼쪽 눈의 시력과 오른쪽 눈의 시력을 조사하여 나타낸 산점도이다. 물음에 답하시오.

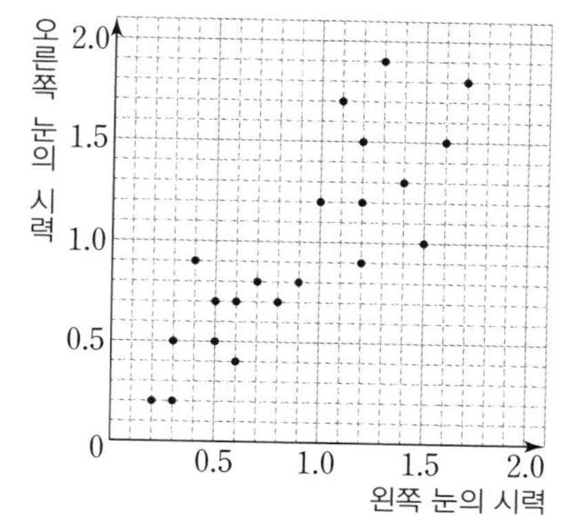

(1) 왼쪽 눈의 시력이 오른쪽 눈의 시력보다 좋은 학생 수를 구하시오.

(2) 오른쪽 눈의 시력이 0.7 미만인 학생 수를 구하시오.

(3) 왼쪽 눈의 시력과 오른쪽 눈의 시력이 모두 1.5 이상인 학생 수를 구하시오.

(4) 왼쪽 눈의 시력이 1.2인 학생들의 오른쪽 눈의 시력의 평균을 구하시오.

교과서 핵심 정리 ❷

핵심 2 상관관계

상관관계 : 두 변량 x, y 사이에 x의 값이 증가함에 따라 y의 값이 증가하거나 감소하는 경향이 있을 때, 두 변량 x, y 사이에 ❶ [　　] 가 있다고 한다.

(1) **양의 상관관계** : x의 값이 증가함에 따라 y의 값도 대체로 ❷ [　　] 하는 관계

(2) **음의 상관관계** : x의 값이 증가함에 따라 y의 값이 대체로 ❸ [　　] 하는 관계

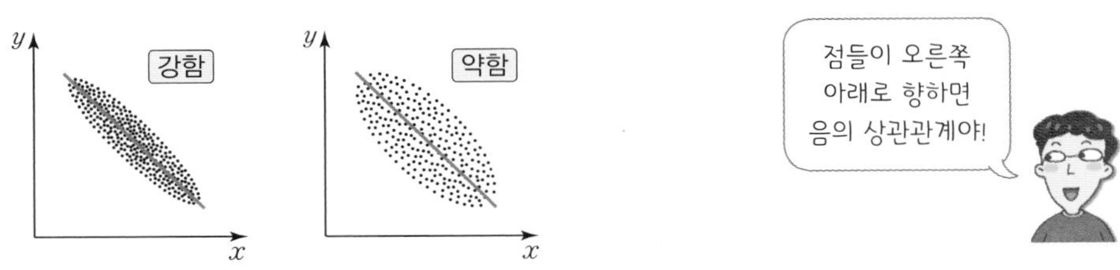

참고 산점도에서 점들이 한 직선에 가까이 모여 있을수록 상관관계가 ❹ [　　] 하고, 흩어져 있을수록 상관관계가 ❺ [　　] 하다고 한다.

(3) **상관관계가 없다.** : x의 값이 증가함에 따라 ❻ [　　] 의 값이 증가하는지 감소하는지 분명하지 않은 관계

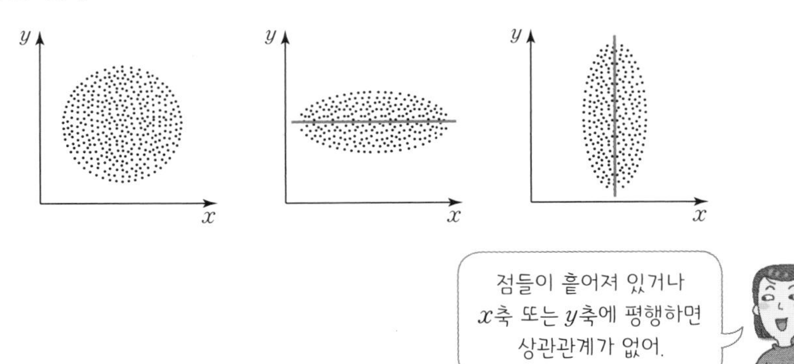

점들이 흩어져 있거나
x축 또는 y축에 평행하면
상관관계가 없어.

참고 ① 직선 l의 위쪽에 있는 점

→ x의 값에 비해 y의 값이 ❼ [　　].

② 직선 l의 아래쪽에 있는 점

→ x의 값에 비해 y의 값이 ❽ [　　].

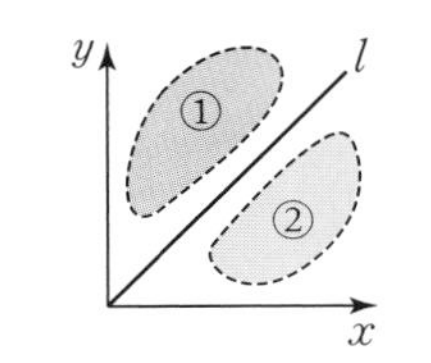

❶ 상관관계
❷ 증가
❸ 감소
❹ 강
❺ 약
❻ y
❼ 크다
❽ 작다

시험지 속 개념 문제

정답과 풀이 43쪽

3 다음 중 상관관계가 있는 산점도를 모두 고르면? (정답 2개)

①
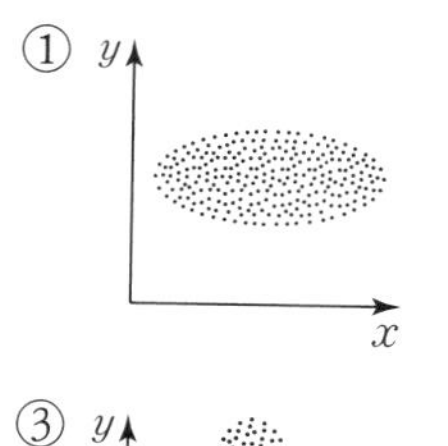

②
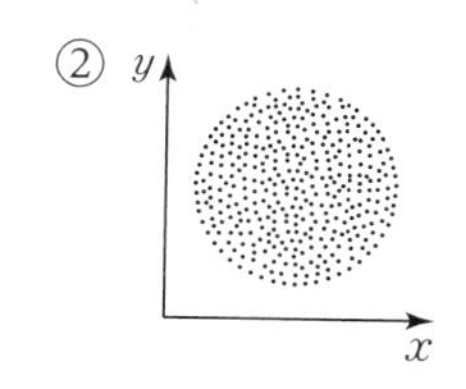

③
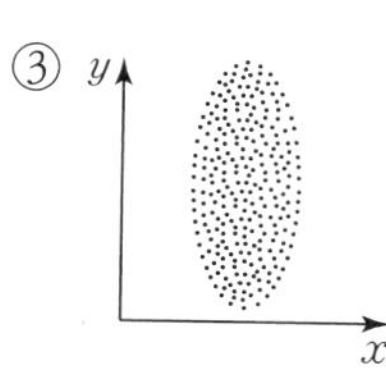

④
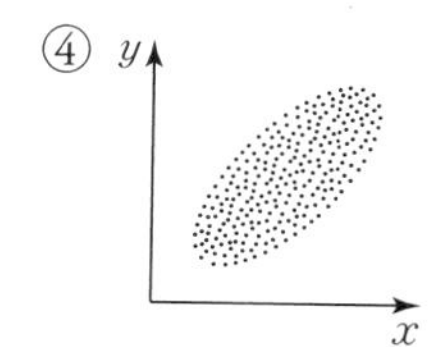

⑤
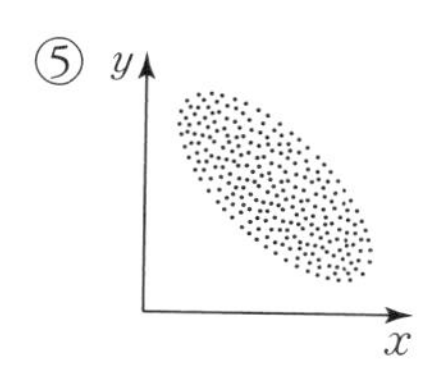

4 다음은 어느 중학교 3학년 5개 반의 수학 성적과 과학 성적을 조사하여 나타낸 산점도이다. 수학 성적이 좋을수록 과학 성적도 좋은 경향이 가장 뚜렷한 반의 산점도는?

①
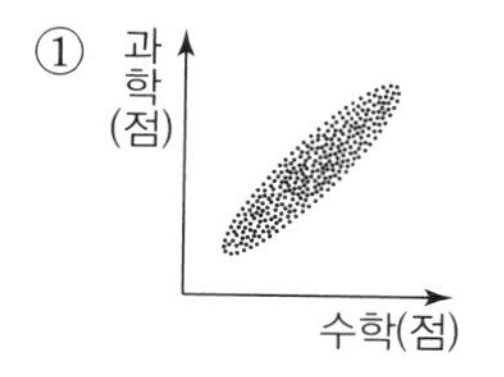

②
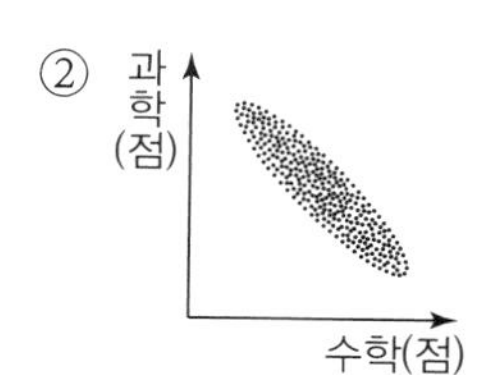

③
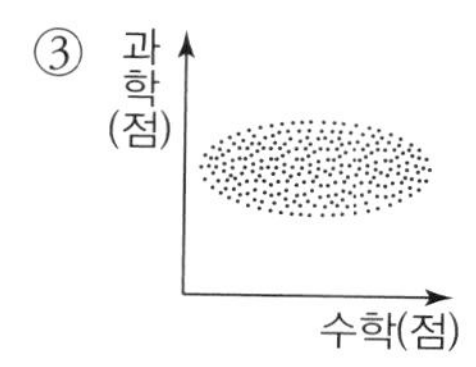

④
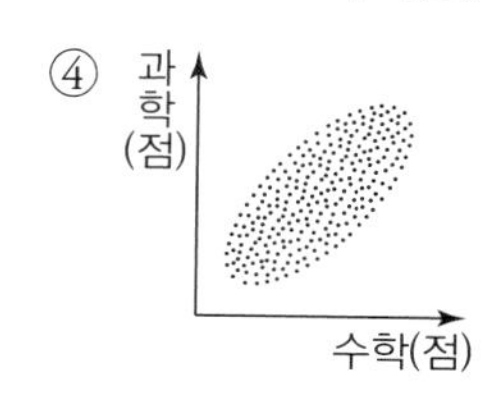

⑤
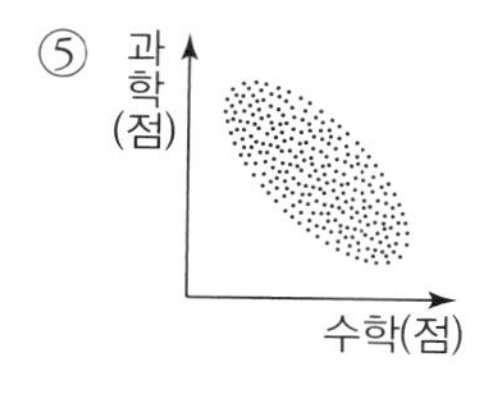

5 다음 중 산점도에 대한 설명으로 옳지 <u>않은</u> 것은?

① 점들이 각 방향으로 고르게 흩어져 있으면 상관관계가 없다.
② x의 값이 증가함에 따라 y의 값도 대체로 증가하는 관계는 양의 상관관계이다.
③ x의 값이 증가함에 따라 y의 값이 대체로 감소하는 관계는 음의 상관관계이다.
④ x의 값이 증가함에 따라 y의 값이 일정하면 상관관계가 없다.
⑤ 음의 상관관계에서 점들이 한 직선에 가까이 모여 있을수록 상관관계가 약하다.

6 다음 중 두 변량 사이에 음의 상관관계가 있는 것은?

① 여름철 기온과 에어컨 사용량
② 음식 섭취량과 비만도
③ 산의 높이와 산소의 농도
④ 자동차 수와 공기 오염
⑤ 지능지수와 몸무게

5일 교과서 기출 베스트 1회

대표 예제 1

오른쪽은 어느 중학교 3학년 학생 15명의 수학 성적과 과학 성적을 조사하여 나타낸 산점도이다. 수학 성적과 과학 성적이 같은 학생이 a명이고 수학 성적보다 과학 성적이 높은 학생이 b명일 때, $b-a$의 값을 구하시오.

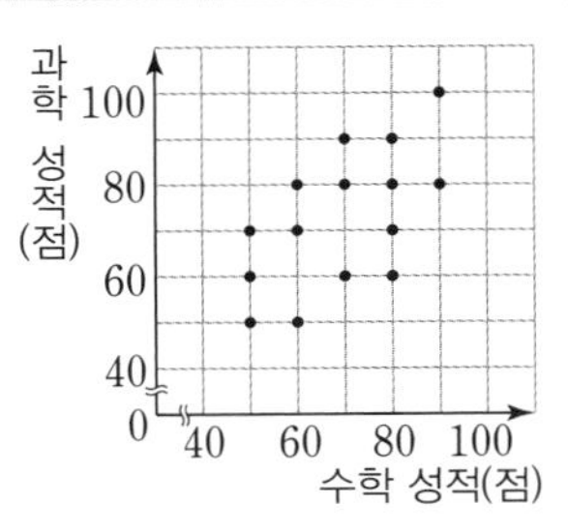

개념 가이드

산점도에서 두 변량을 비교하는 조건이 주어지면 ① ______ 을 긋는다.

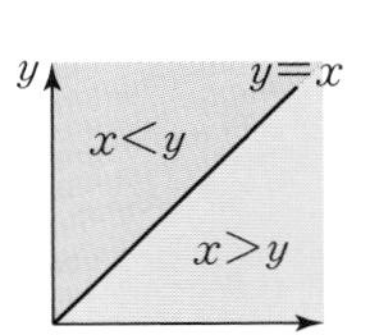

답 ① 대각선

대표 예제 2

오른쪽은 어느 반 학생 15명의 국어 성적과 영어 성적을 조사하여 나타낸 산점도이다. 국어 성적과 영어 성적이 모두 60점 이상인 학생은 전체의 몇 %인지 구하시오.

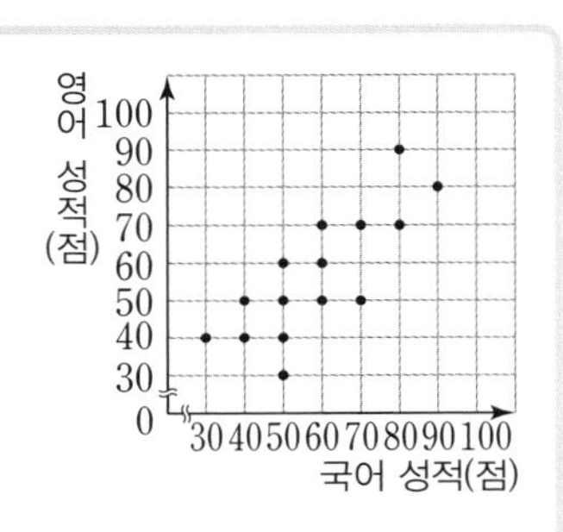

개념 가이드

산점도에서 '이상', '이하'의 조건이 주어지면 ① ______ 선 또는 세로선을 긋는다.

$x\le a$ $y\ge b$	$x\ge a$ $y\ge b$
$x\le a$ $y\le b$	$x\ge a$ $y\le b$

답 ① 가로

대표 예제 3

오른쪽은 정환이네 반 학생 20명의 미술 실기 점수와 필기 점수를 조사하여 나타낸 산점도이다. 미술 실기 점수와 필기 점수의 차가 20점 이상인 학생 수를 구하시오.

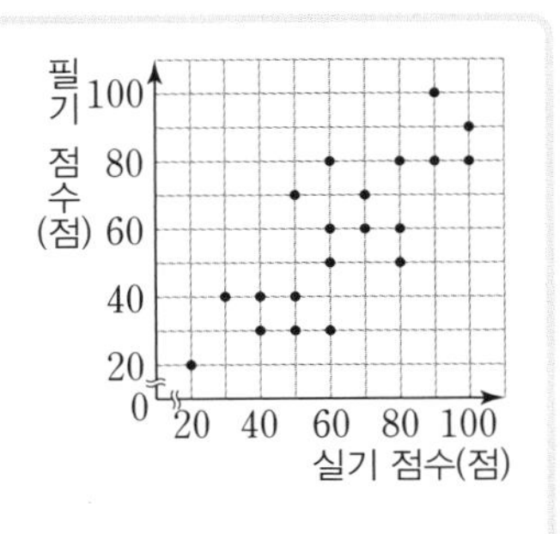

개념 가이드

두 변량의 차가 a 이상인 조건이 주어지면 산점도 위에 직선 $y=x$를 기준으로 ① ______ 만큼 떨어진 직선을 그어 생각한다.

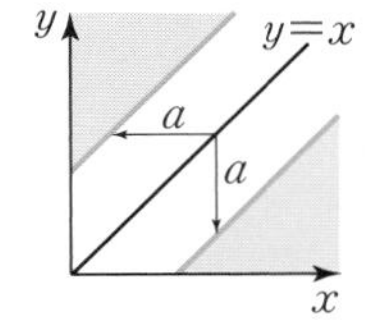

답 ① a

대표 예제 4

오른쪽은 A 중학교 3학년 학생 20명의 수학 성적과 영어 성적을 조사하여 나타낸 산점도이다. 수학 성적과 영어 성적의 평균이 70점 이상인 학생 수를 구하시오.

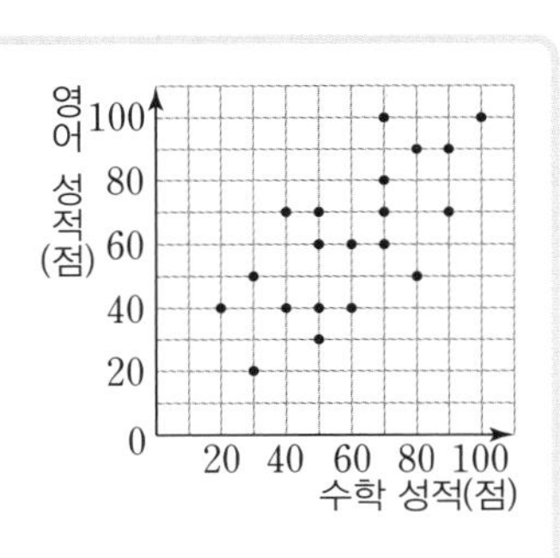

개념 가이드

두 변량의 합이 $2a$ 이상 또는 평균이 a 이상인 조건이 주어지면 산점도 위에 직선 $x+y=$ ① ______ 를 그어 생각한다.

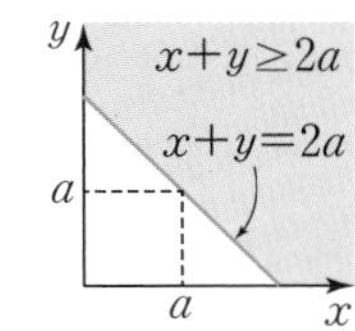

답 ① $2a$

대표 예제 5

다음 보기의 산점도 중에서 상관관계가 없는 것을 모두 고르시오.

보기

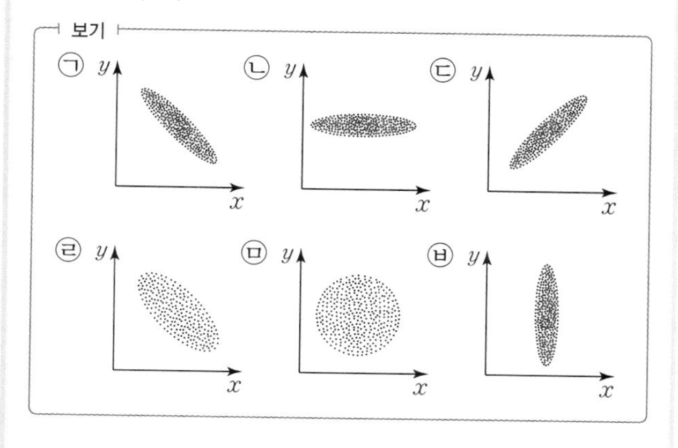

개념 가이드

상관관계가 없다. : x의 값이 증가함에 따라 [①] 의 값이 증가하는지 감소하는지 분명하지 않은 관계

답 ① y

대표 예제 6

다음 중 두 변량을 산점도로 나타내었을 때, 오른쪽 그림과 같은 것은?

① 키와 시력
② 자동차의 이동 거리와 남은 연료의 양
③ 겨울철 기온과 난방비
④ 가족 수와 수도 사용량
⑤ 하루 중 낮의 길이와 밤의 길이

개념 가이드

- 양의 상관관계 : x의 값이 증가함에 따라 y의 값도 대체로 [①] 하는 관계
- 음의 상관관계 : x의 값이 증가함에 따라 y의 값이 대체로 [②] 하는 관계

답 ① 증가 ② 감소

대표 예제 7

오른쪽은 어느 학교 학생들의 1년 동안의 국어 성적과 독서량을 조사하여 나타낸 산점도이다. A, B, C, D, E 중 국어 성적에 비해 독서량이 가장 많은 학생을 구하시오.

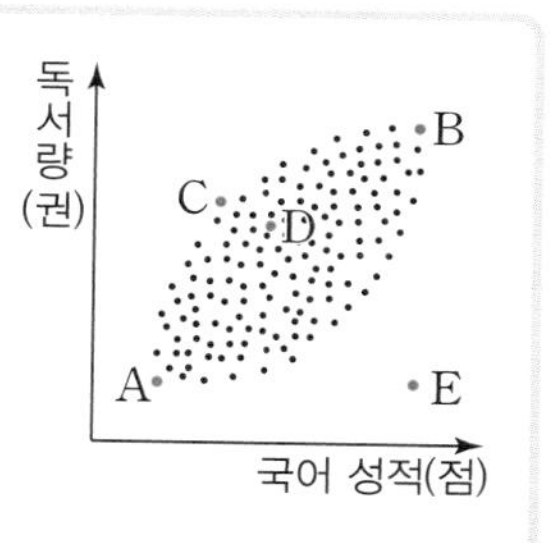

개념 가이드

- A는 x의 값에 비해 y의 값이 [①] .
- B는 x의 값에 비해 y의 값이 [②] .

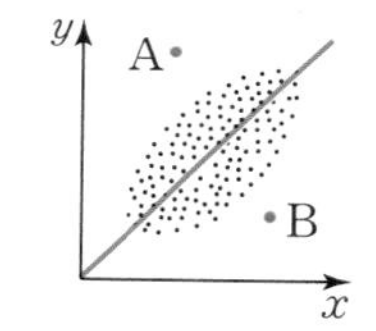

답 ① 크다 ② 작다

대표 예제 8

오른쪽은 어느 학교 학생들의 과학 성적과 수학 성적을 조사하여 나타낸 산점도이다. 다음 중 옳지 <u>않은</u> 설명을 한 학생을 고르시오.

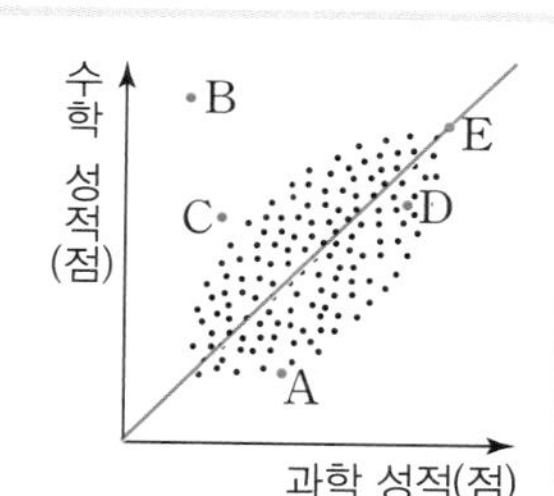

현지: A는 수학 성적보다 과학 성적이 높다.

도진: B와 C는 과학보다 수학을 더 잘한다.

재우: 과학 성적과 수학 성적 차가 가장 큰 학생은 D이다.

5일 교과서 기출 베스트 2회

1 오른쪽은 어느 반 학생 20명의 독서 시간과 게임 시간을 조사하여 나타낸 산점도이다. 게임 시간보다 독서 시간이 더 많은 학생은 전체의 몇 %인가?

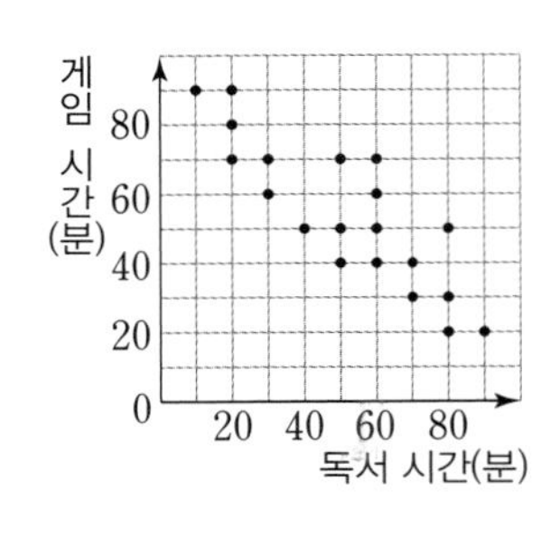

① 30 % ② 35 % ③ 40 %
④ 45 % ⑤ 50 %

2 오른쪽은 어느 반 학생 15명의 영어 듣기 평가의 1차 점수와 2차 점수를 조사하여 나타낸 산점도이다. 2차 점수가 9점 이상인 학생들의 1차 점수의 평균을 구하시오.

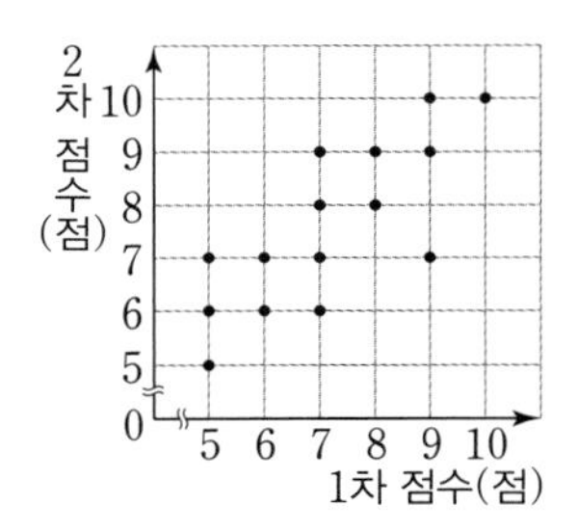

3 오른쪽은 승태네 반 학생 20명의 1학기와 2학기 수학 성적을 조사하여 나타낸 산점도이다. 다음 중 옳지 않은 것은?

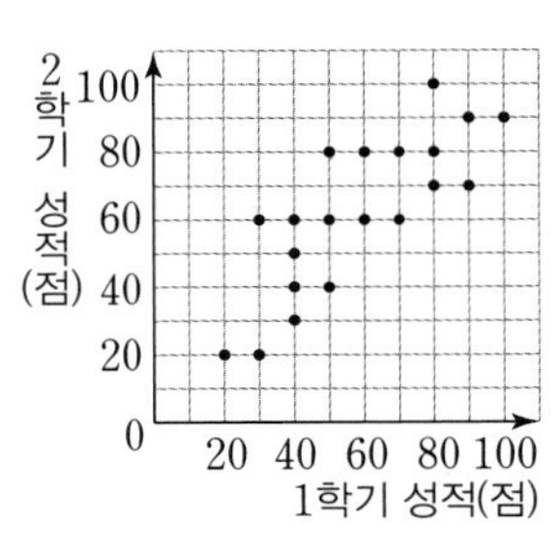

① 1학기 성적과 2학기 성적 사이에는 양의 상관관계가 있다.
② 1학기 성적과 2학기 성적이 같은 학생은 전체의 25 %이다.
③ 2학기 성적이 1학기 성적보다 높은 학생은 8명이다.
④ 1학기 성적과 2학기 성적이 모두 100점인 학생은 2명이다.
⑤ 1학기 성적과 2학기 성적의 차가 10점 이상인 학생은 15명이다.

4 오른쪽은 어느 반 학생 17명의 국어 성적과 수학 성적을 조사하여 나타낸 산점도이다. 국어 성적과 수학 성적의 평균이 85점 이상인 학생 수를 구하시오.

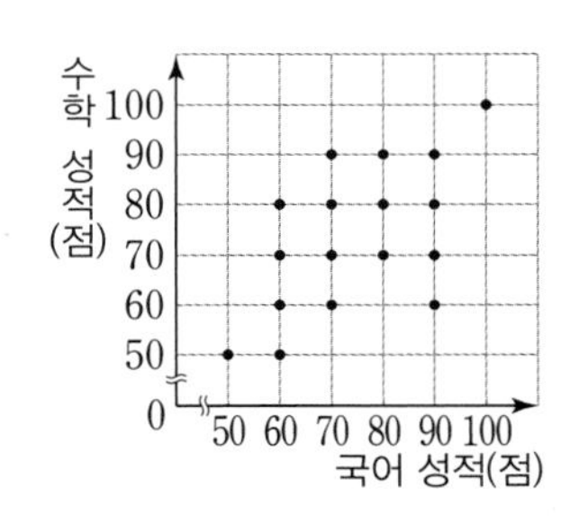

5 감자의 생산량을 x kg, 감자의 가격을 y원이라고 할 때, 다음 중 x와 y 사이의 상관관계를 나타낸 산점도로 알맞은 것은?

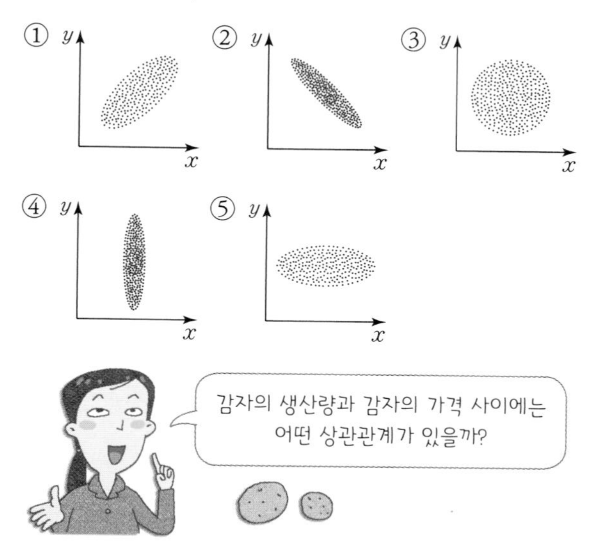

6 다음 중 두 변량을 산점도로 나타내었을 때, 오른쪽 그림과 같은 것은?

① 통학 거리와 통학 시간
② 수학 성적과 발 크기
③ 예금액과 이자액
④ 지면으로부터의 높이와 기온
⑤ 인터넷 사용 시간과 수면 시간

7 오른쪽은 어느 학교 학생들의 몸무게와 키를 조사하여 나타낸 산점도이다. A, B, C, D, E 중 키에 비해 몸무게가 가장 많이 나가는 학생은?

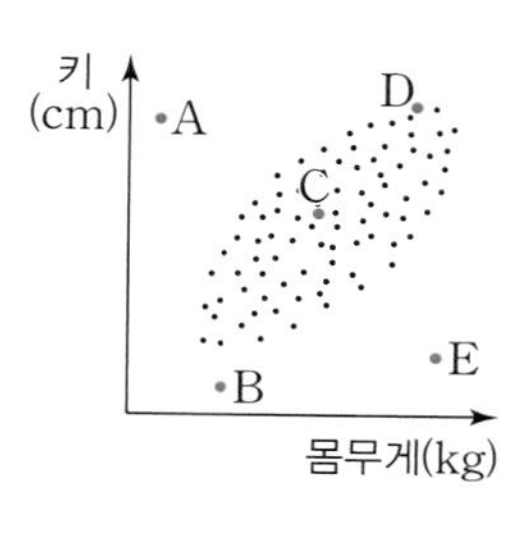

① A ② B ③ C ④ D ⑤ E

8 오른쪽은 어느 중학교 학생들의 수학 성적과 과학 성적을 조사하여 나타낸 산점도이다. 다음 중 옳은 것을 모두 고르면? (정답 2개)

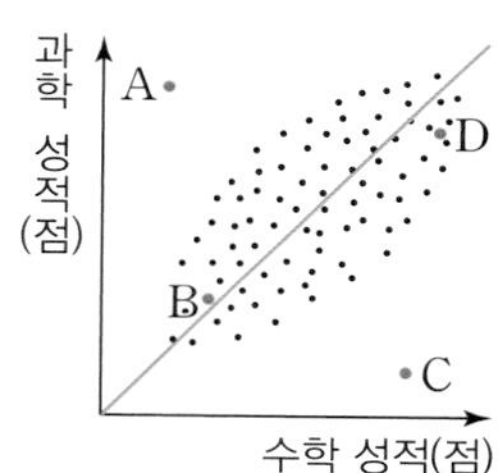

① B는 C보다 수학 성적이 높다.
② A는 B보다 과학 성적이 높다.
③ C는 수학 성적보다 과학 성적이 높다.
④ D는 수학 성적과 과학 성적이 모두 높다.
⑤ 수학 성적과 과학 성적 사이에는 음의 상관관계가 있다.

범위 1. 원주각 ~ 2. 원주각의 활용

6일 누구나 100점 테스트 1회

1 오른쪽 그림의 원 O에서 $\angle AOB=150^\circ$일 때, $\angle APB$의 크기는?

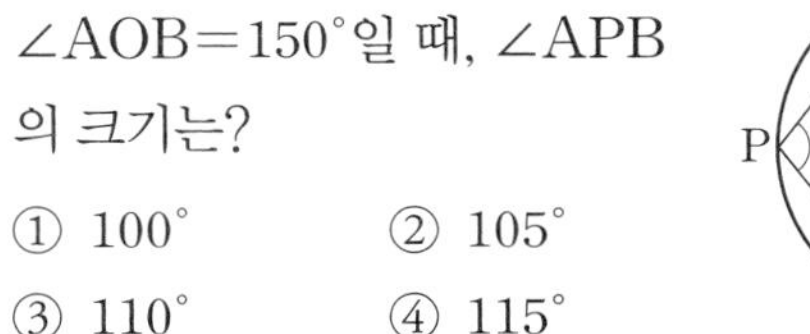

① 100°　② 105°　③ 110°　④ 115°　⑤ 120°

2 오른쪽 그림의 원에서 $\angle APC=40^\circ$, $\angle PCB=55^\circ$일 때, $\angle x+\angle y$의 크기는?

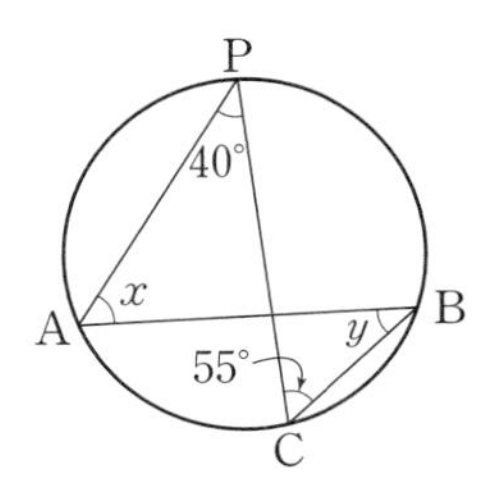

① 80°　② 85°　③ 90°　④ 95°　⑤ 100°

3 오른쪽 그림의 원 O에서 $\angle ADC=50^\circ$, $\angle BOC=68^\circ$일 때, $\angle AEB$의 크기를 구하시오.

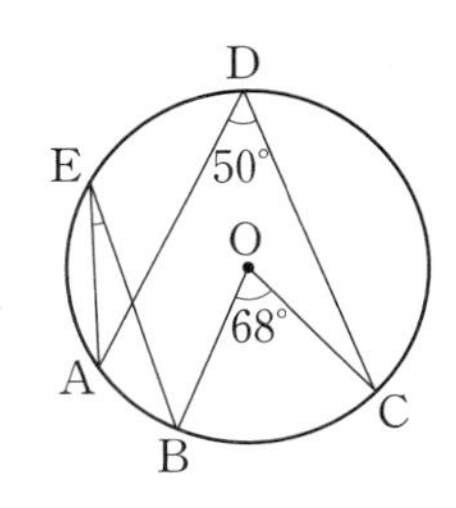

4 오른쪽 그림에서 $\overline{BD}$는 원 O의 지름이고 $\angle DBC=35^\circ$일 때, $\angle x$의 크기를 구하시오.

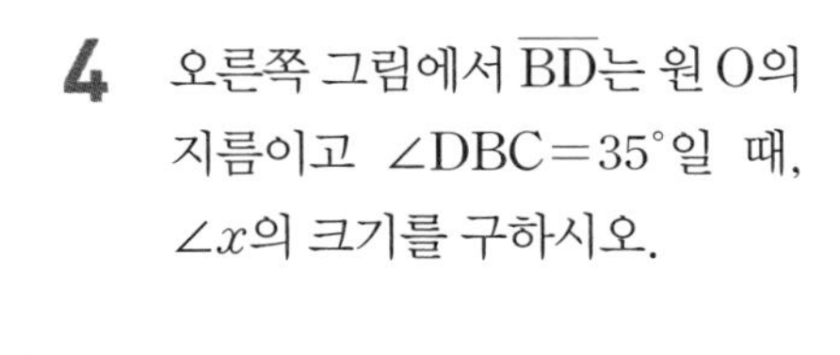

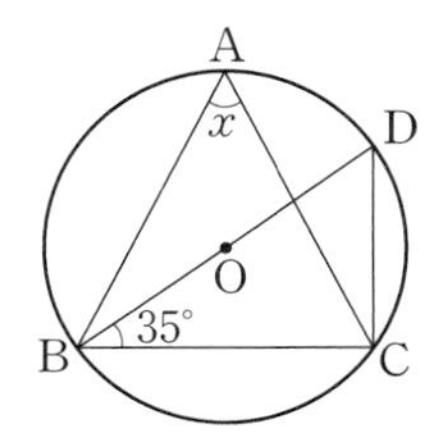

5 오른쪽 그림에서 $\angle APB=20^\circ$, $\angle BPC=30^\circ$이고 $\overset{\frown}{BC}=6$ cm일 때, $\overset{\frown}{AB}$의 길이는?

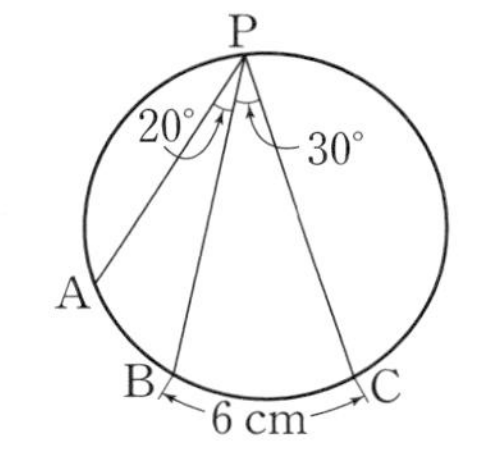

① 3 cm　② $\frac{7}{2}$ cm　③ 4 cm　④ $\frac{9}{2}$ cm　⑤ 5 cm

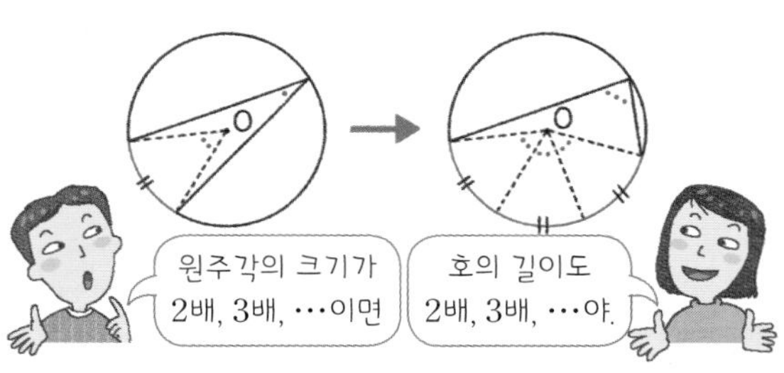

6 오른쪽 그림과 같이 □ABCD가 원에 내접하고 $\angle DAB=110^\circ$, $\angle ABC=95^\circ$일 때, $\angle x-\angle y$의 크기는?

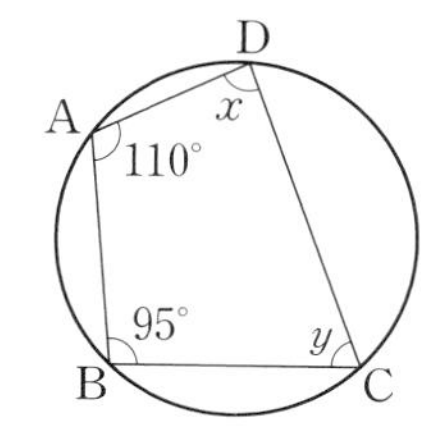

① 11° ② 12°
③ 13° ④ 14°
⑤ 15°

7 오른쪽 그림과 같이 □ABCD가 원 O에 내접하고 $\angle BCD=140^\circ$일 때, $\angle x$의 크기는?

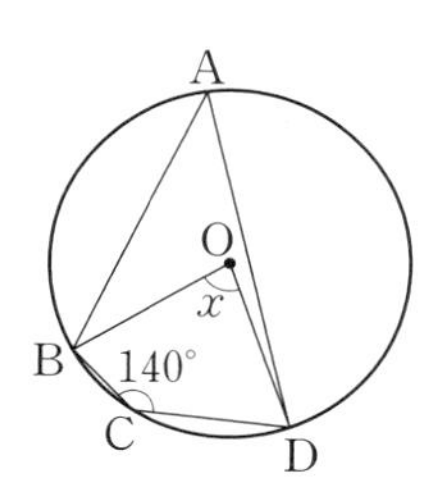

① 76° ② 78°
③ 80° ④ 82°
⑤ 84°

8 오른쪽 그림과 같이 □ABCD가 원에 내접하고 $\angle DAC=40^\circ$, $\angle BDC=35^\circ$일 때, $\angle x+\angle y$의 크기를 구하시오.

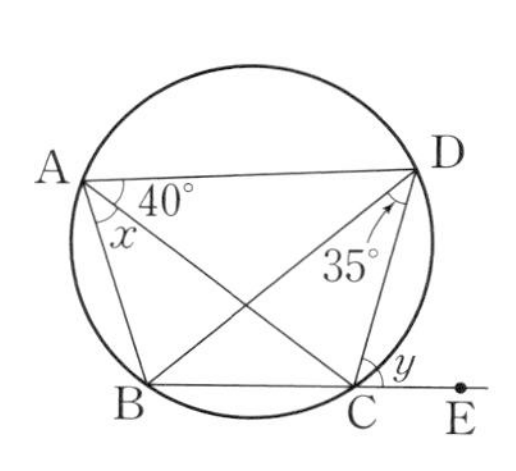

9 오른쪽 그림에서 $\overleftrightarrow{AT}$는 원의 접선이고 점 A는 접점이다. $\angle BCA=75^\circ$, $\angle CAT=40^\circ$일 때, $\angle x$의 크기를 구하시오.

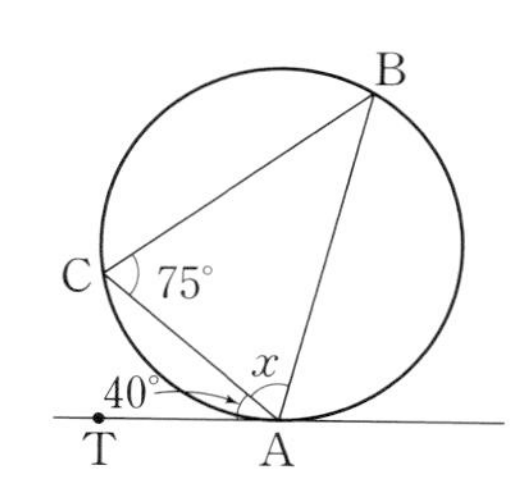

10 오른쪽 그림에서 $\overleftrightarrow{AT}$는 원 O의 접선이고 점 A는 접점이다. $\angle CAT=55^\circ$일 때, $\angle x$의 크기를 구하시오.

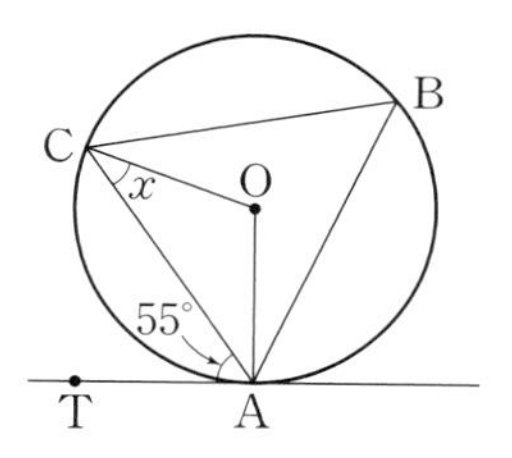

6일 누구나 100점 테스트 2회

1 다음 자료의 평균을 a, 중앙값을 b, 최빈값을 c라고 할 때, $a+b+c$의 값을 구하시오.

4 2 6 4 9

2 다음은 휘정이가 학교에서 공용으로 사용할 실내화를 구입하기 위하여 학생 6명의 신발 사이즈를 조사하여 나타낸 것이다. 신발 사이즈의 최빈값은?

(단위 : mm)

220 235 240 235 240 235

① 220 mm ② 225 mm ③ 230 mm
④ 235 mm ⑤ 240 mm

3 다음 자료의 중앙값이 11일 때, a의 값을 구하시오.

3 16 a 9

먼저 주어진 자료를 작은 값부터 크기순으로 나열해 봐.

4 다음 표는 현수의 5회에 걸친 영어 듣기 평가 점수의 편차를 조사하여 나타낸 것이다. x의 값을 구하시오.

회	1	2	3	4	5
편차(점)	-2	-3	x	4	-4

5 어떤 자료의 편차가 다음과 같을 때, 이 자료의 분산은?

-1 2 0 -3 2

① 3.2 ② 3.4 ③ 3.6
④ 3.8 ⑤ 4

6 다음 표는 어느 중학교 학생들의 기말고사 5과목 성적의 평균과 표준편차를 조사하여 나타낸 것이다. 성적이 가장 고른 과목은?

과목	국어	역사	수학	과학	영어
평균(점)	78.2	63.4	64.8	64.6	60.7
표준편차(점)	6.7	8.4	9.4	8.4	8.9

① 국어 ② 역사 ③ 수학
④ 과학 ⑤ 영어

7 오른쪽은 어느 반 학생 20명의 2차에 걸친 국어 시험 점수를 조사하여 나타낸 산점도이다. 1차 시험 점수보다 2차 시험 점수가 향상된 학생 수는?

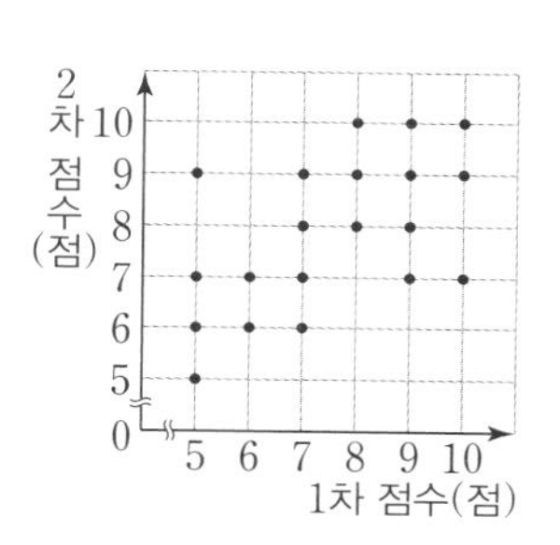

① 8명 ② 9명 ③ 10명
④ 11명 ⑤ 12명

8 오른쪽은 어느 반 학생 20명의 국어 성적과 영어 성적을 조사하여 나타낸 산점도이다. 국어 성적과 영어 성적이 모두 70점 이상인 학생은 전체의 몇 %인가?

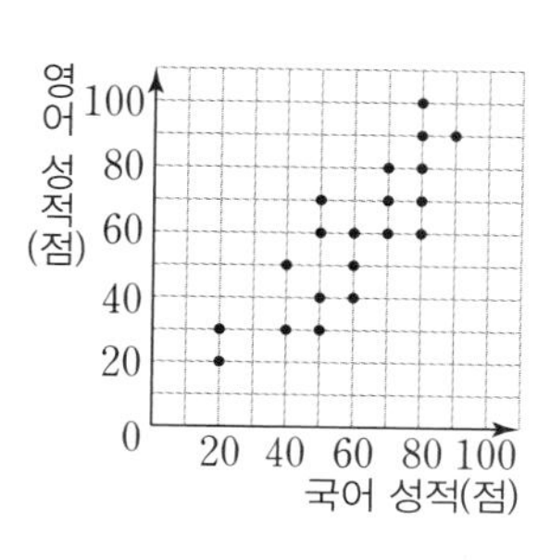

① 20 % ② 25 % ③ 30 %
④ 35 % ⑤ 40 %

9 다음 중 가장 강한 음의 상관관계를 나타내는 산점도는?

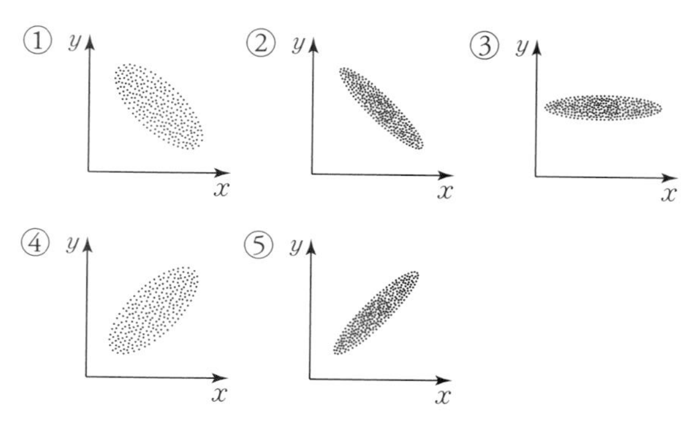

10 오른쪽은 어느 학교 학생들의 영어 성적과 수학 성적을 조사하여 나타낸 산점도이다. A, B, C, D, E 중 영어 성적에 비해 수학 성적이 가장 높은 학생은?

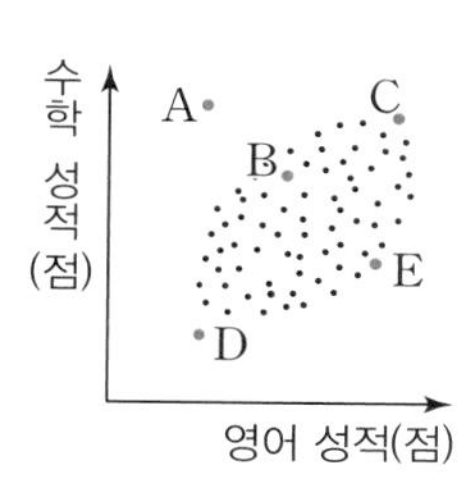

① A ② B ③ C
④ D ⑤ E

6일 서술형·사고력 테스트

1 오른쪽 그림에서 원 O의 반지름의 길이가 9 cm이고 $\angle ACB=30^\circ$일 때, $\overline{AB}$의 길이를 구하시오.

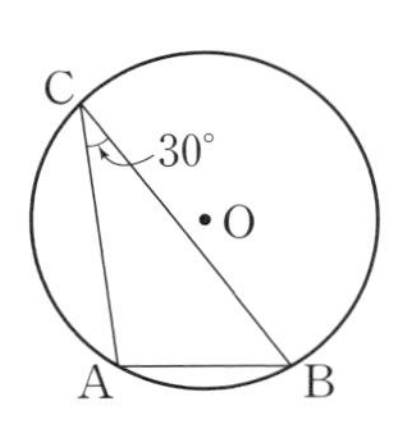

풀이

답

2 다음 그림에서 원 O는 △ABC의 내접원이면서 △DEF의 외접원이다. $\angle C=54^\circ$, $\angle DEF=48^\circ$일 때, $\angle DFE$의 크기를 구하시오.

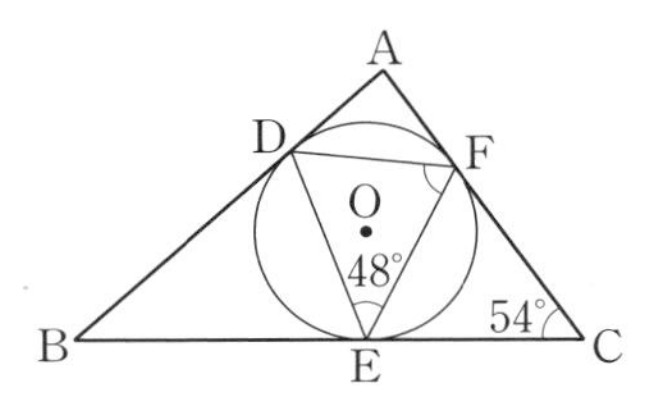

풀이

답

3 다음은 윤아네 가족의 어느 해의 월별 전기 사용량을 조사하여 나타낸 것이다. 물음에 답하시오.

(단위 : kWh)

190	210	200	230	210	220
2160	200	220	200	280	120

(1) 평균, 중앙값, 최빈값을 각각 구하시오.

(2) 평균과 중앙값 중에서 이 자료의 대푯값으로 더 적절한 것을 고르고 그 이유를 말하시오.

풀이

답

4 다음 자료의 평균이 5이고 표준편차가 2일 때, 물음에 답하시오.

$4 \quad a \quad 5 \quad b \quad 7$

(1) $a+b$의 값을 구하시오.

(2) a^2+b^2의 값을 구하시오.

(3) ab의 값을 구하시오.

풀이

답

창의·융합·코딩 테스트

1 다음 그림과 같이 원 모양의 공연장의 한 쪽에 무대가 설치되어 있다. C 지점에서 무대의 양 끝 A 지점과 B 지점을 바라본 각의 크기가 $45°$이고 A 지점과 B 지점 사이의 거리가 12 m일 때, 무대를 제외한 공연장의 넓이를 구하시오.

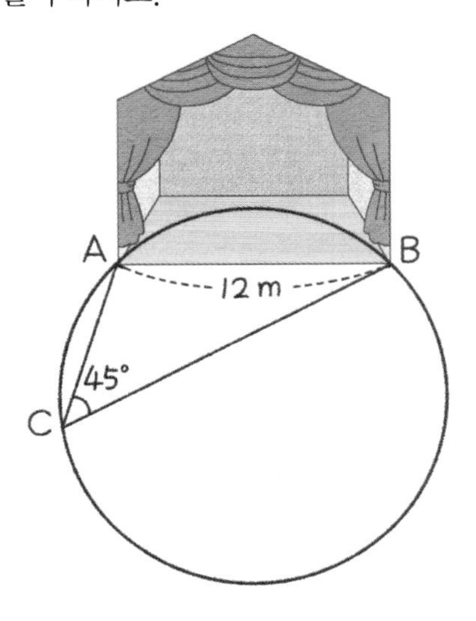

2 오른쪽 그림에서 $\overline{AB}$는 원 O의 지름이고 $\overline{OA}=5$, $\overline{BC}=8$이다. $\angle ABC=x$일 때, $\sin x$의 값을 구하시오.

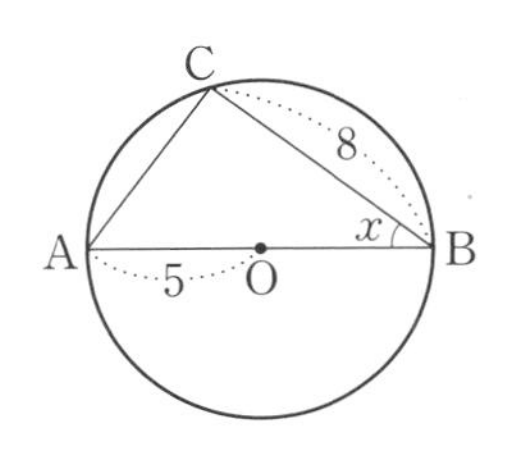

3 오른쪽 그림에서 $\overleftrightarrow{AT}$는 지름의 길이가 4인 원 O의 접선이고 점 A는 접점이다. $\angle ABC=125°$일 때, $\overline{AC}$의 길이를 구하시오.

(단, $\cos 35°=0.8$로 계산한다.)

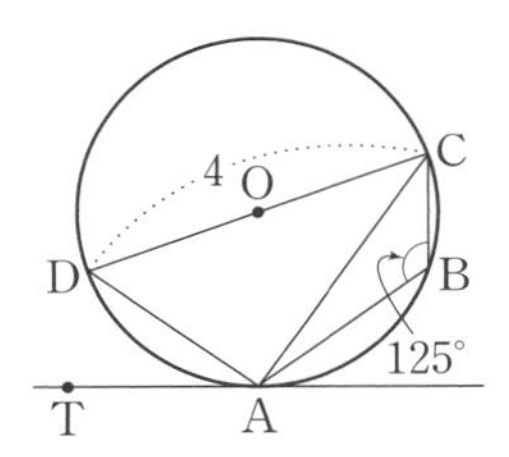

4 3개의 변량 a, b, c의 평균이 6일 때, 5개의 변량 5, a, b, c, 12의 평균을 구하시오.

5 아래는 세 영화 A, B, C를 각각 관람한 관객 11명의 평점을 조사하여 나타낸 꺾은선 그래프이다. 다음 중 옳지 않은 설명을 한 학생을 고르고 그 이유를 말하시오.

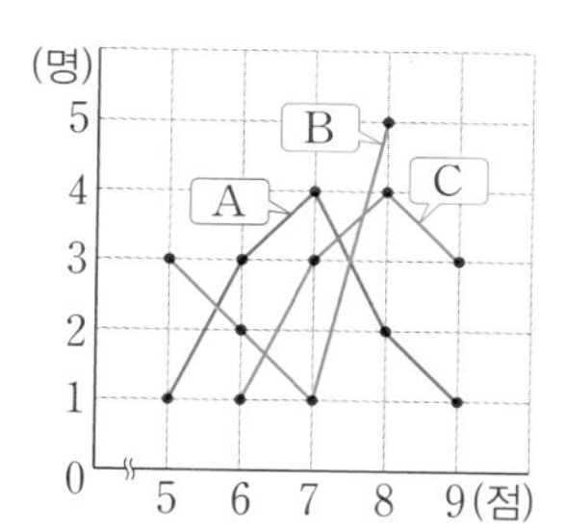

A 영화의 평점의 평균보다 C 영화의 평점의 평균이 더 높아.

세 영화의 평점의 중앙값은 모두 8점이야.

세 영화의 평점의 최빈값 중 A 영화의 최빈값이 가장 낮아.

6 다음은 세 선수 A, B, C가 각각 5발을 사격한 결과이다. 물음에 답하시오.

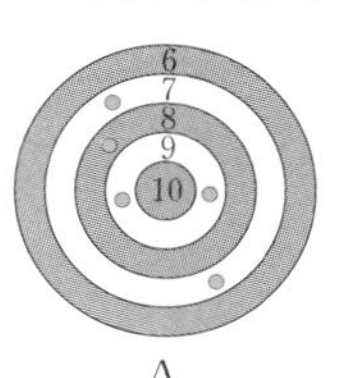

A

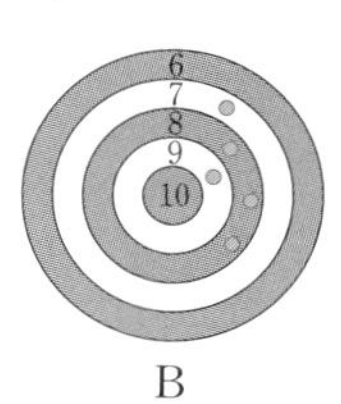

B

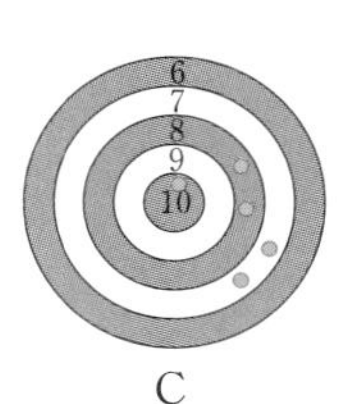

C

(1) 세 선수의 사격 점수의 평균을 각각 구하시오.

(2) 세 선수의 사격 점수의 표준편차를 각각 구하시오.

(3) 사격 점수가 가장 고른 선수를 경기에 출전시키려고 할 때, 어느 선수를 경기에 출전시켜야 하는지 구하시오.

7일 기말고사 기본 테스트 1회

범위 1. 원주각 ~ 5. 산점도와 상관관계

1 다음 그림의 두 원 O, O′에서 $\angle x+\angle y$의 크기는?

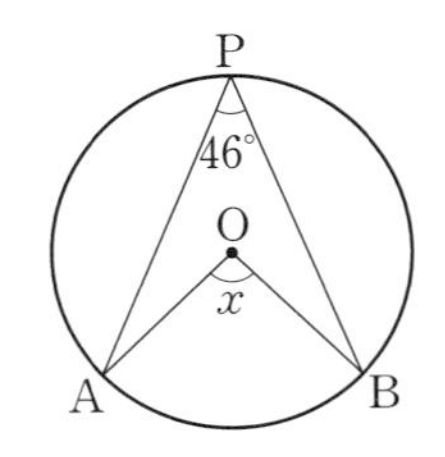

① 196° ② 198° ③ 200°
④ 202° ⑤ 204°

2 오른쪽 그림의 원 O에서 $\angle ADC=72°$, $\angle BOC=56°$일 때, $\angle x$의 크기는?

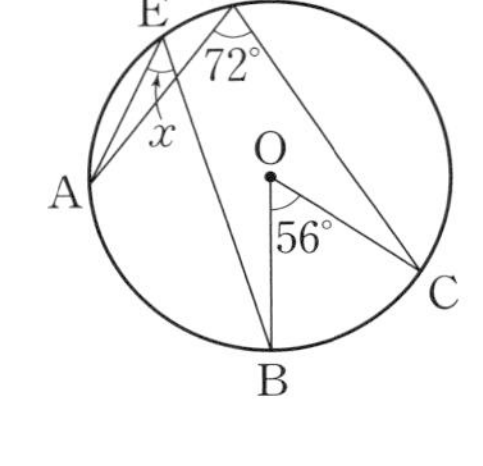

① 26° ② 38°
③ 44° ④ 56°
⑤ 60°

3 오른쪽 그림에서 $\overline{AB}$는 원 O의 지름이고 $\angle BAD=40°$일 때, $\angle x$의 크기는?

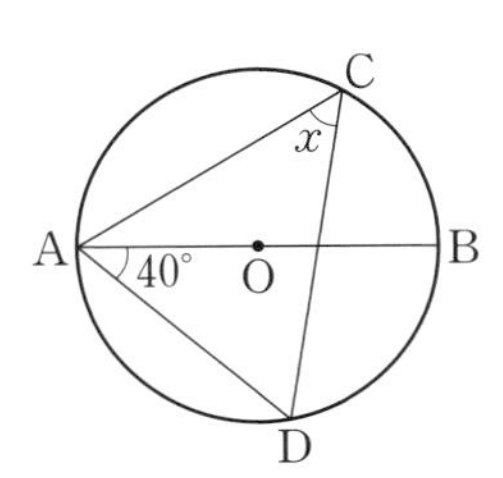

① 30° ② 35°
③ 40° ④ 45°
⑤ 50°

4 오른쪽 그림에서 $\angle APB=20°$, $\angle AQC=70°$이고 $\widehat{AB}=5$ cm일 때, $\widehat{AC}$의 길이는?

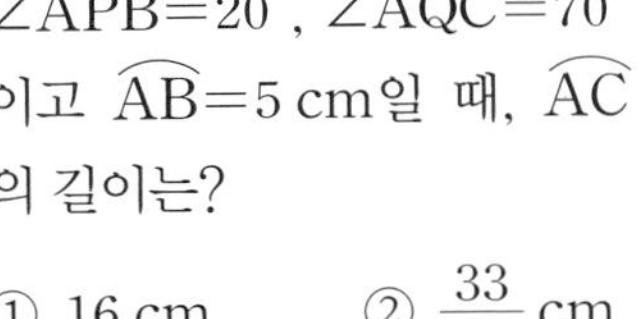

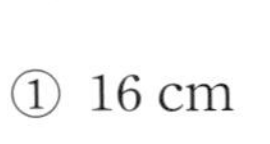

① 16 cm ② $\frac{33}{2}$ cm
③ 17 cm ④ $\frac{35}{2}$ cm
⑤ 18 cm

5 오른쪽 그림과 같이 □ABCD가 원 O에 내접하고 $\angle BCD=150°$일 때, $\angle x+\angle y$의 크기는?

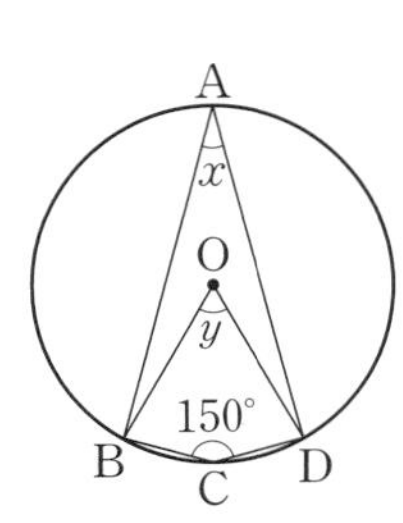

① 70° ② 80°
③ 90° ④ 100°
⑤ 110°

6 오른쪽 그림과 같이 □ABCD가 원에 내접하고 $\angle BAD=70°$, $\angle ABC=90°$일 때, $\angle y-\angle x$의 크기는?

① 16° ② 20° ③ 24°
④ 28° ⑤ 32°

8 오른쪽 그림에서 $\overleftrightarrow{AT}$는 원의 접선이고 점 A는 접점이다. $\overline{AB}=\overline{BC}$이고 $\angle BAT=58°$일 때, $\angle x$의 크기는?

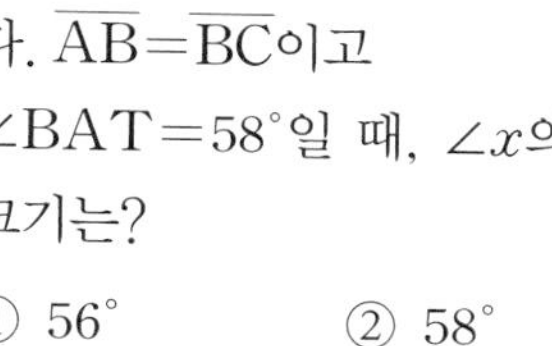

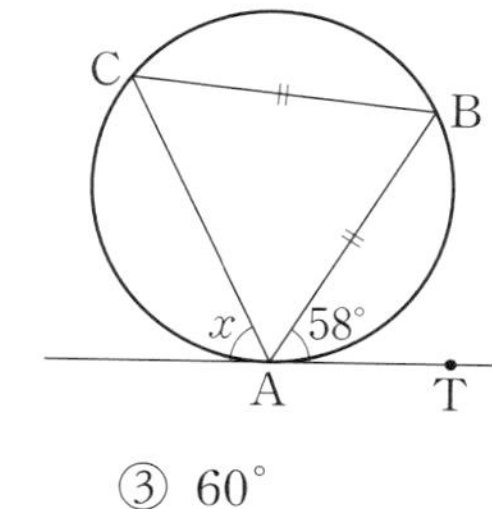

① 56° ② 58° ③ 60°
④ 62° ⑤ 64°

7 다음 중 □ABCD가 원에 내접하는 것을 모두 고르면? (정답 2개)

①
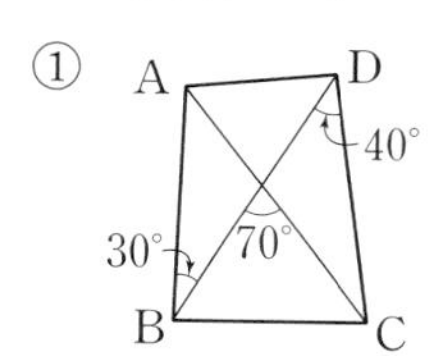

②
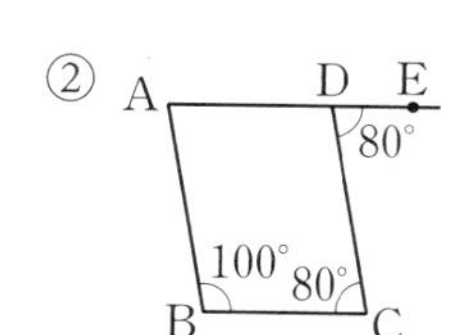

③
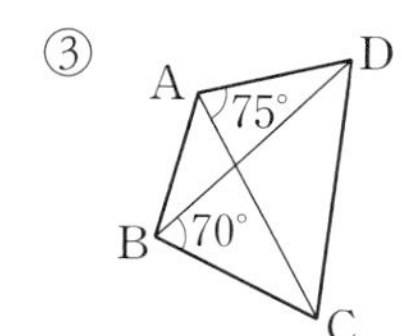

④
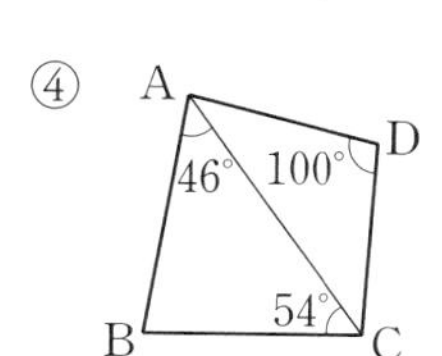

⑤
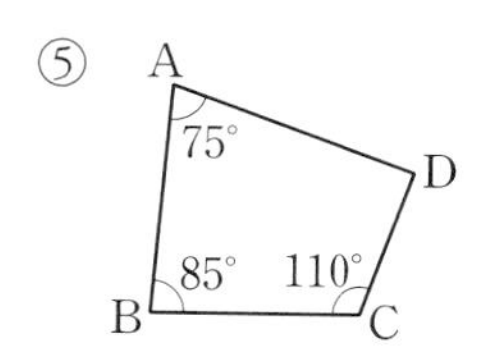

9 다음 자료 중 중앙값이 가장 큰 것은?

① 1, 3, 5, 7, 7, 8
② 1, 1, 2, 3, 3, 3, 6
③ 2, 2, 2, 5, 5, 7
④ 2, 3, 5, 6, 6, 7
⑤ 1, 2, 3, 4, 5, 8, 8

10 다음 두 사람의 대화를 모두 만족시키는 a의 값은?

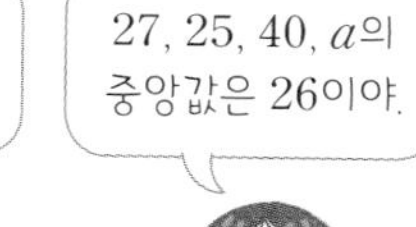

① 22 ② 23 ③ 24
④ 25 ⑤ 26

기말고사 기본 테스트 1회

11 아래 표는 학생 4명의 수학 성적의 편차를 조사하여 나타낸 것이다. 다음 보기 중 옳은 것을 모두 고른 것은?

학생	A	B	C	D
편차(점)	-3	x	0	2

보기
㉠ x의 값은 -1이다.
㉡ 학생 C의 수학 성적은 평균과 같다.
㉢ 두 학생 A, B의 수학 성적의 차는 4점이다.

① ㉠ ② ㉠, ㉡ ③ ㉠, ㉢
④ ㉡, ㉢ ⑤ ㉠, ㉡, ㉢

12 다음 자료에 대한 설명으로 옳은 것은?

9	10	10	8	7
8	10	9	9	10

① 평균은 7이다.
② 분산은 1이다.
③ 표준편차는 $\sqrt{2}$이다.
④ 편차의 총합은 10이다.
⑤ 편차의 제곱의 총합은 20이다.

13 3개의 변량 $12-a$, 12, $12+a$의 분산이 24일 때, 양수 a의 값은?

① 6 ② 7 ③ 8
④ 9 ⑤ 10

14 아래 표는 어느 중학교 3학년 5개 반 학생들의 국어 성적의 평균과 표준편차를 조사하여 나타낸 것이다. 다음 보기 중 옳은 것을 모두 고른 것은?

반	A	B	C	D	E
평균(점)	68	68	70	72	64
표준편차(점)	4.2	10.5	6.5	8.5	2.4

보기
㉠ 분산이 가장 큰 반은 B반이다.
㉡ 편차의 총합이 가장 큰 반은 B반이다.
㉢ A반의 국어 성적이 B반의 국어 성적보다 더 고르다.
㉣ 국어 성적이 가장 고른 반은 E반이다.

① ㉠, ㉡ ② ㉠, ㉣ ③ ㉡, ㉢
④ ㉠, ㉢, ㉣ ⑤ ㉠, ㉡, ㉢, ㉣

15 오른쪽은 어느 반 학생 12명의 영어 성적과 수학 성적을 조사하여 나타낸 산점도이다. 다음 중 옳지 않은 것은?

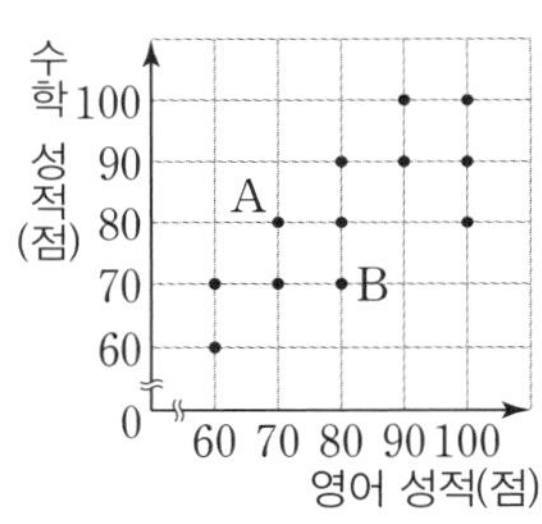

① 영어 성적과 수학 성적은 양의 상관관계가 있다.
② 영어 성적과 수학 성적이 같은 학생은 5명이다.
③ 영어 성적과 수학 성적 모두 80점 이상인 학생은 4명이다.
④ A는 영어 성적보다 수학 성적이 높고 B는 수학 성적보다 영어 성적이 높다.
⑤ 수학 성적보다 영어 성적이 높은 학생은 3명이다.

16 다음 중 두 변량을 산점도로 나타내었을 때, 오른쪽 그림과 같은 것을 모두 고르면? (정답 2개)

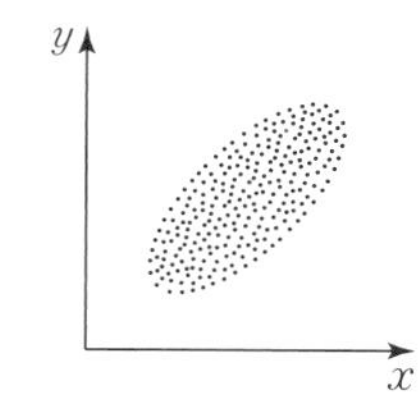

① 가족 수와 생활비

② 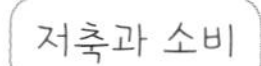

③ 독서량과 손의 크기

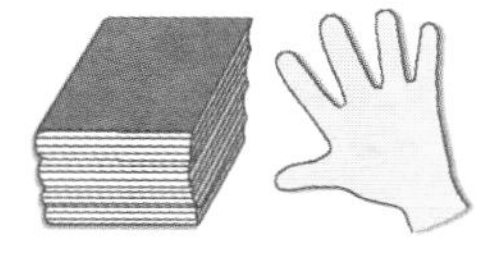

④ 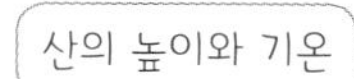

⑤ 도시의 인구수와 쓰레기 배출량

17 오른쪽은 어느 학교 학생들의 몸무게와 키를 조사하여 나타낸 산점도이다. 다음 중 옳지 않은 것은?

키 (cm), A, B, 몸무게(kg)

① A는 몸무게에 비해 키가 큰 편이다.
② B는 키에 비해 몸무게가 많이 나가는 편이다.
③ A는 B보다 몸무게가 적게 나간다.
④ A는 B보다 키가 크다.
⑤ 몸무게와 키는 음의 상관관계가 있다.

서술형

18 다음 그림에서 $\overline{PA}$, $\overline{PB}$는 원 O의 접선이고 두 점 A, B는 접점이다. $\angle APB=50^\circ$일 때, $\angle ACB$의 크기를 구하시오.

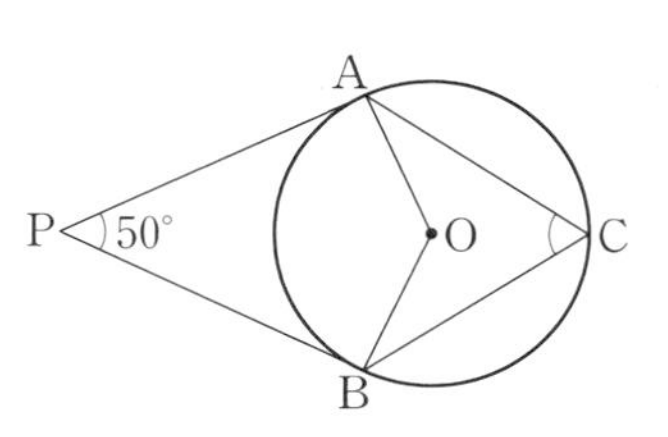

서술형

19 오른쪽 그림에서 $\overleftrightarrow{PT}$는 원의 접선이고 점 P는 접점이다. $\angle ABC=110^\circ$, $\angle APT=50^\circ$일 때, $\angle x$의 크기를 구하시오.

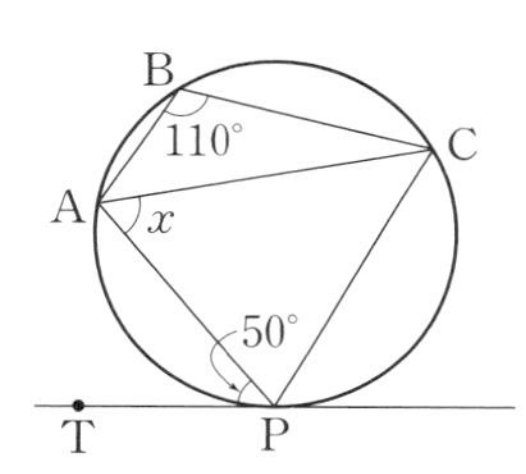

서술형

20 아래 자료의 평균이 3이고 최빈값이 6일 때, 다음을 구하시오. (단, $a>b$)

a	6	-2	b	9	11	-5	0

(1) a, b의 값

(2) 중앙값

7일

범위 1. 원주각 ~ 5. 산점도와 상관관계

기말고사 기본 테스트 2회

1 오른쪽 그림의 원 O에서 $\angle APB=40^\circ$일 때, $\angle x$, $\angle y$의 크기를 각각 구하면?

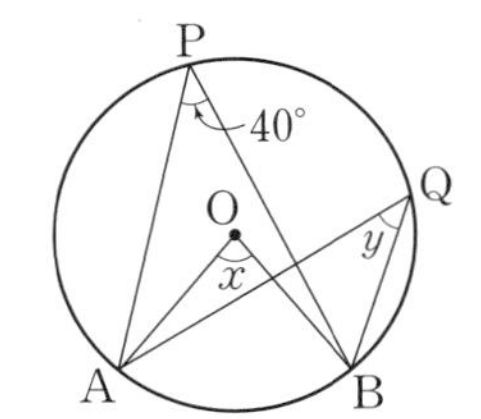

① $\angle x=60^\circ$, $\angle y=60^\circ$
② $\angle x=60^\circ$, $\angle y=40^\circ$
③ $\angle x=80^\circ$, $\angle y=30^\circ$
④ $\angle x=80^\circ$, $\angle y=40^\circ$
⑤ $\angle x=90^\circ$, $\angle y=40^\circ$

2 오른쪽 그림에서 $\angle BAC=30^\circ$, $\angle ACD=35^\circ$일 때, $\angle x$의 크기는?

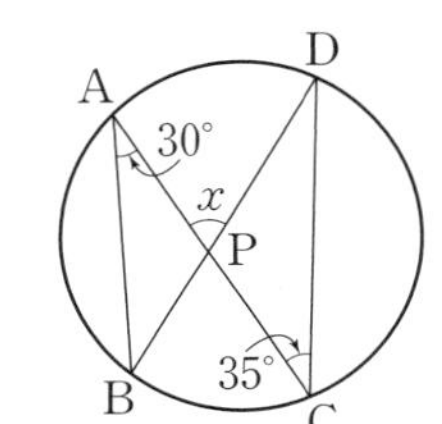

① 50° ② 55°
③ 60° ④ 65°
⑤ 70°

3 오른쪽 그림에서 $\overline{AB}$는 반원 O의 지름이고 점 P는 $\overline{AC}$, $\overline{BD}$의 연장선의 교점이다. $\angle P=66^\circ$일 때, $\angle x$의 크기는?

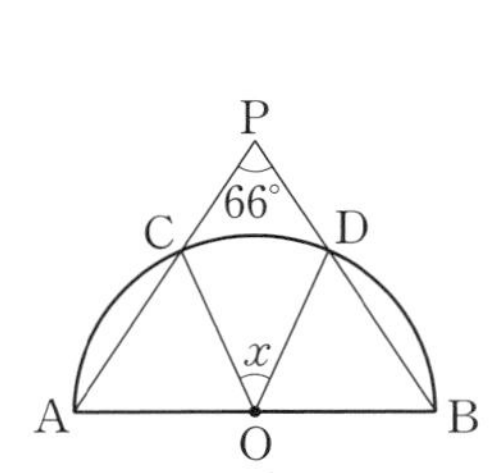

① 46° ② 47° ③ 48°
④ 49° ⑤ 50°

4 오른쪽 그림에서 점 E는 두 현 AC, BD의 교점이고 $\widehat{BC}=6$ cm, $\angle BAC=20^\circ$, $\angle BEC=80^\circ$일 때, $\widehat{AD}$의 길이는?

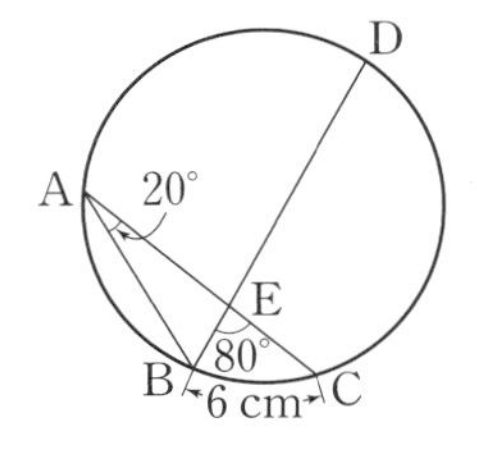

① 12 cm ② 14 cm ③ 16 cm
④ 18 cm ⑤ 24 cm

5 오른쪽 그림과 같이 오각형 ABCDE가 원 O에 내접하고 $\angle ABC=112^\circ$, $\angle COD=48^\circ$일 때, $\angle x$의 크기는?

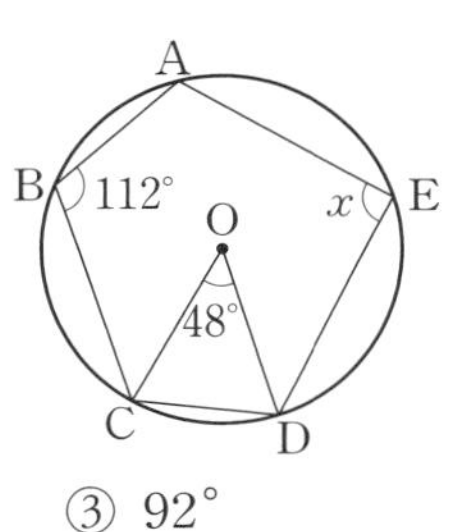

① 68° ② 80° ③ 92°
④ 104° ⑤ 116°

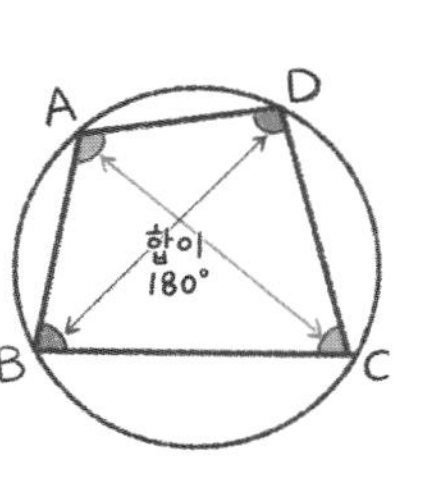

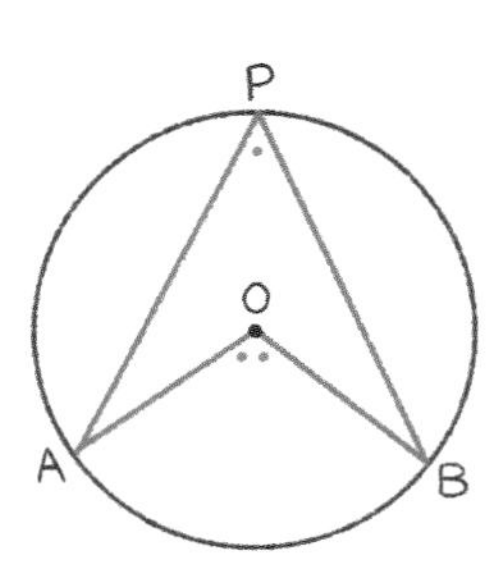

$\angle A+\angle C=180^\circ$
또는 $\angle B+\angle D=180^\circ$

$\angle APB=\frac{1}{2}\angle AOB$

6 오른쪽 그림에서 □ABCD가 원에 내접하고 $\angle ABC=50°$, $\angle BPC=30°$일 때, $\angle x$의 크기는?

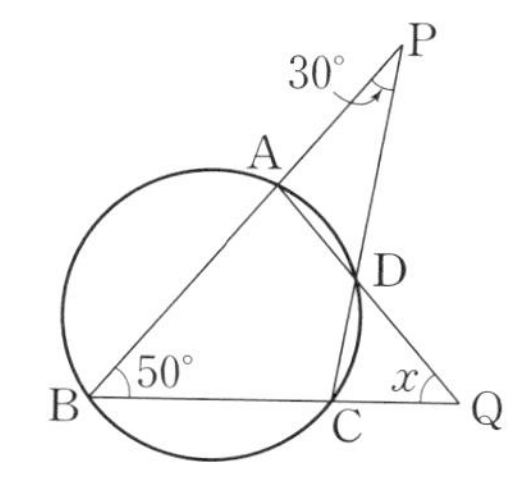

① 49° ② 50° ③ 51° ④ 52° ⑤ 53°

7 오른쪽 그림에서 $\angle ABC=65°$, $\angle ACD=35°$일 때, □ABCD가 원에 내접하도록 하는 $\angle x$의 크기는?

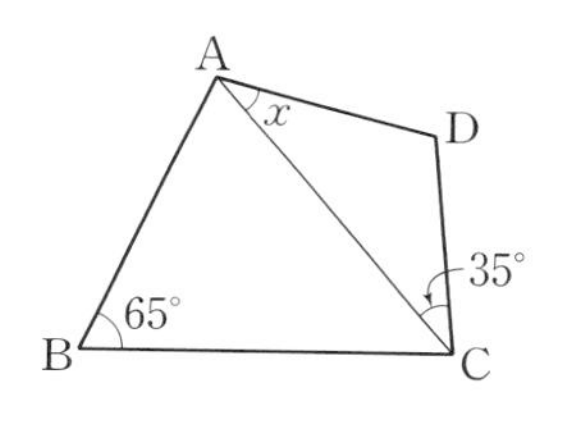

① 30° ② 35° ③ 40° ④ 45° ⑤ 50°

8 오른쪽 그림에서 $\overleftrightarrow{PT}$는 원 O의 접선이고 점 T는 접점이다. $\overline{BC}$는 원 O의 지름이고 $\angle BTP=60°$일 때, $\angle x$의 크기는?

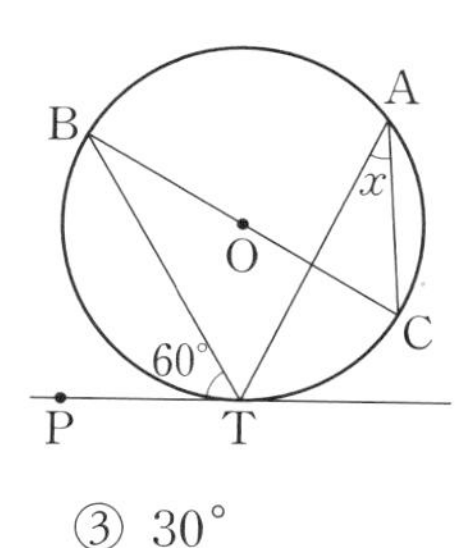

① 28° ② 29° ③ 30° ④ 31° ⑤ 32°

9 다음 자료 중 최빈값이 가장 큰 것은?

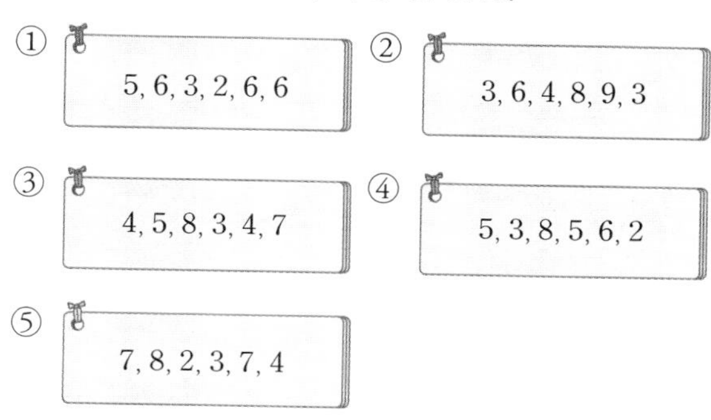

① 5, 6, 3, 2, 6, 6
② 3, 6, 4, 8, 9, 3
③ 4, 5, 8, 3, 4, 7
④ 5, 3, 8, 5, 6, 2
⑤ 7, 8, 2, 3, 7, 4

10 다음은 5개의 변량을 작은 값부터 크기순으로 나열한 것이다. 이 자료의 평균과 중앙값이 같을 때, a의 값은?

3 6 7 9 a

① 10 ② 11 ③ 12 ④ 13 ⑤ 14

7일 기말고사 기본 테스트 2회

11 다음 표는 보영이의 5회에 걸친 영어 성적의 편차를 조사하여 나타낸 것이다. 영어 성적의 평균이 76점일 때, 5회의 영어 성적은?

회	1	2	3	4	5
편차(점)	4	-3	5	-4	x

① 72점 ② 74점 ③ 76점
④ 78점 ⑤ 80점

12 다음 자료의 표준편차는?

12 10 14 16 13

① 1 ② 2 ③ 3
④ 4 ⑤ 5

분산과 표준편차 구하기

평균 → 편차 → 분산 → 표준편차

13 5개의 변량 9, 5, 11, x, y의 평균이 6이고 분산이 12일 때, x^2+y^2의 값은?

① 10 ② 11 ③ 12
④ 13 ⑤ 14

14 아래 표는 어느 중학교 3학년 3개 반 학생들의 국어 성적의 평균과 표준편차를 조사하여 나타낸 것이다. 다음 중 옳은 것은?

반	1	2	3
평균(점)	78	80	76
표준편차(점)	12.5	13.6	14.2

① 1반의 학생 수가 가장 많다.
② 3반의 국어 성적이 1반의 국어 성적보다 우수하다.
③ 국어 성적의 산포도가 가장 작은 반은 2반이다.
④ 국어 성적이 가장 높은 학생은 2반에 있다.
⑤ 1반의 국어 성적이 가장 고르다.

15 오른쪽은 어느 반 학생 20명의 방학 동안의 수면 시간과 휴대폰 사용 시간을 조사하여 나타낸 산점도이다. 다음 보기 중 옳은 것을 모두 고른 것은?

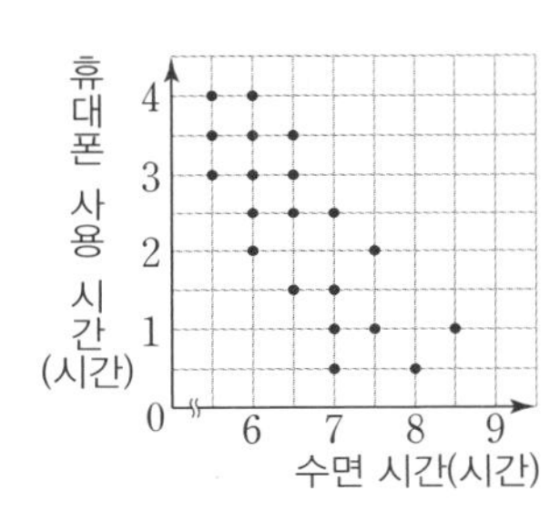

보기
㉠ 수면 시간과 휴대폰 사용 시간은 음의 상관관계가 있다.
㉡ 수면 시간이 짧은 학생은 대체로 휴대폰 사용 시간이 길다.
㉢ 수면 시간이 7시간 이상인 학생들의 휴대폰 사용 시간의 평균은 $\frac{5}{4}$시간이다.

① ㉠ ② ㉠, ㉡ ③ ㉠, ㉢
④ ㉡, ㉢ ⑤ ㉠, ㉡, ㉢

16 학생들의 오래매달리기 기록과 제자리멀리뛰기 기록을 조사하였더니 오래매달리기 기록이 좋은 학생이 제자리멀리뛰기 기록도 좋았다. 오래매달리기 기록을 x초, 제자리멀리뛰기 기록을 y cm라고 할 때, 다음 중 x와 y 사이의 상관관계를 나타낸 산점도로 알맞은 것은?

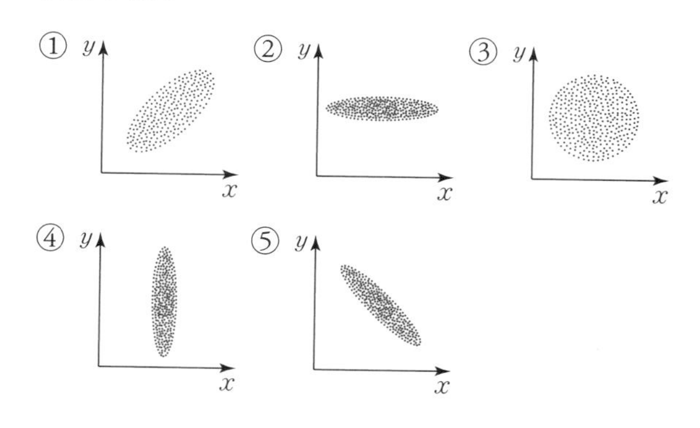

17 오른쪽은 어느 학교 학생들의 수학 성적과 과학 성적을 조사하여 나타낸 산점도이다. A, B, C, D, E 중 수학 성적과 과학 성적의 차가 가장 큰 학생은?

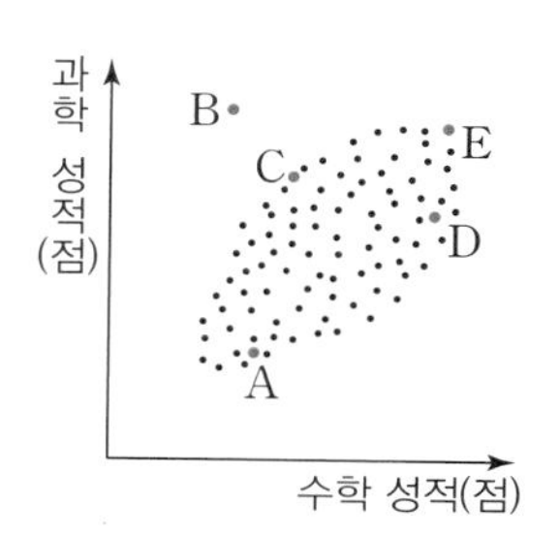

① A ② B ③ C ④ D ⑤ E

서술형

18 오른쪽 그림과 같이 □ABCD가 원 O에 내접하고 $\angle BOD=146°$일 때, $\angle x$의 크기를 구하시오.

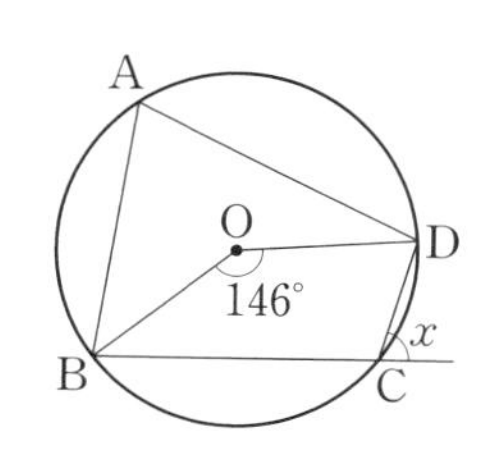

서술형

19 오른쪽 그림에서 $\overline{PT}$는 원 O의 접선이고 점 T는 접점이다. $\overline{AB}$는 원 O의 지름이고 $\angle ATP=30°$, $\overline{OB}=4$ cm일 때, △ATB의 넓이를 구하시오.

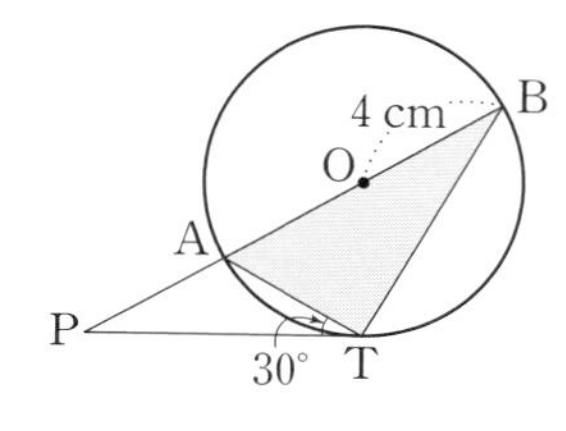

서술형

20 다음은 아윤이의 하루 수면 시간을 10일 동안 조사하여 나타낸 것이다. 아윤이의 하루 수면 시간의 평균이 6.8시간일 때, 중앙값과 최빈값을 각각 구하시오.

(단위 : 시간)

5	5	6	7	x
8	6	8	10	6

memo

부록 핵심 정리 총집합

핵심 정리 01 원주각과 중심각의 크기

(1) **원주각** : 원 O에서 호 AB 위에 있지 않은 원 위의 한 점 P에 대하여 ∠APB를 호 AB에 대한 ❶ ______ 이라고 한다.

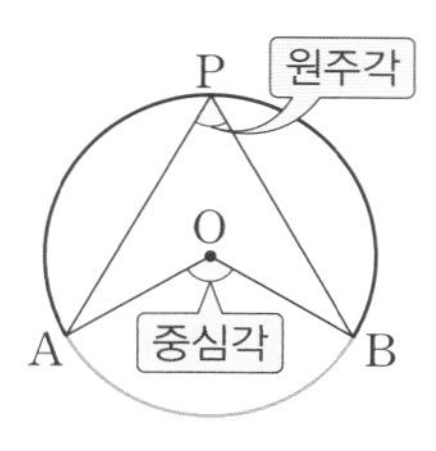

(2) 원에서 한 호에 대한 원주각의 크기는 그 호에 대한 중심각의 크기의 ❷ ______ 이다.

→ ∠APB= ❷ ______ ∠AOB

답 ❶ 원주각 ❷ $\frac{1}{2}$

핵심 정리 02 원주각의 크기

원에서 한 호에 대한 원주각의 크기는 모두 ❶ ______.

→ ∠APB=∠AQB
=∠ ❷ ______

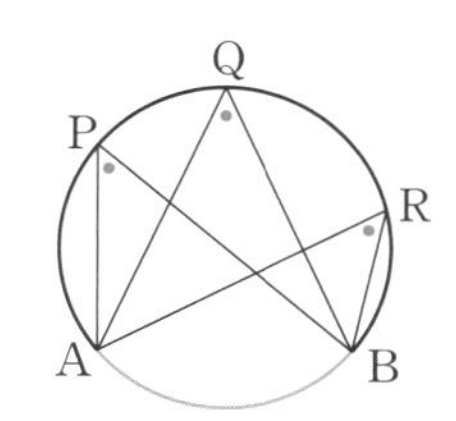

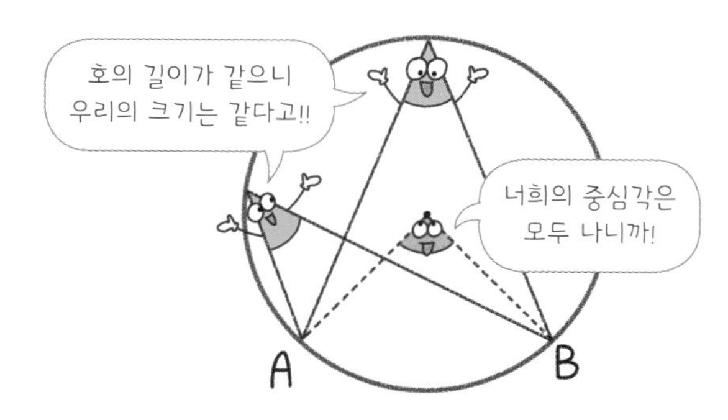

답 ❶ 같다 ❷ ARB

핵심 정리 03 반원에 대한 원주각의 크기

반원에 대한 원주각의 크기는 ❶ ______°이다.

→ $\overline{AB}$가 원 O의 지름이면
∠APB= ❶ ______°

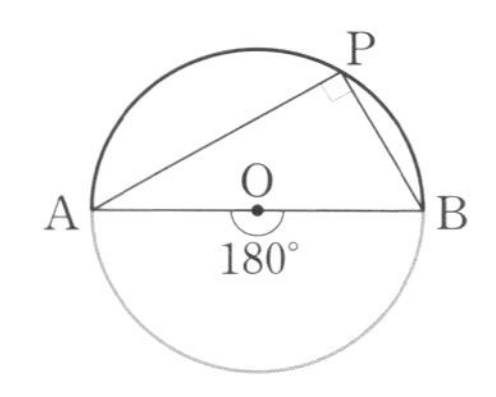

예 오른쪽 그림에서 $\overline{AB}$가 원 O의 지름이므로

∠ACB= ❷ ______°

∴ $\angle x=180^\circ-(90^\circ+$ ❸ ______°)
= ❹ ______°

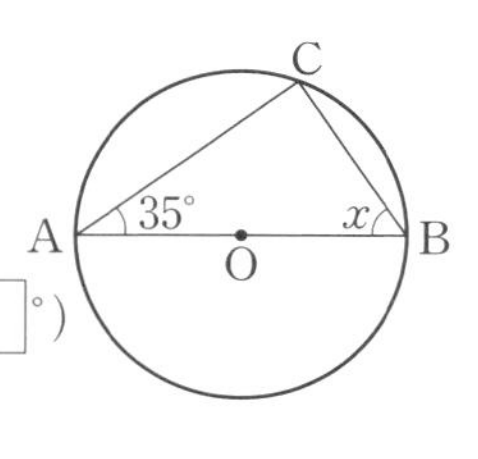

답 ❶ 90 ❷ 90 ❸ 35 ❹ 55

핵심 정리 04 원주각의 크기와 호의 길이

한 원에서

(1) 길이가 같은 호에 대한 원주각의 크기는 서로 같다.

→ $\widehat{AB}=\widehat{CD}$이면
∠APB=∠ ❶ ______

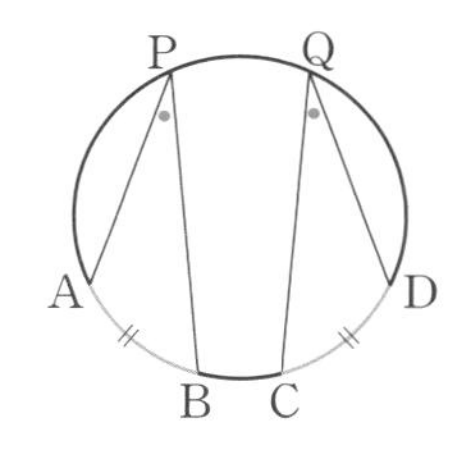

(2) 크기가 같은 원주각에 대한 호의 길이는 서로 같다.

→ ∠APB=∠CQD이면 $\widehat{AB}=$ ❷ ______

(3) 원주각의 크기와 호의 길이는 ❸ ______ 한다.

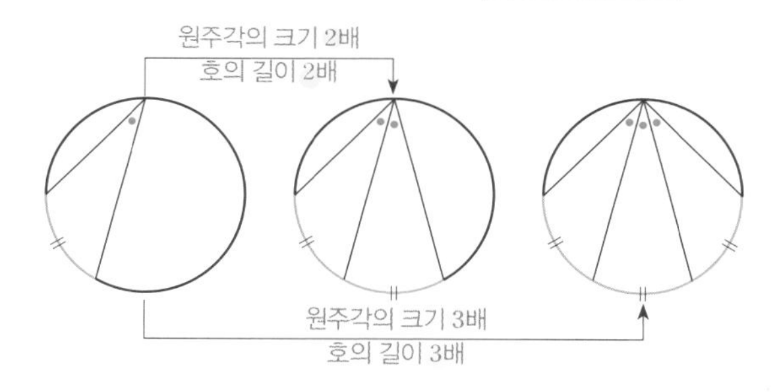

답 ❶ CQD ❷ $\widehat{CD}$ ❸ 정비례

절취선에 따라 카드를 잘라서 활용하세요.

핵심 정리 02

예 1

오른쪽 그림에서 $\angle x$의 크기를 구하시오.

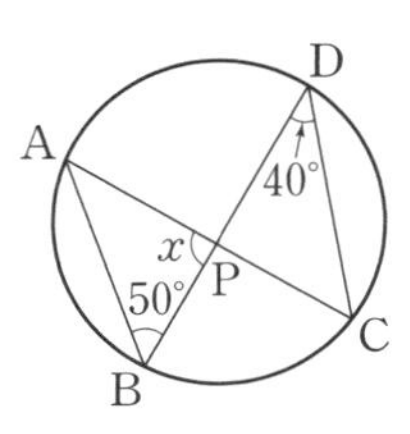

→ $\angle BAC = \angle BDC =$ [❶]°

△ABP에서

$\angle x = 180° - ($[❶]$° + 50°) =$ [❷]°

답 ❶ 40 ❷ 90

핵심 정리 01

예 1

오른쪽 그림과 같은 원 O에서 $\angle x$의 크기를 구하시오.

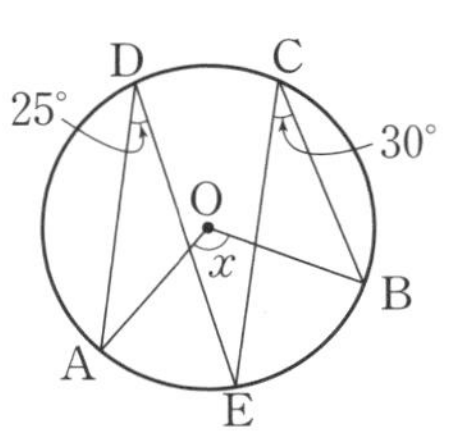

→ $\overline{OE}$를 그으면

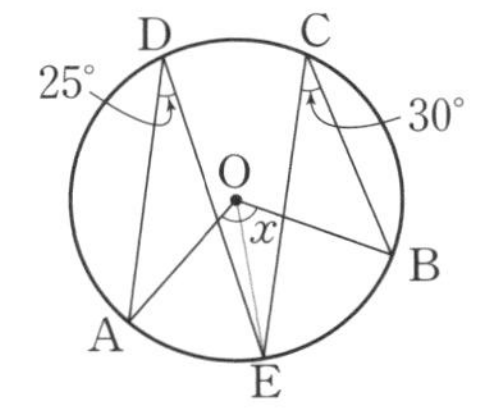

$\angle AOE =$ [❶]$\angle ADE$

$=$ [❶]$\times 25°$

$=$ [❷]°

$\angle EOB = 2\angle ECB$

$= 2 \times 30° = 60°$

$\therefore \angle x =$ [❷]$° + 60° =$ [❸]°

답 ❶ 2 ❷ 50 ❸ 110

핵심 정리 04

예 1

오른쪽 그림에서 $\widehat{AB} = \widehat{BC}$이고 $\angle APB = 32°$일 때, $\angle x$의 크기를 구하시오.

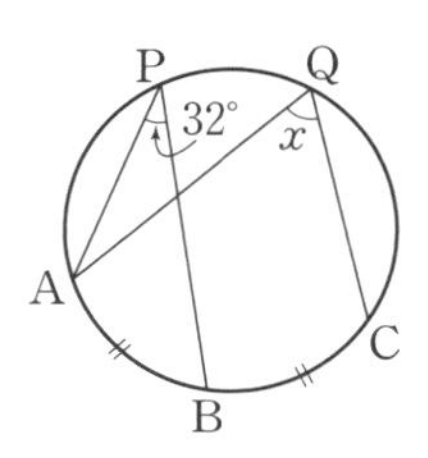

→ $\overline{QB}$를 그으면

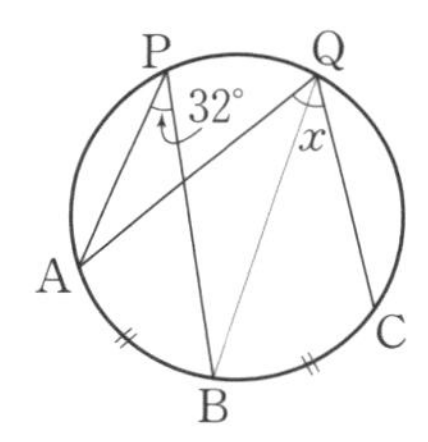

$\angle AQB = \angle APB =$ [❶]°

$\widehat{AB} = \widehat{BC}$이므로

$\angle BQC = \angle AQB = 32°$

$\therefore \angle x =$ [❶]$° + 32°$

$=$ [❷]°

답 ❶ 32 ❷ 64

핵심 정리 03

예 1

오른쪽 그림에서 $\overline{AB}$가 원 O의 지름일 때, $\angle x$의 크기를 구하시오.

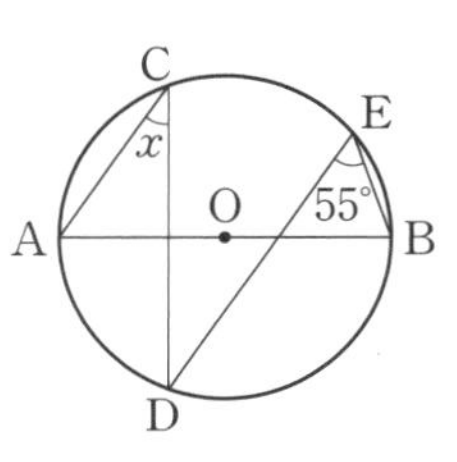

→ $\overline{AE}$를 그으면

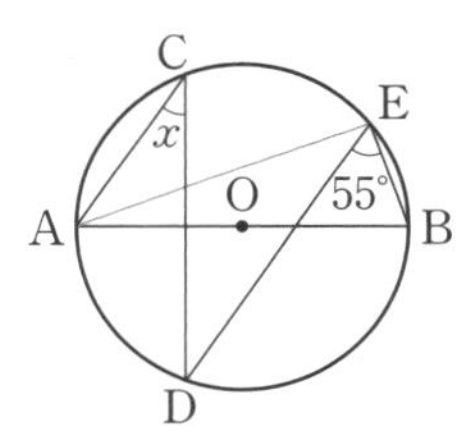

$\angle AEB =$ [❶]°이므로

$\angle AED$

$=$ [❶]$° - 55°$

$=$ [❷]°

$\therefore \angle x = \angle AED =$ [❷]°

답 ❶ 90 ❷ 35

핵심 정리 05 네 점이 한 원 위에 있을 조건

두 점 C, D가 직선 AB에 대하여 같은 쪽에 있을 때,

$\angle ACB = \angle$ ❶ [ ]

이면 네 점 A, B, C, D는 한 원 위에 있다.

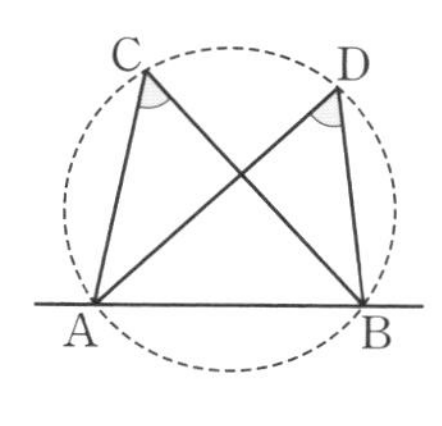

참고 네 점 A, B, C, D가 한 원 위에 있으면 $\angle ACB = \angle$ ❷ [ ] 이다.

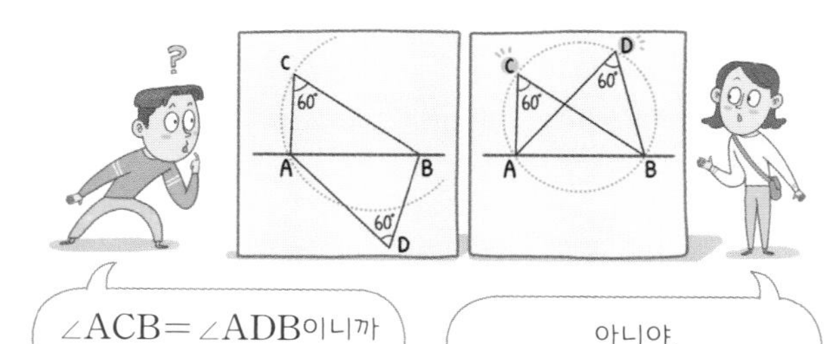

∠ACB=∠ADB이니까 네 점 A, B, C, D는 한 원 위에 있…?

아니야. 두 점 C, D가 직선 AB에 대하여 같은 쪽에 있어야 해.

답 ❶ ADB ❷ ADB

핵심 정리 06 원에 내접하는 사각형의 성질

(1) 원에 내접하는 사각형에서 한 쌍의 대각의 크기의 합은 180°이다.

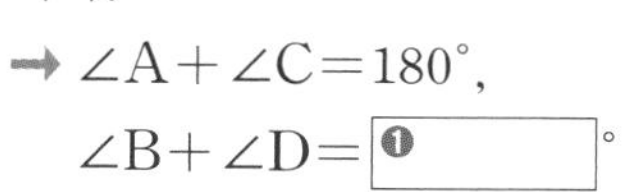

→ $\angle A + \angle C = 180°$,

$\angle B + \angle D =$ ❶ [ ]°

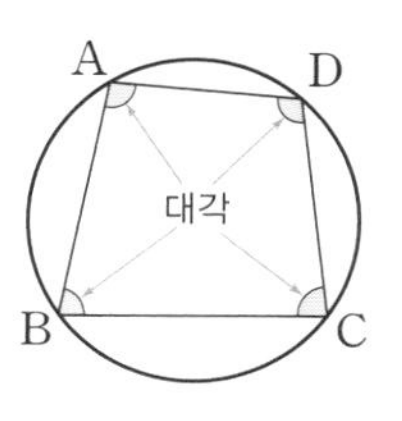

(2) 원에 내접하는 사각형에서 한 외각의 크기는 그와 이웃한 내각의 대각의 크기와 같다.

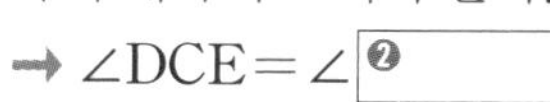

→ $\angle DCE = \angle$ ❷ [ ]

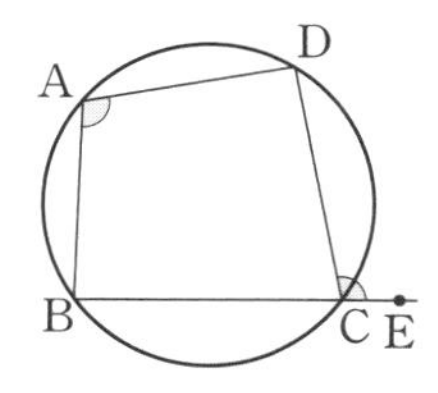

답 ❶ 180 ❷ BAD

핵심 정리 07 사각형이 원에 내접하기 위한 조건

다음 중 어느 하나를 만족하면 □ABCD는 원에 내접한다.

(1)

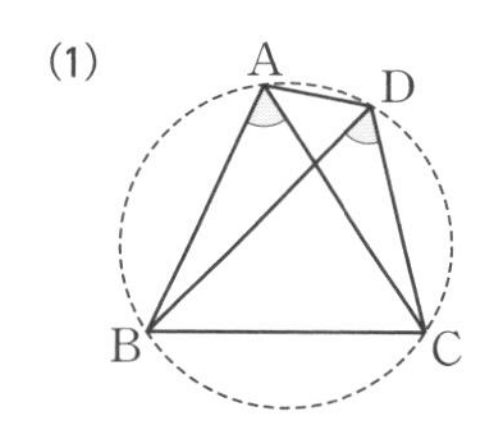

$\angle BAC = \angle$ ❶ [ ]

(2)

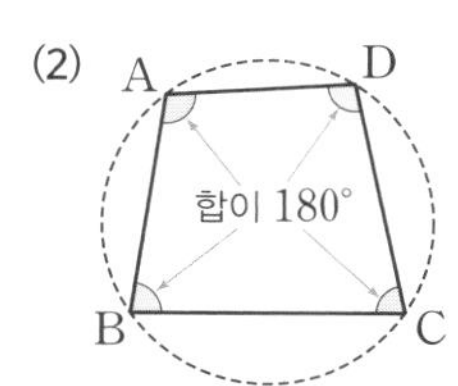

$\angle A + \angle C =$ ❷ [ ]°

또는 $\angle B + \angle D = 180°$

(3)

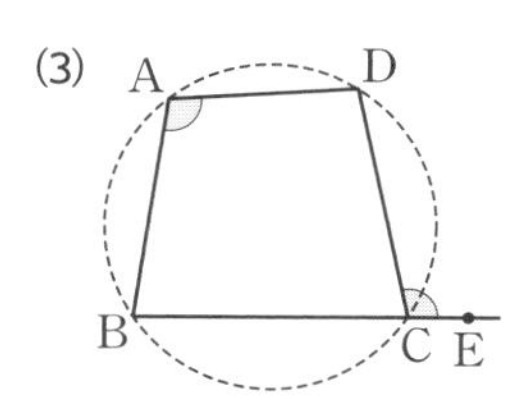

$\angle DCE = \angle$ ❸ [ ]

답 ❶ BDC ❷ 180 ❸ BAD

핵심 정리 08 원의 접선과 현이 이루는 각

원의 접선과 그 접점을 지나는 현이 이루는 각의 크기는 그 각의 내부에 있는 호에 대한 원주각의 크기와 같다.

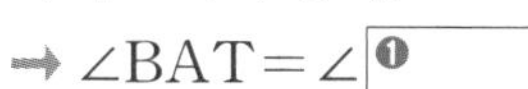

→ $\angle BAT = \angle$ ❶ [ ]

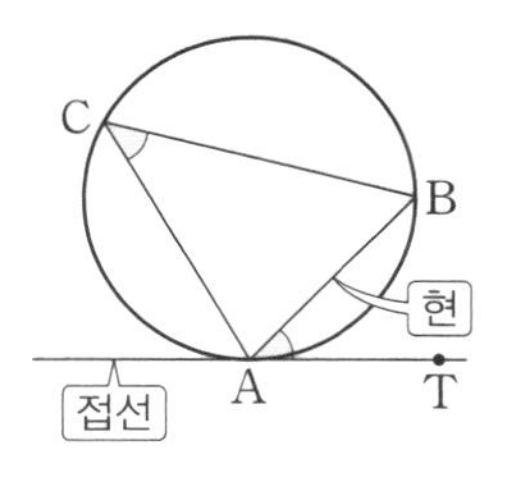

예 오른쪽 그림에서 $\overleftrightarrow{AT}$는 원의 접선이고 점 A는 접점일 때,

$\angle x = \angle$ ❷ [ ]

$=$ ❸ [ ]°

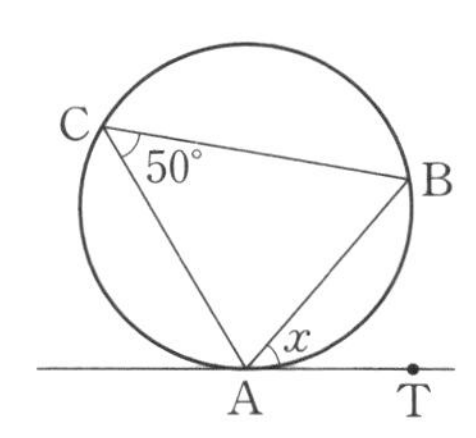

답 ❶ BCA ❷ BCA ❸ 50

핵심 정리 06

예 1

오른쪽 그림에서 □ABCD가 원에 내접할 때, $\angle x$의 크기를 구하시오.

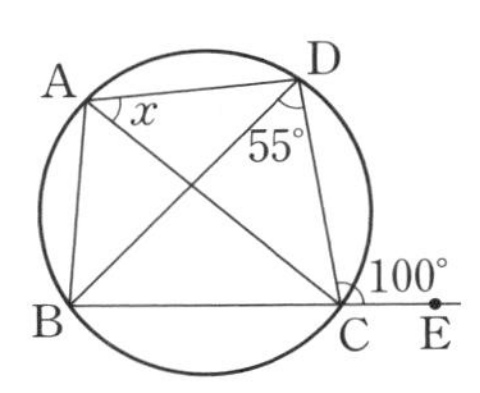

→ $\angle BAC=\angle BDC=$ [❶]°
이때 $\angle DAB=\angle DCE=$ [❷]°이므로
$\angle x+$ [❶]° $=$ [❷]°
$\therefore\ \angle x=$ [❸]°

답 ❶ 55 ❷ 100 ❸ 45

핵심 정리 05

예 1

다음 보기에서 네 점 A, B, C, D가 한 원 위에 있는 것을 모두 고르시오.

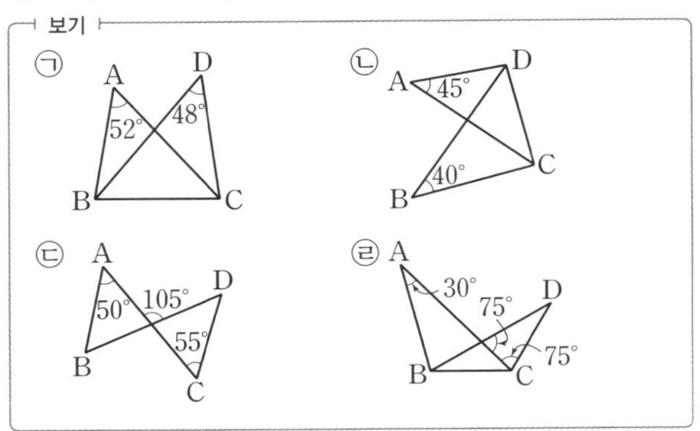

→ ㉢ $\angle BDC=105^\circ-55^\circ=50^\circ$
즉 $\angle BAC=\angle$ [❶]이므로 네 점 A, B, C, D는 한 원 위에 있다.
㉣ $\angle BDC=180^\circ-(75^\circ+75^\circ)=$ [❷]°
즉 $\angle BAC=\angle BDC$이므로 네 점 A, B, C, D는 한 원 위에 [❸].

답 ❶ BDC ❷ 30 ❸ 있다

핵심 정리 08

예 1

오른쪽 그림에서 $\overleftrightarrow{AT}$는 원 O의 접선이고 점 A는 접점이다. $\angle CAT=46^\circ$일 때, $\angle x$의 크기를 구하시오.

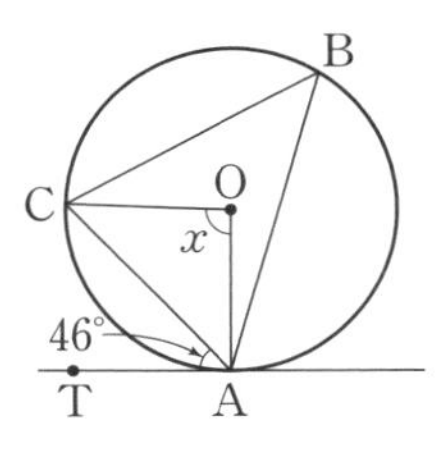

→ $\angle CBA=\angle CAT=$ [❶]°이므로
$\angle x=2\angle CBA=2\times$ [❶]° $=$ [❷]°

답 ❶ 46 ❷ 92

핵심 정리 07

예 1

다음 보기의 □ABCD 중 원에 내접하는 것을 모두 고르시오.

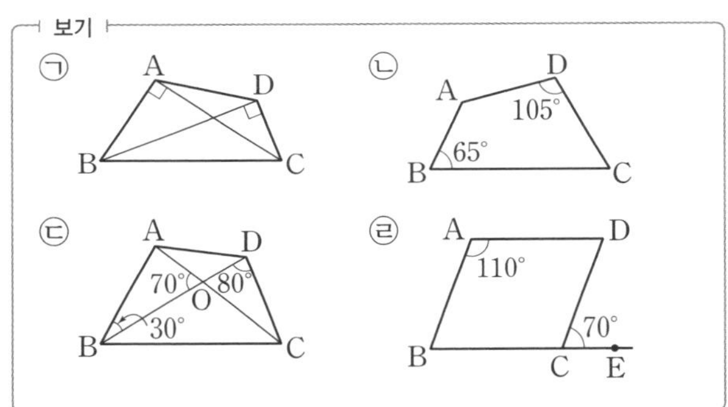

→ ㉠ $\angle BAC=\angle$ [❶]이므로 □ABCD는 원에 내접한다.
㉢ △ABO에서
$\angle BAO=180^\circ-(30^\circ+70^\circ)=$ [❷]°
즉 $\angle BAC=\angle BDC$이므로 □ABCD는 원에 [❸].

답 ❶ BDC ❷ 80 ❸ 내접한다

핵심 정리 09 대푯값과 평균

(1) **대푯값** : 자료 전체의 특징을 대표적으로 나타내는 값

(2) **평균** : 변량의 총합을 변량의 개수를 나눈 값

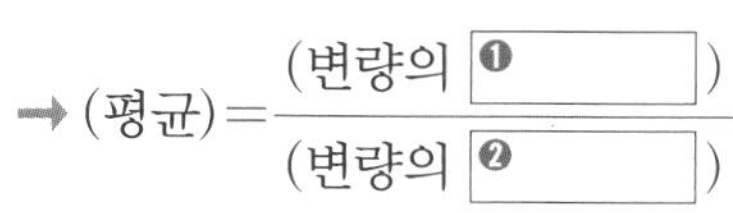

→ $(\text{평균})=\dfrac{(\text{변량의 ❶ \_\_\_\_})}{(\text{변량의 ❷ \_\_\_\_})}$

예 9, 12, 8, 7의 평균을 구하면

$(\text{평균})=\dfrac{9+12+8+7}{4}=\dfrac{36}{4}=9$

참고 평균은 극단적인 값(매우 크거나 매우 작은 값)의 영향을 많이 받으므로 극단적인 값이 있는 경우에는 자료의 중심 경향을 제대로 나타낼 수 없다.

답 ❶ 총합 ❷ 개수

핵심 정리 10 중앙값

(1) **중앙값** : 자료를 작은 값부터 크기순으로 나열할 때, ❶ ____에 놓인 값

(2) **중앙값을 구하는 방법**

변량을 작은 값부터 크기순으로 나열할 때

① 변량의 개수가 홀수

→ 한가운데에 놓인 값

② 변량의 개수가 짝수

→ 한가운데에 놓인 두 값의 ❷ ____

예 ① 자료 1, 2, 4, 6, 7의 중앙값은 4이다.

(한가운데에 놓인 값)

② 자료 3, 5, 7, 8의 중앙값은 $\dfrac{5+7}{2}=6$이다.

(한가운데에 놓인 두 값의 평균)

답 ❶ 한가운데 ❷ 평균

핵심 정리 11 최빈값

최빈값 : 변량 중 가장 ❶ ____ 나타나는 값

참고 ① 최빈값은 자료가 숫자로 주어지지 않은 경우에도 사용할 수 있다.

② 자료에 따라 최빈값이 ❷ ____개 이상일 수도 있다.

예 ① 자료 1, 3, 2, 3, 3의 최빈값은 3이다.

② 자료 3, 1, 2, 3, 2의 최빈값은 2, 3이다.

답 ❶ 많이 ❷ 2

핵심 정리 12 산포도와 편차

(1) **산포도** : 변량이 흩어져 있는 정도를 하나의 수로 나타낸 값

① 변량들이 대푯값을 중심으로 가까이 모여 있을수록 산포도는 작아진다.

② 변량들이 대푯값을 중심으로 멀리 흩어져 있을수록 산포도는 ❶ ____.

(2) **편차** : 어떤 자료의 각 변량에서 평균을 뺀 값

→ (편차)=(❷ ____)−(❸ ____)

① 편차의 총합은 항상 ❹ ____이다.

② 평균보다 큰 변량의 편차는 양수이고, 평균보다 작은 변량의 편차는 음수이다.

③ 편차의 절댓값이 클수록 그 변량은 평균에서 멀리 떨어져 있고, 편차의 절댓값이 작을수록 그 변량은 평균에 가까이 있다.

답 ❶ 커진다 ❷ 변량 ❸ 평균 ❹ 0

핵심 정리 10

예 1

다음은 6개의 자료를 작은 값부터 크기순으로 나열한 것이다. 이 자료의 중앙값이 14일 때, x의 값을 구하시오.

9	10	13	x	15	18

→ 주어진 자료가 6개이므로 중앙값은 한가운데에 놓인 3번째와 4번째의 값의 $\boxed{❶\quad}$이다.

$\dfrac{13+x}{\boxed{❷\quad}}=14$, $13+x=\boxed{❸\quad}$

$\therefore x=\boxed{❹\quad}$

답 ❶ 평균 ❷ 2 ❸ 28 ❹ 15

핵심 정리 09

예 1

다음 자료의 평균이 8일 때, x의 값을 구하시오.

3	5	7	x	10	14

→ $\dfrac{3+5+7+x+10+14}{\boxed{❶\quad}}=\boxed{❷\quad}$에서

$\dfrac{x+39}{\boxed{❶\quad}}=\boxed{❷\quad}$, $x+39=\boxed{❸\quad}$

$\therefore x=\boxed{❹\quad}$

답 ❶ 6 ❷ 8 ❸ 48 ❹ 9

핵심 정리 12

예 1

다음 표는 준호의 2학기 중간고사 5과목의 성적의 편차를 조사하여 나타낸 것이다. 중간고사 5과목의 성적의 평균이 86점일 때, 수학 성적을 구하시오.

과목	국어	영어	수학	사회	과학
편차(점)	4	-2	x	3	-1

→ 편차의 총합은 $\boxed{❶\quad}$이므로

$4+(-2)+x+3+(-1)=\boxed{❶\quad}$

$\therefore x=\boxed{❷\quad}$

이때 평균이 86점이므로 수학 성적은

$86+(\boxed{❷\quad})=\boxed{❸\quad}$(점)

답 ❶ 0 ❷ -4 ❸ 82

핵심 정리 11

예 1

다음은 8명의 학생이 2학기 동안 읽은 책의 수를 조사하여 나타낸 자료이다. 이 자료의 평균과 최빈값이 같을 때, x의 값을 구하시오.

(단위 : 권)

0	2	1	3	2	x	4	2

→ 주어진 자료에서 $\boxed{❶\quad}$권이 세 번으로 가장 많이 나왔으므로 최빈값은 $\boxed{❶\quad}$권이다.

따라서 평균도 $\boxed{❶\quad}$권이므로

$\dfrac{0+2+1+3+2+x+4+2}{\boxed{❷\quad}}=2$

$14+x=\boxed{❸\quad}$ $\therefore x=\boxed{❹\quad}$

답 ❶ 2 ❷ 8 ❸ 16 ❹ 2

핵심 정리 13 분산과 표준편차 (1)

(1) **분산** : 어떤 자료의 편차의 제곱의 평균

→ (분산) $=\dfrac{\{(\text{❶ }\boxed{\quad})^2\text{의 총합}\}}{(\text{변량의 개수})}$

(2) **표준편차** : 분산의 음이 아닌 제곱근

→ (표준편차) $=\sqrt{(\text{❷ }\boxed{\quad})}$

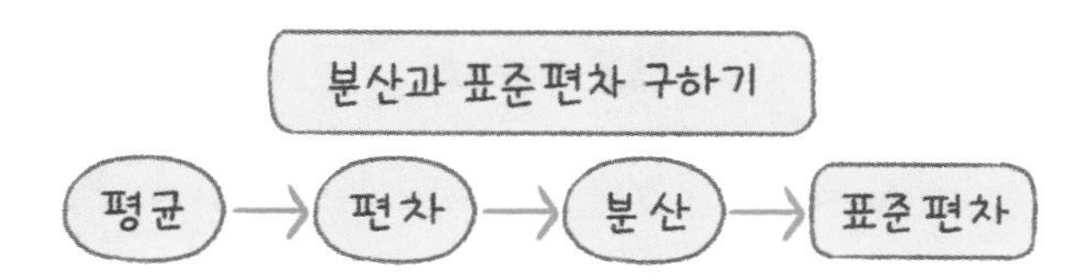

답 ❶ 편차 ❷ 분산

핵심 정리 14 분산과 표준편차 (2)

(1) 분산과 표준편차가 작다.

→ 변량들이 평균을 중심으로 가까이 모여 있다.

→ 자료의 분포가 ❶ $\boxed{\quad}$.

(2) 분산과 표준편차가 ❷ $\boxed{\quad}$.

→ 변량들이 평균을 중심으로 멀리 흩어져 있다.

→ 자료의 분포가 고르지 않다.

답 ❶ 고르다 ❷ 크다

핵심 정리 15 산점도

(1) **산점도** : 두 변량 x, y를 순서쌍으로 하는 점 (x, y)를 좌표평면 위에 나타낸 그림

(2) **산점도 해석하기**

① '같은', '높은', '낮은'과 같이 두 변량을 비교하는 조건이 주어지면 ❶ $\boxed{\quad}$을 긋는다.

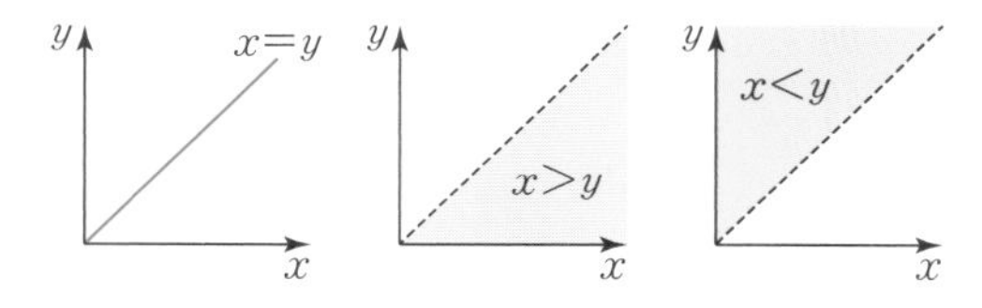

② '이상', '이하'의 조건이 주어지면 가로선 또는 ❷ $\boxed{\quad}$을 긋는다.

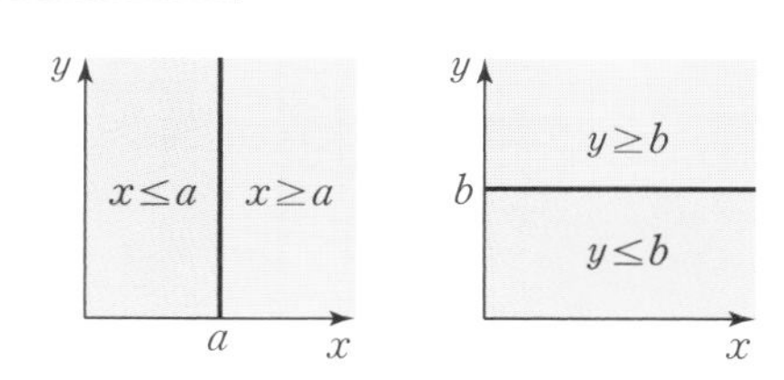

답 ❶ 대각선 ❷ 세로선

핵심 정리 16 상관관계

(1) ❶ $\boxed{\quad}$의 상관관계

강함 약함

(2) ❷ $\boxed{\quad}$의 상관관계

강함 약함

(3) 상관관계가 ❸ $\boxed{\quad}$.

답 ❶ 양 ❷ 음 ❸ 없다

핵심 정리 14

예 1

다음 보기에서 산포도에 대한 설명으로 옳지 않은 것을 모두 고르시오.

보기
- ㉠ 평균에서 변량을 뺀 값을 편차라 한다.
- ㉡ 편차의 총합은 0이다.
- ㉢ 표준편차는 분산의 제곱근이다.
- ㉣ 분산이 클수록 변량들이 평균으로부터 멀리 흩어져 있다.

→ ㉠ 변량에서 [❶] 을 뺀 값을 편차라 한다.
㉢ 표준편차는 분산의 [❷] 이 아닌 제곱근이다.
따라서 옳지 않은 것은 ㉠, ㉢이다

답 ❶ 평균 ❷ 음

핵심 정리 13

예 1

아래는 로운이가 5회에 걸쳐 치른 수학 수행 평가 점수를 조사하여 나타낸 자료이다. 다음을 구하시오.

(단위 : 점)

18 11 9 15 17

(1) 평균 (2) 분산 (3) 표준편차

→ (1) $(\text{평균})=\dfrac{18+11+9+15+17}{5}=\dfrac{70}{5}=14$(점)

(2) 편차가 각각 4점, [❶] 점, -5점, 1점, 3점이므로

$(\text{분산})=\dfrac{4^2+(\boxed{❶})^2+(-5)^2+1^2+3^2}{5}$

$=\dfrac{\boxed{❷}}{5}=\boxed{❸}$

(3) $(\text{표준편차})=\sqrt{\boxed{❸}}=\boxed{❹}$(점)

답 ❶ -3 ❷ 60 ❸ 12 ❹ $2\sqrt{3}$

핵심 정리 16

예 1

다음 보기에서 두 변량 사이에 양의 상관관계가 있는 것을 모두 고르시오.

보기
- ㉠ 산의 높이와 정상에서의 온도
- ㉡ 운동량과 칼로리 소비량
- ㉢ 수학 점수와 노래 실력
- ㉣ 도시의 인구수와 교통량

→ ㉠ [❶] 의 상관관계
㉡ [❷] 의 상관관계
㉢ 상관관계가 [❸].
㉣ [❹] 의 상관관계
따라서 두 변량 사이에 양의 상관관계가 있는 것은 ㉡, ㉣이다.

답 ❶ 음 ❷ 양 ❸ 없다 ❹ 양

핵심 정리 15

예 1

오른쪽은 정인이네 반 학생 16명이 기말고사에서 받은 국어 성적과 영어 성적을 조사하여 나타낸 산점도이다. 다음을 구하시오.

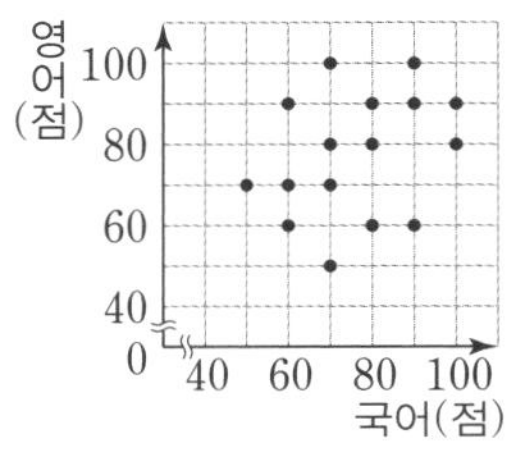

(1) 국어 성적과 영어 성적이 같은 학생 수
(2) 국어 성적과 영어 성적이 모두 90점 이상인 학생 수

→ (1) 국어 성적과 영어 성적이 같은 학생 수는 산점도에서 직선 l 위에 있는 점의 개수와 같으므로 [❶] 명이다.

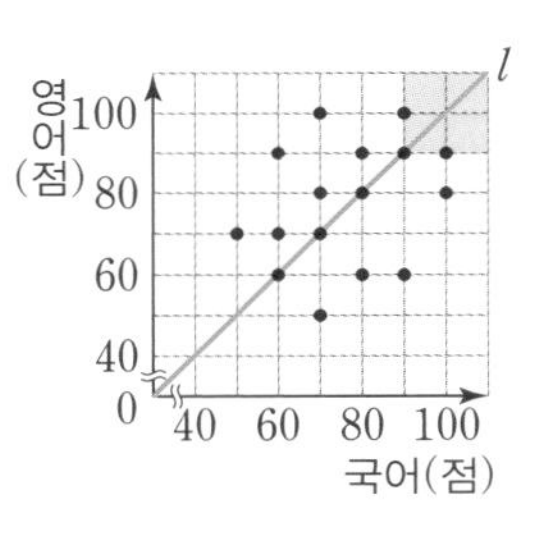

(2) 국어 성적과 영어 성적이 모두 90점 이상인 학생 수는 산점도에서 색칠한 부분에 속하는 점의 개수와 같으므로 [❷] 명이다.

답 ❶ 4 ❷ 3

book.chunjae.co.kr

교재 내용 문의 ··························· 교재 홈페이지 ▸ 중등 ▸ 교재상담
교재 내용 외 문의 ························ 교재 홈페이지 ▸ 고객센터 ▸ 1:1문의
발간 후 발견되는 오류 ··················· 교재 홈페이지 ▸ 중등 ▸ 학습지원 ▸ 학습자료실

7일 끝

중간고사 기말고사

7일 끝으로 끝내자!

중학 **수학 3-2**

BOOK 3

정답과 풀이

천재교육

중간 대비

정답과 풀이

1일 ········ 2
2일 ········ 5
3일 ········ 8
4일 ········ 12
5일 ········ 15
6일 ········ 18
7일 ········ 22

1일 삼각비의 뜻

시험지 속 개념 문제 | 9쪽

1 (1) $\sin A=\frac{3}{5}$, $\cos A=\frac{4}{5}$, $\tan A=\frac{3}{4}$

(2) $\sin C=\frac{4}{5}$, $\cos C=\frac{3}{5}$, $\tan C=\frac{4}{3}$

2 (1) 4 (2) $\sin A=\frac{\sqrt{7}}{4}$, $\cos A=\frac{3}{4}$, $\tan A=\frac{\sqrt{7}}{3}$

3 4

4 $\frac{2\sqrt{5}}{5}$

5 (1) 5 (2) $\angle \mathrm{BCA}$ (3) $\sin x=\frac{4}{5}$, $\cos x=\frac{3}{5}$, $\tan x=\frac{4}{3}$

6 (1) 12 (2) $\angle \mathrm{BCA}$ (3) $\angle \mathrm{ABC}$

(4) $\sin x=\frac{5}{13}$, $\cos x=\frac{12}{13}$, $\tan x=\frac{5}{12}$

(5) $\sin y=\frac{12}{13}$, $\cos y=\frac{5}{13}$, $\tan y=\frac{12}{5}$

1 (1) $\sin A=\frac{\overline{\mathrm{BC}}}{\overline{\mathrm{AC}}}=\frac{6}{10}=\frac{3}{5}$

$\cos A=\frac{\overline{\mathrm{AB}}}{\overline{\mathrm{AC}}}=\frac{8}{10}=\frac{4}{5}$

$\tan A=\frac{\overline{\mathrm{BC}}}{\overline{\mathrm{AB}}}=\frac{6}{8}=\frac{3}{4}$

(2) $\sin C=\frac{\overline{\mathrm{AB}}}{\overline{\mathrm{AC}}}=\frac{8}{10}=\frac{4}{5}$

$\cos C=\frac{\overline{\mathrm{BC}}}{\overline{\mathrm{AC}}}=\frac{6}{10}=\frac{3}{5}$

$\tan C=\frac{\overline{\mathrm{AB}}}{\overline{\mathrm{BC}}}=\frac{8}{6}=\frac{4}{3}$

2 (1) $\overline{\mathrm{AC}}=\sqrt{3^2+(\sqrt{7})^2}=\sqrt{16}=4$

(2) $\sin A=\frac{\overline{\mathrm{BC}}}{\overline{\mathrm{AC}}}=\frac{\sqrt{7}}{4}$

$\cos A=\frac{\overline{\mathrm{AB}}}{\overline{\mathrm{AC}}}=\frac{3}{4}$

$\tan A=\frac{\overline{\mathrm{BC}}}{\overline{\mathrm{AB}}}=\frac{\sqrt{7}}{3}$

3 $\sin B=\frac{x}{10}=\frac{2}{5}$에서 $x=4$

4 주어진 조건을 만족하는 가장 간단한 직각삼각형 ABC를 그리면 오른쪽 그림과 같으므로

$\overline{\mathrm{AC}}=\sqrt{2^2+1^2}=\sqrt{5}$

$\therefore \cos A=\frac{\overline{\mathrm{AB}}}{\overline{\mathrm{AC}}}=\frac{2}{\sqrt{5}}=\frac{2\sqrt{5}}{5}$

5 (1) $\triangle \mathrm{ABC}$에서

$\overline{\mathrm{BC}}=\sqrt{4^2+3^2}=\sqrt{25}=5$

(2) $\triangle \mathrm{ABC} \backsim \triangle \mathrm{EBD}$ (AA 닮음)이므로

$\angle \mathrm{BCA}=\angle \mathrm{BDE}=\angle x$

(3) $\sin x=\sin(\angle \mathrm{BCA})=\frac{\overline{\mathrm{AB}}}{\overline{\mathrm{BC}}}=\frac{4}{5}$

$\cos x=\cos(\angle \mathrm{BCA})=\frac{\overline{\mathrm{AC}}}{\overline{\mathrm{BC}}}=\frac{3}{5}$

$\tan x=\tan(\angle \mathrm{BCA})=\frac{\overline{\mathrm{AB}}}{\overline{\mathrm{AC}}}=\frac{4}{3}$

6 (1) $\triangle \mathrm{ABC}$에서

$\overline{\mathrm{AC}}=\sqrt{13^2-5^2}=\sqrt{144}=12$

(2) $\triangle \mathrm{ABC} \backsim \triangle \mathrm{DBA}$ (AA 닮음)이므로

$\angle \mathrm{BCA}=\angle \mathrm{BAD}=\angle x$

(3) $\triangle \mathrm{ABC} \backsim \triangle \mathrm{DAC}$ (AA 닮음)이므로

$\angle \mathrm{ABC}=\angle \mathrm{DAC}=\angle y$

(4) $\sin x=\sin(\angle \mathrm{BCA})=\frac{\overline{\mathrm{AB}}}{\overline{\mathrm{BC}}}=\frac{5}{13}$

$\cos x=\cos(\angle \mathrm{BCA})=\frac{\overline{\mathrm{AC}}}{\overline{\mathrm{BC}}}=\frac{12}{13}$

$\tan x=\tan(\angle \mathrm{BCA})=\frac{\overline{\mathrm{AB}}}{\overline{\mathrm{AC}}}=\frac{5}{12}$

(5) $\sin y=\sin(\angle \mathrm{ABC})=\frac{\overline{\mathrm{AC}}}{\overline{\mathrm{BC}}}=\frac{12}{13}$

$\cos y=\cos(\angle \mathrm{ABC})=\frac{\overline{\mathrm{AB}}}{\overline{\mathrm{BC}}}=\frac{5}{13}$

$\tan y=\tan(\angle \mathrm{ABC})=\frac{\overline{\mathrm{AC}}}{\overline{\mathrm{AB}}}=\frac{12}{5}$

교과서 기출 베스트 1회 | 10쪽~11쪽

1 $\frac{15}{17}$	2 ⑤	3 20 cm	4 $\frac{15}{34}$
5 $\frac{\sqrt{5}}{2}$	6 $\frac{9}{20}$	7 $\frac{1}{5}$	8 $\frac{1}{2}$

1 $\sin B=\frac{\overline{\mathrm{AC}}}{\overline{\mathrm{AB}}}=\frac{8}{17}$, $\tan A=\frac{\overline{\mathrm{BC}}}{\overline{\mathrm{AC}}}=\frac{15}{8}$이므로

$\sin B\times\tan A=\frac{8}{17}\times\frac{15}{8}=\frac{15}{17}$

2 $\overline{\mathrm{AB}}=\sqrt{7^2-6^2}=\sqrt{13}$

① $\sin B=\frac{\overline{\mathrm{AC}}}{\overline{\mathrm{BC}}}=\frac{6}{7}$

② $\cos B=\frac{\overline{\mathrm{AB}}}{\overline{\mathrm{BC}}}=\frac{\sqrt{13}}{7}$

③ $\tan B=\frac{\overline{\mathrm{AC}}}{\overline{\mathrm{AB}}}=\frac{6}{\sqrt{13}}=\frac{6\sqrt{13}}{13}$

④ $\sin C=\frac{\overline{\mathrm{AB}}}{\overline{\mathrm{BC}}}=\frac{\sqrt{13}}{7}$

⑤ $\tan C=\frac{\overline{\mathrm{AB}}}{\overline{\mathrm{AC}}}=\frac{\sqrt{13}}{6}$

따라서 옳지 않은 것은 ⑤이다.

3 $\cos A=\frac{10}{\overline{\mathrm{AC}}}=\frac{\sqrt{5}}{5}$에서 $\overline{\mathrm{AC}}=10\sqrt{5}$ (cm)

$\therefore \overline{\mathrm{BC}}=\sqrt{(10\sqrt{5})^2-10^2}=\sqrt{400}=20$ (cm)

4 주어진 조건을 만족하는 가장 간단한 직각삼각형 ABC를 그리면 오른쪽 그림과 같으므로

A, B, C, 3, 5

$\overline{\mathrm{AB}}=\sqrt{5^2+3^2}=\sqrt{34}$

따라서 $\sin B=\frac{\overline{\mathrm{AC}}}{\overline{\mathrm{AB}}}=\frac{3}{\sqrt{34}}=\frac{3\sqrt{34}}{34}$,

$\cos B=\frac{\overline{\mathrm{BC}}}{\overline{\mathrm{AB}}}=\frac{5}{\sqrt{34}}=\frac{5\sqrt{34}}{34}$이므로

$\sin B\times\cos B=\frac{3\sqrt{34}}{34}\times\frac{5\sqrt{34}}{34}=\frac{15}{34}$

5 $\triangle\mathrm{BDE}\sim\triangle\mathrm{BAC}$ (AA 닮음)이므로

$\angle\mathrm{BDE}=\angle\mathrm{BAC}=x$

$\triangle\mathrm{BDE}$에서

$\overline{\mathrm{BE}}=\sqrt{12^2-8^2}=\sqrt{80}=4\sqrt{5}$ (cm)

$\therefore \tan x=\tan(\angle\mathrm{BDE})$

$=\frac{\overline{\mathrm{BE}}}{\overline{\mathrm{DE}}}=\frac{4\sqrt{5}}{8}=\frac{\sqrt{5}}{2}$

6 $\triangle\mathrm{ABC}\sim\triangle\mathrm{DBA}$ (AA 닮음)이므로

$\angle\mathrm{BCA}=\angle\mathrm{BAD}=x$

$\triangle\mathrm{ABC}\sim\triangle\mathrm{DAC}$ (AA 닮음)이므로

$\angle\mathrm{CBA}=\angle\mathrm{CAD}=y$

$\triangle\mathrm{ABC}$에서

$\overline{\mathrm{AB}}=\sqrt{10^2-8^2}=\sqrt{36}=6$

따라서 $\tan x=\tan(\angle\mathrm{BCA})=\frac{\overline{\mathrm{AB}}}{\overline{\mathrm{AC}}}=\frac{6}{8}=\frac{3}{4}$,

$\cos y=\cos(\angle\mathrm{CBA})=\frac{\overline{\mathrm{AB}}}{\overline{\mathrm{BC}}}=\frac{6}{10}=\frac{3}{5}$이므로

$\tan x\times\cos y=\frac{3}{4}\times\frac{3}{5}=\frac{9}{20}$

7 $\triangle\mathrm{BCD}$와 $\triangle\mathrm{CHD}$에서

$\angle\mathrm{D}$는 공통, $\angle\mathrm{BCD}=\angle\mathrm{CHD}=90^\circ$이므로

$\triangle\mathrm{BCD}\sim\triangle\mathrm{CHD}$ (AA 닮음)

$\therefore \angle\mathrm{DBC}=\angle\mathrm{DCH}=x$

중간

$\triangle$BCD에서 $\overline{DC}=\overline{AB}=9$이므로

$\overline{BD}=\sqrt{12^2+9^2}=\sqrt{225}=15$

따라서 $\cos x=\cos(\angle DBC)=\dfrac{\overline{BC}}{\overline{BD}}=\dfrac{12}{15}=\dfrac{4}{5}$,

$\sin x=\sin(\angle DBC)=\dfrac{\overline{CD}}{\overline{BD}}=\dfrac{9}{15}=\dfrac{3}{5}$이므로

$\cos x-\sin x=\dfrac{4}{5}-\dfrac{3}{5}=\dfrac{1}{5}$

8 $\triangle$HFG에서

$\overline{FH}=\sqrt{3^2+4^2}=\sqrt{25}=5\,(\text{cm})$

$\triangle$DFH에서

$\overline{DF}=\sqrt{5^2+5^2}=\sqrt{50}=5\sqrt{2}\,(\text{cm})$

따라서 $\sin x=\dfrac{\overline{DH}}{\overline{DF}}=\dfrac{5}{5\sqrt{2}}=\dfrac{\sqrt{2}}{2}$,

$\cos x=\dfrac{\overline{FH}}{\overline{DF}}=\dfrac{5}{5\sqrt{2}}=\dfrac{\sqrt{2}}{2}$이므로

$\sin x\times\cos x=\dfrac{\sqrt{2}}{2}\times\dfrac{\sqrt{2}}{2}=\dfrac{1}{2}$

교과서 기출 베스트 2회

12쪽~13쪽

1 $\dfrac{14}{25}$	2 ⑤	3 ③	4 $\dfrac{\sqrt{2}}{2}$
5 ④	6 $\dfrac{8}{5}$	7 $\dfrac{15}{17}$	8 ②

1 $\sin A=\dfrac{\overline{BC}}{\overline{AC}}=\dfrac{7}{25}$, $\cos C=\dfrac{\overline{BC}}{\overline{AC}}=\dfrac{7}{25}$이므로

$\sin A+\cos C=\dfrac{7}{25}+\dfrac{7}{25}=\dfrac{14}{25}$

2 주어진 조건을 만족하는 직각삼각형 ABC를 그리면 오른쪽 그림과 같으므로

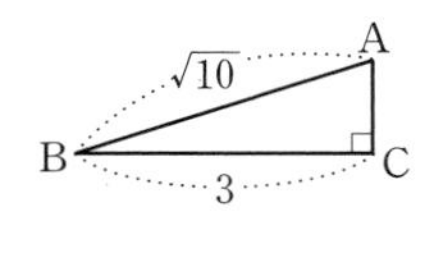

$\overline{AC}=\sqrt{(\sqrt{10})^2-3^2}=1$

① $\sin A=\dfrac{\overline{BC}}{\overline{AB}}=\dfrac{3}{\sqrt{10}}=\dfrac{3\sqrt{10}}{10}$

② $\tan A=\dfrac{\overline{BC}}{\overline{AC}}=\dfrac{3}{1}=3$

③ $\sin B=\dfrac{\overline{AC}}{\overline{AB}}=\dfrac{1}{\sqrt{10}}=\dfrac{\sqrt{10}}{10}$

④ $\cos B=\dfrac{\overline{BC}}{\overline{AB}}=\dfrac{3}{\sqrt{10}}=\dfrac{3\sqrt{10}}{10}$

⑤ $\tan B=\dfrac{\overline{AC}}{\overline{BC}}=\dfrac{1}{3}$

따라서 옳지 않은 것은 ⑤이다.

3 $\sin B=\dfrac{\overline{AC}}{2\sqrt{7}}=\dfrac{1}{2}$에서 $\overline{AC}=\sqrt{7}$이므로

$\overline{BC}=\sqrt{(2\sqrt{7})^2-(\sqrt{7})^2}=\sqrt{21}$

$\therefore\ \triangle ABC=\dfrac{1}{2}\times\sqrt{21}\times\sqrt{7}=\dfrac{7\sqrt{3}}{2}$

4 주어진 조건을 만족하는 가장 간단한 직각삼각형 ABC를 그리면 오른쪽 그림과 같으므로

$\overline{AB}=\sqrt{2^2-(\sqrt{2})^2}=\sqrt{2}$

따라서 $\cos A=\dfrac{\overline{AB}}{\overline{AC}}=\dfrac{\sqrt{2}}{2}$,

$\tan A=\dfrac{\overline{BC}}{\overline{AB}}=\dfrac{\sqrt{2}}{\sqrt{2}}=1$이므로

$\cos A\div\tan A=\dfrac{\sqrt{2}}{2}\div1=\dfrac{\sqrt{2}}{2}$

5 $\triangle$DCE$\backsim\triangle$ACB (AA 닮음)이므로

$\angle EDC=\angle BAC=x$

$\triangle$DCE에서 $\overline{DE}=\sqrt{3^2-2^2}=\sqrt{5}$

$\therefore\ \tan x=\tan(\angle EDC)$

$=\dfrac{\overline{CE}}{\overline{DE}}=\dfrac{2}{\sqrt{5}}=\dfrac{2\sqrt{5}}{5}$

6 $\triangle ABC \backsim \triangle DBA$ (AA 닮음)이므로
$\angle BCA = \angle BAD = x$
$\triangle ABC \backsim \triangle DAC$ (AA 닮음)이므로
$\angle CBA = \angle CAD = y$
$\triangle ABC$에서
$\overline{BC} = \sqrt{4^2+3^2} = \sqrt{25} = 5$
따라서 $\sin x = \sin(\angle BCA) = \frac{\overline{AB}}{\overline{BC}} = \frac{4}{5}$,
$\cos y = \cos(\angle CBA) = \frac{\overline{AB}}{\overline{BC}} = \frac{4}{5}$이므로
$\sin x + \cos y = \frac{4}{5} + \frac{4}{5} = \frac{8}{5}$

7 $\triangle ABD$와 $\triangle HAD$에서
$\angle D$는 공통, $\angle BAD = \angle AHD = 90°$이므로
$\triangle ABD \backsim \triangle HAD$ (AA 닮음)
$\therefore \angle DBA = \angle DAH = x$
$\triangle ABD$에서 $\overline{AD} = \overline{BC} = 15$이므로
$\overline{BD} = \sqrt{8^2+15^2} = \sqrt{289} = 17$
따라서 $\tan x = \tan(\angle DBA) = \frac{\overline{AD}}{\overline{AB}} = \frac{15}{8}$,
$\cos x = \cos(\angle DBA) = \frac{\overline{AB}}{\overline{BD}} = \frac{8}{17}$이므로
$\tan x \times \cos x = \frac{15}{8} \times \frac{8}{17} = \frac{15}{17}$

8 $\triangle EFG$에서
$\overline{EG} = \sqrt{2^2+2^2} = \sqrt{8} = 2\sqrt{2}$
$\triangle AEG$에서
$\overline{AG} = \sqrt{2^2+(2\sqrt{2})^2} = \sqrt{12} = 2\sqrt{3}$
따라서 $\sin x = \frac{\overline{AE}}{\overline{AG}} = \frac{2}{2\sqrt{3}} = \frac{\sqrt{3}}{3}$,
$\tan x = \frac{\overline{AE}}{\overline{EG}} = \frac{2}{2\sqrt{2}} = \frac{\sqrt{2}}{2}$이므로
$\sin x \times \tan x = \frac{\sqrt{3}}{3} \times \frac{\sqrt{2}}{2} = \frac{\sqrt{6}}{6}$

2일 삼각비의 값

시험지 속 개념 문제

17쪽, 19쪽

1 (1) 1 (2) $\frac{\sqrt{3}}{6}$ (3) $\frac{\sqrt{3}}{2}$ (4) $\sqrt{2}$ (5) 1
2 (1) $x=4\sqrt{2}$, $y=4\sqrt{2}$ (2) $x=6$, $y=3\sqrt{3}$
3 (1) 0.6691 (2) 0.7431 (3) 0.9004 (4) 0.7431 (5) 0.6691
4 ㉠, ㉢
5 ㉡, ㉢, ㉠, ㉣
6 (1) $\frac{3}{2}$ (2) 1
7 1.2799
8 55
9 $x=6.9$, $y=7.2$
10 ④

1 (1) $\sin 30° + \cos 60° = \frac{1}{2} + \frac{1}{2} = 1$
(2) $\sin 60° - \tan 30° = \frac{\sqrt{3}}{2} - \frac{\sqrt{3}}{3} = \frac{\sqrt{3}}{6}$
(3) $\tan 45° \times \sin 60° = 1 \times \frac{\sqrt{3}}{2} = \frac{\sqrt{3}}{2}$
(4) $\sin 45° + \cos 45° = \frac{\sqrt{2}}{2} + \frac{\sqrt{2}}{2} = \sqrt{2}$
(5) $\sin 30° \times \tan 60° \div \cos 30° = \frac{1}{2} \times \sqrt{3} \div \frac{\sqrt{3}}{2}$
$= 1$

2 (1) $\sin 45° = \frac{x}{8} = \frac{\sqrt{2}}{2}$에서 $x = 4\sqrt{2}$
$\cos 45° = \frac{y}{8} = \frac{\sqrt{2}}{2}$에서 $y = 4\sqrt{2}$
(2) $\sin 30° = \frac{3}{x} = \frac{1}{2}$에서 $x = 6$
$\tan 30° = \frac{3}{y} = \frac{\sqrt{3}}{3}$에서 $y = 3\sqrt{3}$

3 (1) $\sin 42° = \frac{\overline{AB}}{\overline{OA}} = \frac{0.6691}{1} = 0.6691$
(2) $\cos 42° = \frac{\overline{OB}}{\overline{OA}} = \frac{0.7431}{1} = 0.7431$

중간

(3) $\tan 42^\circ=\dfrac{\overline{CD}}{\overline{OD}}=\dfrac{0.9004}{1}=0.9004$

$\triangle$AOB에서

$\angle OAB=180^\circ-(42^\circ+90^\circ)=48^\circ$이므로

(4) $\sin 48^\circ=\dfrac{\overline{OB}}{\overline{OA}}=\dfrac{0.7431}{1}=0.7431$

(5) $\cos 48^\circ=\dfrac{\overline{AB}}{\overline{OA}}=\dfrac{0.6691}{1}=0.6691$

4 ㉠ $\sin x=\dfrac{\overline{BC}}{\overline{AC}}=\dfrac{\overline{BC}}{1}=\overline{BC}$

$\overline{BC}\,/\!/\,\overline{DE}$이므로 $\angle y=\angle z$

㉡ $\tan y=\tan z=\dfrac{\overline{AD}}{\overline{DE}}=\dfrac{1}{\overline{DE}}$

㉢ $\cos z=\cos y=\dfrac{\overline{BC}}{\overline{AC}}=\dfrac{\overline{BC}}{1}=\overline{BC}$

따라서 옳은 것은 ㉠, ㉢이다.

5 ㉠ $\cos 0^\circ=1$

㉡ $\sin 0^\circ=0$

㉢ $\cos 30^\circ=\dfrac{\sqrt{3}}{2}$

㉣ $\tan 60^\circ=\sqrt{3}$

따라서 삼각비의 값을 작은 것부터 차례대로 나열하면 ㉡, ㉢, ㉠, ㉣이다.

6 (1) $\sin 90^\circ+\sin 60^\circ\times\tan 30^\circ$

$=1+\dfrac{\sqrt{3}}{2}\times\dfrac{\sqrt{3}}{3}=1+\dfrac{1}{2}=\dfrac{3}{2}$

(2) $\cos 0^\circ\times\sin 30^\circ+\sin 90^\circ\times\cos 60^\circ$

$=1\times\dfrac{1}{2}+1\times\dfrac{1}{2}=\dfrac{1}{2}+\dfrac{1}{2}=1$

7 $\sin 52^\circ=0.7880$이므로 $x=52^\circ$

$\therefore \tan 52^\circ=1.2799$

8 $\cos 27^\circ=0.8910$이므로 $x=27$

$\tan 28^\circ=0.5317$이므로 $y=28$

$\therefore x+y=27+28=55$

9 $\overline{AC}=10\sin 44^\circ=10\times0.69=6.9$

$\therefore x=6.9$

$\overline{AB}=10\cos 44^\circ=10\times0.72=7.2$

$\therefore y=7.2$

10 $\angle A=180^\circ-(32^\circ+90^\circ)=58^\circ$

$\overline{AB}=\dfrac{5}{\sin 32^\circ}$ 또는 $\overline{AB}=\dfrac{5}{\cos 58^\circ}$

$\overline{BC}=5\tan 58^\circ$ 또는 $\overline{BC}=\dfrac{5}{\tan 32^\circ}$

따라서 옳은 것은 ④이다.

교과서 기출 베스트 1회

20쪽~21쪽

1 $\dfrac{3}{2}$	2 30°	3 $3\sqrt{2}$	4 ③, ⑤
5 ⑤	6 0.9601	7 ②, ③	8 30.3 m

1 $\cos 45^\circ\times\sin 45^\circ+\tan 45^\circ=\dfrac{\sqrt{2}}{2}\times\dfrac{\sqrt{2}}{2}+1$

$=\dfrac{1}{2}+1=\dfrac{3}{2}$

2 $\sin 45^\circ=\dfrac{\sqrt{2}}{2}$이므로 $2x-15^\circ=45^\circ$

$2x=60^\circ \quad \therefore x=30^\circ$

3 △ABC에서

$\overline{BC}=\sqrt{3}\tan 60^\circ=\sqrt{3}\times\sqrt{3}=3$

△BCD에서

$\overline{BD}=\dfrac{3}{\sin 45^\circ}=3\div\dfrac{\sqrt{2}}{2}=3\sqrt{2}$

4 ① $\sin x=\dfrac{\overline{BC}}{\overline{AC}}=\dfrac{\overline{BC}}{1}=\overline{BC}$

② $\tan x=\dfrac{\overline{DE}}{\overline{AD}}=\dfrac{\overline{DE}}{1}=\overline{DE}$

③ $\sin y=\dfrac{\overline{AB}}{\overline{AC}}=\dfrac{\overline{AB}}{1}=\overline{AB}$

④ $\cos y=\dfrac{\overline{BC}}{\overline{AC}}=\dfrac{\overline{BC}}{1}=\overline{BC}$

⑤ $\tan y=\dfrac{\overline{AD}}{\overline{DE}}=\dfrac{1}{\overline{DE}}$

따라서 옳지 않은 것은 ③, ⑤이다.

5 $\sin 45^\circ\times\cos 90^\circ+\cos 30^\circ\times\tan 60^\circ+\tan 0^\circ$

$=\dfrac{\sqrt{2}}{2}\times 0+\dfrac{\sqrt{3}}{2}\times\sqrt{3}+0$

$=0+\dfrac{3}{2}+0=\dfrac{3}{2}$

6 $\tan 40^\circ+\cos 39^\circ-\sin 41^\circ$

$=0.8391+0.7771-0.6561$

$=0.9601$

7 $\angle C=180^\circ-(35^\circ+90^\circ)=55^\circ$이므로

$x=5\cos 35^\circ$ 또는 $x=5\sin 55^\circ$

8 $\overline{AC}=60\sin 29^\circ=60\times 0.48=28.8\ (\text{m})$

이때 $\overline{CD}=1.5$ m이므로

지면으로부터 연까지의 높이 $\overline{AD}$의 길이는

$\overline{AD}=\overline{AC}+\overline{CD}$

$=28.8+1.5=30.3\ (\text{m})$

교과서 기출 베스트 2회 | 22쪽~23쪽

1 ③	2 $\sqrt{2}$	3 8	4 0.22
5 ②	6 1.2711	7 5.298	
8 $(20\sqrt{3}+60)$ m			

1 $(\tan 30^\circ-\cos 30^\circ)\div\tan 60^\circ$

$=\left(\dfrac{\sqrt{3}}{3}-\dfrac{\sqrt{3}}{2}\right)\div\sqrt{3}$

$=-\dfrac{\sqrt{3}}{6}\div\sqrt{3}$

$=-\dfrac{1}{6}$

2 $\tan 60^\circ=\sqrt{3}$이므로

$x+15^\circ=60^\circ\qquad\therefore x=45^\circ$

$\therefore \sin 45^\circ+\cos 45^\circ=\dfrac{\sqrt{2}}{2}+\dfrac{\sqrt{2}}{2}=\sqrt{2}$

3 △ABD에서

$\overline{AD}=4\sqrt{2}\sin 45^\circ=4\sqrt{2}\times\dfrac{\sqrt{2}}{2}=4$

△ADC에서

$\overline{AC}=\dfrac{4}{\sin 30^\circ}=4\div\dfrac{1}{2}=8$

4 $\sin 50^\circ=\dfrac{\overline{AB}}{\overline{OA}}=\dfrac{\overline{AB}}{1}=\overline{AB}=0.77$

$\cos 50^\circ=\dfrac{\overline{OB}}{\overline{OA}}=\dfrac{\overline{OB}}{1}=\overline{OB}=0.64$

$\tan 50^\circ=\dfrac{\overline{CD}}{\overline{OD}}=\dfrac{\overline{CD}}{1}=\overline{CD}=1.19$

$\therefore \sin 50^\circ+\cos 50^\circ-\tan 50^\circ=0.77+0.64-1.19$

$=0.22$

5 ① $\tan 0^\circ=0$, $\sin 90^\circ=1$이므로 $\tan 0^\circ \neq \sin 90^\circ$

② $\sin 0^\circ+\cos 0^\circ=0+1=1$

③ $\sin 0^\circ \times \tan 45^\circ=0\times 1=0$

④ $\tan 30^\circ \times \cos 60^\circ=\frac{\sqrt{3}}{3}\times\frac{1}{2}=\frac{\sqrt{3}}{6}$

⑤ $\cos 0^\circ \times \sin 30^\circ=1\times\frac{1}{2}=\frac{1}{2}$

따라서 옳은 것은 ②이다.

6 $\sin 36^\circ=0.5878$이므로 $x=36^\circ$

$\cos 33^\circ=0.8387$이므로 $y=33^\circ$

$\therefore \tan x+\sin y=\tan 36^\circ+\sin 33^\circ$

$=0.7265+0.5446$

$=1.2711$

7 $\angle B=180^\circ-(67^\circ+90^\circ)=23^\circ$

$\overline{BC}=10\cos 23^\circ=10\times 0.9205=9.205$

$\therefore x=9.205$

$\overline{AC}=10\sin 23^\circ=10\times 0.3907=3.907$

$\therefore y=3.907$

$\therefore x-y=9.205-3.907=5.298$

8 $\triangle AHC$에서 $\overline{AH}=\overline{BD}=60$ m이므로

$\overline{CH}=60\tan 30^\circ=60\times\frac{\sqrt{3}}{3}=20\sqrt{3}$ (m)

$\triangle ADH$에서

$\overline{HD}=60\tan 45^\circ=60\times 1=60$ (m)

따라서 아파트의 높이 $\overline{CD}$의 길이는

$\overline{CD}=\overline{CH}+\overline{HD}=20\sqrt{3}+60$ (m)

3일 삼각비의 활용

시험지 속 개념 문제 | 27쪽, 29쪽

1 ㉠, ㉣

2 (1) $4\sqrt{2}$ (2) 60° (3) $\frac{8\sqrt{6}}{3}$

3 (1) $\sqrt{3}h$ (2) h (3) $2(\sqrt{3}-1)$

4 (1) h (2) $\frac{\sqrt{3}}{3}h$ (3) $3+\sqrt{3}$

5 (1) 14 (2) $26\sqrt{3}$ (3) $3\sqrt{2}$ (4) $5\sqrt{3}$

6 (1) $40\sqrt{3}$ (2) 36

7 (1) 18 (2) $14\sqrt{2}$

1 ㉠ $\triangle ABH$에서

$\overline{AH}=4\sqrt{2}\sin 45^\circ=4\sqrt{2}\times\frac{\sqrt{2}}{2}=4$

㉡ $\triangle ABH$에서

$\overline{BH}=4\sqrt{2}\cos 45^\circ=4\sqrt{2}\times\frac{\sqrt{2}}{2}=4$

㉢ $\overline{CH}=\overline{BC}-\overline{BH}=10-4=6$

㉣ $\triangle AHC$에서

$\overline{AC}=\sqrt{4^2+6^2}=\sqrt{52}=2\sqrt{13}$

따라서 옳은 것은 ㉠, ㉣이다.

2 (1) $\triangle BCH$에서

$\overline{BH}=8\sin 45^\circ=8\times\frac{\sqrt{2}}{2}=4\sqrt{2}$

(2) $\angle A=180^\circ-(75^\circ+45^\circ)=60^\circ$

(3) $\triangle ABH$에서

$\overline{AB}=\frac{4\sqrt{2}}{\sin 60^\circ}=4\sqrt{2}\div\frac{\sqrt{3}}{2}=\frac{8\sqrt{6}}{3}$

3 (1) $\triangle ABH$에서

$\angle BAH=180^\circ-(30^\circ+90^\circ)=60^\circ$이므로

$\overline{BH}=h\tan 60^\circ=\sqrt{3}h$

(2) △AHC에서

$\angle CAH = 180^\circ - (45^\circ + 90^\circ) = 45^\circ$이므로

$\overline{CH} = h \tan 45^\circ = h$

(3) $\overline{BC} = \overline{BH} + \overline{CH}$이므로

$4 = \sqrt{3}h + h$, $(\sqrt{3}+1)h = 4$

$\therefore h = \dfrac{4}{\sqrt{3}+1} = \dfrac{4(\sqrt{3}-1)}{(\sqrt{3}+1)(\sqrt{3}-1)}$

$= 2(\sqrt{3}-1)$

4 (1) △ABH에서

$\angle BAH = 180^\circ - (45^\circ + 90^\circ) = 45^\circ$이므로

$\overline{BH} = h \tan 45^\circ = h$

(2) △ACH에서

$\angle CAH = 120^\circ - 90^\circ = 30^\circ$이므로

$\overline{CH} = h \tan 30^\circ = \dfrac{\sqrt{3}}{3}h$

(3) $\overline{BC} = \overline{BH} - \overline{CH}$이므로

$2 = h - \dfrac{\sqrt{3}}{3}h$, $\dfrac{3-\sqrt{3}}{3}h = 2$

$\therefore h = \dfrac{6}{3-\sqrt{3}} = \dfrac{6(3+\sqrt{3})}{(3-\sqrt{3})(3+\sqrt{3})}$

$= 3+\sqrt{3}$

5 (1) $\triangle ABC = \dfrac{1}{2} \times 7 \times 8 \times \sin 30^\circ$

$= \dfrac{1}{2} \times 7 \times 8 \times \dfrac{1}{2} = 14$

(2) $\triangle ABC = \dfrac{1}{2} \times 8 \times 13 \times \sin 60^\circ$

$= \dfrac{1}{2} \times 8 \times 13 \times \dfrac{\sqrt{3}}{2} = 26\sqrt{3}$

(3) $\triangle ABC = \dfrac{1}{2} \times 4 \times 3 \times \sin(180^\circ - 135^\circ)$

$= \dfrac{1}{2} \times 4 \times 3 \times \dfrac{\sqrt{2}}{2} = 3\sqrt{2}$

(4) $\triangle ABC = \dfrac{1}{2} \times 4 \times 5 \times \sin(180^\circ - 120^\circ)$

$= \dfrac{1}{2} \times 4 \times 5 \times \dfrac{\sqrt{3}}{2} = 5\sqrt{3}$

6 (1) $\square ABCD = 8 \times 10 \times \sin 60^\circ$

$= 8 \times 10 \times \dfrac{\sqrt{3}}{2} = 40\sqrt{3}$

(2) $\square ABCD = 8 \times 9 \times \sin(180^\circ - 150^\circ)$

$= 8 \times 9 \times \dfrac{1}{2} = 36$

7 (1) $\square ABCD = \dfrac{1}{2} \times 6 \times 4\sqrt{3} \times \sin 60^\circ$

$= \dfrac{1}{2} \times 6 \times 4\sqrt{3} \times \dfrac{\sqrt{3}}{2} = 18$

(2) $\square ABCD = \dfrac{1}{2} \times 8 \times 7 \times \sin(180^\circ - 135^\circ)$

$= \dfrac{1}{2} \times 8 \times 7 \times \dfrac{\sqrt{2}}{2} = 14\sqrt{2}$

교과서 기출 베스트 1회 | 30쪽~31쪽

1 $2\sqrt{3}$	2 $10\sqrt{6}$ m	3 $10(3-\sqrt{3})$ m
4 ③	5 9 cm	6 $14\sqrt{3}$ cm^2
7 $85\sqrt{3}$ cm^2	8 $18\sqrt{3}$ cm^2	

1 오른쪽 그림과 같이 꼭짓점 A에서 $\overline{BC}$에 내린 수선의 발을 H라 하면

△AHC에서

$\overline{AH} = 6 \sin 30^\circ = 6 \times \dfrac{1}{2} = 3$

$\overline{CH} = 6 \cos 30^\circ = 6 \times \dfrac{\sqrt{3}}{2} = 3\sqrt{3}$

이때 $\overline{BH} = \overline{BC} - \overline{CH} = 4\sqrt{3} - 3\sqrt{3} = \sqrt{3}$이므로

△ABH에서

$\overline{AB} = \sqrt{(\sqrt{3})^2 + 3^2} = \sqrt{12} = 2\sqrt{3}$

2 오른쪽 그림과 같이 꼭짓점 C에서 $\overline{AB}$에 내린 수선의 발을 H라 하면

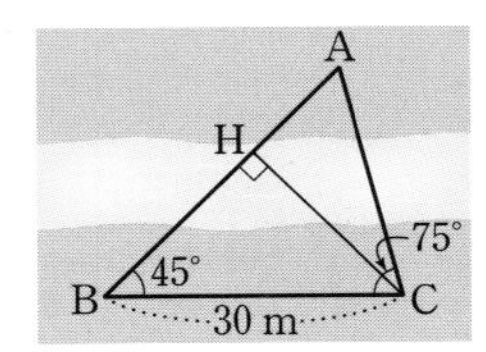

△BCH에서

$\overline{CH}=30\sin 45^\circ$

$=30\times\dfrac{\sqrt{2}}{2}=15\sqrt{2}\ (\text{m})$

△ABC에서

$\angle A=180^\circ-(45^\circ+75^\circ)=60^\circ$이므로

△AHC에서

$\overline{AC}=\dfrac{15\sqrt{2}}{\sin 60^\circ}=15\sqrt{2}\div\dfrac{\sqrt{3}}{2}=10\sqrt{6}\ (\text{m})$

3 오른쪽 그림과 같이 꼭짓점 A에서 $\overline{BC}$에 내린 수선의 발을 H, $\overline{AH}=h$ m라 하면

△ABH에서

$\angle BAH=180^\circ-(45^\circ+90^\circ)=45^\circ$이므로

$\overline{BH}=h\tan 45^\circ=h\ (\text{m})$

△AHC에서

$\angle CAH=180^\circ-(60^\circ+90^\circ)=30^\circ$이므로

$\overline{CH}=h\tan 30^\circ=\dfrac{\sqrt{3}}{3}h\ (\text{m})$

이때 $\overline{BC}=\overline{BH}+\overline{CH}$이므로

$20=h+\dfrac{\sqrt{3}}{3}h,\ \dfrac{3+\sqrt{3}}{3}h=20$

$\therefore h=\dfrac{60}{3+\sqrt{3}}=\dfrac{60(3-\sqrt{3})}{(3+\sqrt{3})(3-\sqrt{3})}$

$=10(3-\sqrt{3})$

따라서 새의 높이는 $10(3-\sqrt{3})$ m이다.

4 △ABD에서

$\angle BAD=180^\circ-(40^\circ+90^\circ)=50^\circ$이므로

$\overline{BD}=h\tan 50^\circ\ (\text{m})$

△ACD에서

$\angle CAD=180^\circ-(45^\circ+90^\circ)=45^\circ$이므로

$\overline{CD}=h\tan 45^\circ=h\ (\text{m})$

이때 $\overline{BC}=\overline{BD}-\overline{CD}$이므로

$100=h\tan 50^\circ-h,\ (\tan 50^\circ-1)h=100$

$\therefore h=\dfrac{100}{\tan 50^\circ-1}$

5 $\dfrac{1}{2}\times 12\times\overline{BC}\times\sin(180^\circ-135^\circ)=27\sqrt{2}$이므로

$\dfrac{1}{2}\times 12\times\overline{BC}\times\dfrac{\sqrt{2}}{2}=27\sqrt{2}$

$3\sqrt{2}\ \overline{BC}=27\sqrt{2}\qquad\therefore \overline{BC}=9\ (\text{cm})$

6 오른쪽 그림과 같이 $\overline{BD}$를 그으면

□ABCD

$=\triangle ABD+\triangle BCD$

$=\dfrac{1}{2}\times 4\times 2\sqrt{3}\times\sin(180^\circ-150^\circ)$

$+\dfrac{1}{2}\times 8\times 6\times\sin 60^\circ$

$=\dfrac{1}{2}\times 4\times 2\sqrt{3}\times\dfrac{1}{2}+\dfrac{1}{2}\times 8\times 6\times\dfrac{\sqrt{3}}{2}$

$=2\sqrt{3}+12\sqrt{3}=14\sqrt{3}\ (\text{cm}^2)$

7 △ABC에서

$\overline{AC}=20\sin 60^\circ=20\times\dfrac{\sqrt{3}}{2}=10\sqrt{3}\ (\text{cm})$

$\therefore$ □ABCD$=\triangle ABC+\triangle ACD$

$=\dfrac{1}{2}\times 10\times 20\times\sin 60^\circ$

$+\dfrac{1}{2}\times 10\sqrt{3}\times 14\times\sin 30^\circ$

$=\dfrac{1}{2}\times 10\times 20\times\dfrac{\sqrt{3}}{2}$

$+\dfrac{1}{2}\times 10\sqrt{3}\times 14\times\dfrac{1}{2}$

$=50\sqrt{3}+35\sqrt{3}=85\sqrt{3}\ (\text{cm}^2)$

참고

$\triangle$ABC에서 $\angle BAC=90°$이므로 $\triangle$ABC의 넓이를 다음과 같이 구할 수도 있다.

$$\triangle ABC=\frac{1}{2}\times\overline{AB}\times\overline{AC}$$
$$=\frac{1}{2}\times10\times10\sqrt{3}$$
$$=50\sqrt{3}\ (\text{cm}^2)$$

8 □ABCD는 $\overline{AB}=\overline{AD}=6$ cm인 평행사변형이므로

$$\square ABCD=6\times6\times\sin(180°-120°)$$
$$=6\times6\times\frac{\sqrt{3}}{2}=18\sqrt{3}\ (\text{cm}^2)$$

교과서 기출 베스트 2회 | 32쪽~33쪽

1 ⑤	2 $6\sqrt{6}$	3 ③	4 $5\sqrt{3}$ m
5 60°	6 ⑤	7 39 cm²	8 12 cm

1 오른쪽 그림과 같이 꼭짓점 B에서 $\overline{AC}$에 내린 수선의 발을 H라 하면

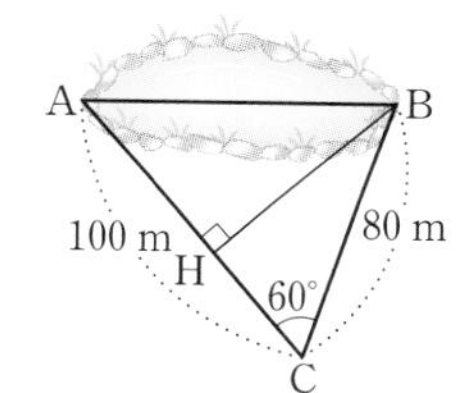

$\triangle$BHC에서

$$\overline{BH}=80\sin60°$$
$$=80\times\frac{\sqrt{3}}{2}=40\sqrt{3}\ (\text{m})$$

$$\overline{CH}=80\cos60°=80\times\frac{1}{2}=40\ (\text{m})$$

이때 $\overline{AH}=\overline{AC}-\overline{CH}=100-40=60$ (m)이므로

$\triangle$AHB에서

$$\overline{AB}=\sqrt{60^2+(40\sqrt{3})^2}=\sqrt{8400}=20\sqrt{21}\ (\text{m})$$

2 오른쪽 그림과 같이 꼭짓점 A에서 $\overline{BC}$에 내린 수선의 발을 H라 하면

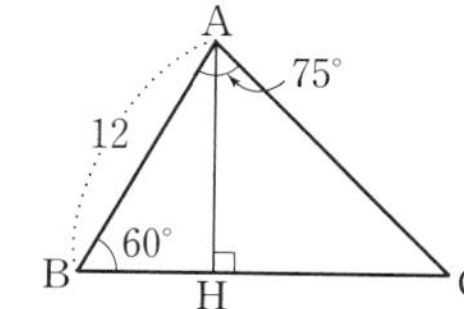

$\triangle$ABH에서

$$\overline{AH}=12\sin60°=12\times\frac{\sqrt{3}}{2}=6\sqrt{3}$$

$\triangle$ABC에서

$\angle C=180°-(75°+60°)=45°$이므로

$\triangle$AHC에서

$$\overline{AC}=\frac{6\sqrt{3}}{\sin45°}=6\sqrt{3}\div\frac{\sqrt{2}}{2}=6\sqrt{6}$$

3 $\overline{AH}=h$라 하면

$\triangle$ABH에서

$\angle BAH=180°-(45°+90°)=45°$이므로

$\overline{BH}=h\tan45°=h$

$\triangle$AHC에서

$\angle CAH=180°-(30°+90°)=60°$이므로

$\overline{CH}=h\tan60°=\sqrt{3}h$

이때 $\overline{BC}=\overline{BH}+\overline{CH}$이므로

$8=h+\sqrt{3}h$, $(1+\sqrt{3})h=8$

$$\therefore h=\frac{8}{1+\sqrt{3}}=\frac{8(1-\sqrt{3})}{(1+\sqrt{3})(1-\sqrt{3})}$$
$$=4(\sqrt{3}-1)$$

따라서 $\overline{AH}$의 길이는 $4(\sqrt{3}-1)$이다.

4 $\overline{CD}=h$ m라 하면

$\triangle$ACD에서

$\angle ADC=180°-(30°+90°)=60°$이므로

$\overline{AC}=h\tan60°=\sqrt{3}h$ (m)

$\triangle$BCD에서

$\angle BDC=180°-(60°+90°)=30°$이므로

$$\overline{BC}=h\tan30°=\frac{\sqrt{3}}{3}h\ (\text{m})$$

이때 $\overline{AB}=\overline{AC}-\overline{BC}$이므로

$$10=\sqrt{3}h-\frac{\sqrt{3}}{3}h,\ \frac{2\sqrt{3}}{3}h=10$$

$$\therefore h=\frac{30}{2\sqrt{3}}=5\sqrt{3}$$

따라서 건물의 높이는 $5\sqrt{3}$ m이다.

5 $\frac{1}{2}\times 8\times 5\times \sin B=10\sqrt{3}$이므로

$20\sin B=10\sqrt{3}$, $\sin B=\frac{\sqrt{3}}{2}$

이때 $0^\circ<\angle B<90^\circ$이므로 $\angle B=60^\circ$

6 오른쪽 그림과 같이 $\overline{AC}$를 그으면

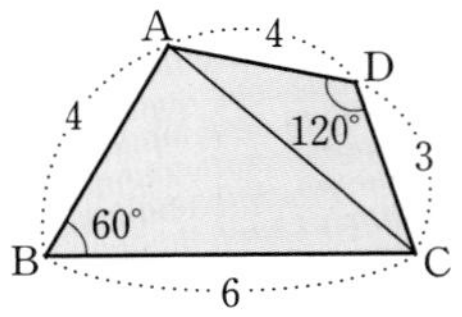

$\square ABCD$

$=\triangle ABC+\triangle ACD$

$=\frac{1}{2}\times 4\times 6\times \sin 60^\circ+\frac{1}{2}\times 4\times 3\times \sin(180^\circ-120^\circ)$

$=\frac{1}{2}\times 4\times 6\times \frac{\sqrt{3}}{2}+\frac{1}{2}\times 4\times 3\times \frac{\sqrt{3}}{2}$

$=6\sqrt{3}+3\sqrt{3}=9\sqrt{3}$

7 $\triangle ABC$에서 $\overline{AC}=\sqrt{6^2+8^2}=\sqrt{100}=10\ (\text{cm})$

$\therefore \square ABCD=\triangle ABC+\triangle ACD$

$=\frac{1}{2}\times 6\times 8+\frac{1}{2}\times 10\times 6\times \sin 30^\circ$

$=24+\frac{1}{2}\times 10\times 6\times \frac{1}{2}$

$=24+15=39\ (\text{cm}^2)$

8 $\frac{1}{2}\times 10\times \overline{BD}\times \sin 45^\circ=30\sqrt{2}$이므로

$\frac{1}{2}\times 10\times \overline{BD}\times \frac{\sqrt{2}}{2}=30\sqrt{2}$

$\frac{5\sqrt{2}}{2}\overline{BD}=30\sqrt{2}$ $\quad\therefore \overline{BD}=12\ (\text{cm})$

4일 원과 현

시험지 속 개념 문제 | 37쪽

1 (1) 6 (2) $2\sqrt{14}$

2 (1) 8 (2) 2

3 $4\sqrt{3}$ cm

4 $2\sqrt{21}$ cm

5 63°

6 정삼각형

1 (1) $\triangle OAM$에서

$\overline{AM}=\sqrt{5^2-4^2}=\sqrt{9}=3\ (\text{cm})$

$\therefore \overline{AB}=2\overline{AM}=2\times 3=6\ (\text{cm})$

$\therefore x=6$

(2) $\overline{AM}=\frac{1}{2}\overline{AB}=\frac{1}{2}\times 10=5\ (\text{cm})$

$\triangle OMA$에서

$\overline{OM}=\sqrt{9^2-5^2}=\sqrt{56}=2\sqrt{14}\ (\text{cm})$

$\therefore x=2\sqrt{14}$

2 (1) $\overline{OM}=\overline{ON}$이므로 $\overline{AB}=\overline{CD}=16$ cm

$\therefore \overline{AM}=\frac{1}{2}\overline{AB}=\frac{1}{2}\times 16=8\ (\text{cm})$

$\therefore x=8$

(2) $\overline{CD}=2\overline{CN}=2\times 3=6\ (\text{cm})$이므로

$\overline{AB}=\overline{CD}$

$\therefore \overline{OM}=\overline{ON}=2$ cm

$\therefore x=2$

3 오른쪽 그림과 같이 $\overline{OA}$를 그으면

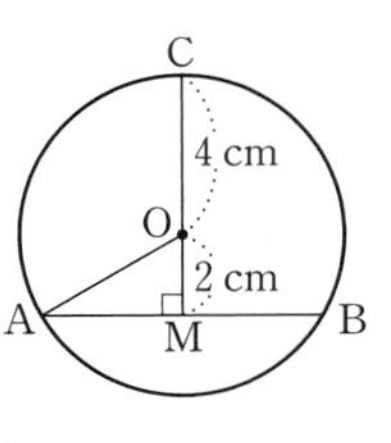

$\overline{OA}=\overline{OC}=4$ cm

$\triangle OAM$에서

$\overline{AM}=\sqrt{4^2-2^2}$

$=\sqrt{12}=2\sqrt{3}\ (\text{cm})$

$\therefore \overline{AB}=2\overline{AM}=2\times 2\sqrt{3}=4\sqrt{3}\ (\text{cm})$

4 △OAM에서
$\overline{AM}=\sqrt{5^2-2^2}=\sqrt{21}$ (cm)
$\therefore \overline{AB}=2\overline{AM}=2\times\sqrt{21}=2\sqrt{21}$ (cm)
이때 $\overline{OM}=\overline{ON}$이므로
$\overline{CD}=\overline{AB}=2\sqrt{21}$ cm

5 $\overline{OM}=\overline{ON}$이므로 $\overline{AB}=\overline{AC}$
즉 △ABC는 이등변삼각형이므로
$\angle x=\frac{1}{2}\times(180°-54°)=63°$

6 $\overline{OD}=\overline{OE}=\overline{OF}$이므로 $\overline{AB}=\overline{BC}=\overline{CA}$
즉 △ABC는 정삼각형이다.

교과서 기출 베스트 ①회 | 38쪽~39쪽

1 4 cm	2 13 cm	3 25π cm²	4 $4\sqrt{3}$ cm
5 7	6 8 cm	7 70°	8 30 cm

1 $\overline{AM}=\overline{BM}=8$ cm이므로
△OAM에서
$\overline{OM}=\sqrt{10^2-8^2}=\sqrt{36}=6$ (cm)
$\therefore \overline{CM}=\overline{OC}-\overline{OM}=10-6=4$ (cm)

2 원 O의 반지름의 길이를 r cm라 하면
$\overline{OA}=\overline{OC}=r$ cm, $\overline{OM}=(r-8)$ cm
△OAM에서
$r^2=12^2+(r-8)^2$, $16r=208$
$\therefore r=13$
따라서 원 O의 반지름의 길이는 13 cm이다.

3 오른쪽 그림과 같이 $\overline{CM}$의 연장선을 그으면 원의 중심 O를 지나므로 $\overline{OA}$를 긋고 원 O의 반지름의 길이를 r cm라 하면 $\overline{OA}=\overline{OC}=r$ cm
$\overline{OM}=(r-2)$ cm

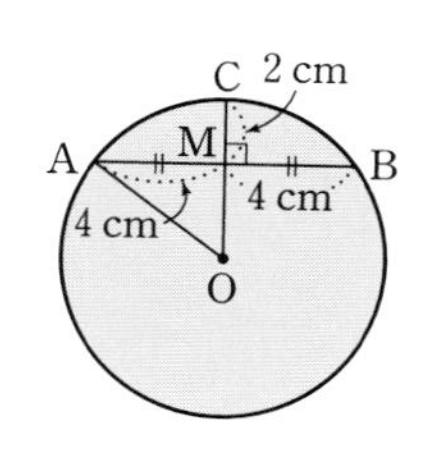

△AOM에서
$r^2=4^2+(r-2)^2$, $4r=20$
$\therefore r=5$
따라서 원 O의 넓이는
$\pi\times5^2=25\pi$ (cm²)

4 오른쪽 그림과 같이 원의 중심 O에서 $\overline{AB}$에 내린 수선의 발을 M이라 하면
$\overline{AM}=\frac{1}{2}\overline{AB}=\frac{1}{2}\times12=6$ (cm)

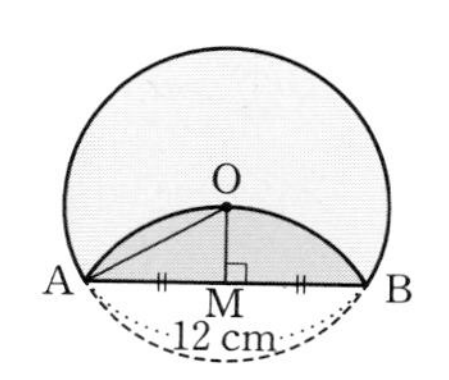

$\overline{OA}$를 긋고 원 O의 반지름의 길이를 r cm라 하면
$\overline{OA}=r$ cm
$\overline{OM}=\frac{1}{2}\overline{OA}=\frac{r}{2}$ (cm)
△OAM에서
$r^2=6^2+\left(\frac{r}{2}\right)^2$, $r^2=48$
$\therefore r=4\sqrt{3}$ ($\because r>0$)
따라서 원 O의 반지름의 길이는 $4\sqrt{3}$ cm이다.

5 $\overline{AB}=2\overline{AM}=2(2x+6)=4x+12$
$\overline{OM}=\overline{ON}$이므로 $\overline{AB}=\overline{CD}$
즉 $4x+12=6x-2$에서 $2x=14$
$\therefore x=7$

6 $\overline{CN}=\overline{DN}=15$ cm이므로
△OCN에서
$\overline{ON}=\sqrt{17^2-15^2}=\sqrt{64}=8$ (cm)
이때 $\overline{AB}=\overline{CD}$이므로 $\overline{OM}=\overline{ON}=8$ cm

7 $\overline{OM}=\overline{ON}$이므로 $\overline{AB}=\overline{AC}$
즉 $\triangle ABC$는 이등변삼각형이므로
$\angle BAC=180^\circ-(55^\circ+55^\circ)=70^\circ$

8 $\overline{OD}=\overline{OE}=\overline{OF}$이므로 $\overline{AB}=\overline{BC}=\overline{CA}$
즉 $\triangle ABC$는 정삼각형이다.
이때 $\overline{AB}=2\overline{AD}=2\times5=10\ (cm)$이므로
($\triangle ABC$의 둘레의 길이)$=3\times10=30\ (cm)$

교과서 기출 베스트 2회 | 40쪽~41쪽

1 32 cm	2 30π cm	3 12 cm	4 $8\sqrt{3}$ cm
5 $\sqrt{41}$ cm	6 ④	7 65°	
8 $36\sqrt{3}\ cm^2$			

1 $\overline{OC}=\overline{OA}=20$ cm이므로
$\overline{OM}=\overline{OC}-\overline{CM}=20-8=12\ (cm)$
$\triangle AOM$에서
$\overline{AM}=\sqrt{20^2-12^2}=\sqrt{256}=16\ (cm)$
$\therefore\ \overline{AB}=2\overline{AM}=2\times16=32\ (cm)$

2 오른쪽 그림과 같이 $\overline{OA}$를 긋고 원 O의 반지름의 길이를 r cm라 하면

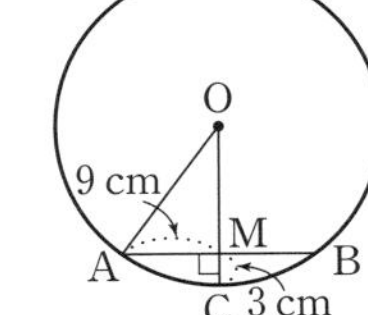

$\overline{OA}=\overline{OC}=r$ cm,
$\overline{OM}=(r-3)$ cm
$\triangle OAM$에서
$r^2=9^2+(r-3)^2,\ 6r=90$
$\therefore\ r=15$
따라서 원 O의 둘레의 길이는
$2\pi\times15=30\pi\ (cm)$

3 오른쪽 그림과 같이 $\overline{CD}$의 연장선을 그으면 원의 중심 O를 지나므로 $\overline{OA}$를 그으면

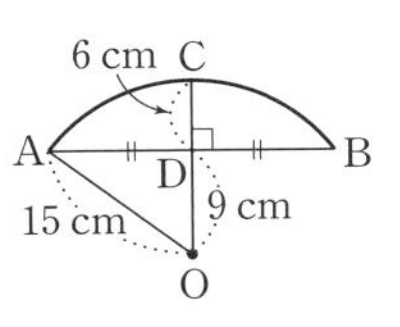

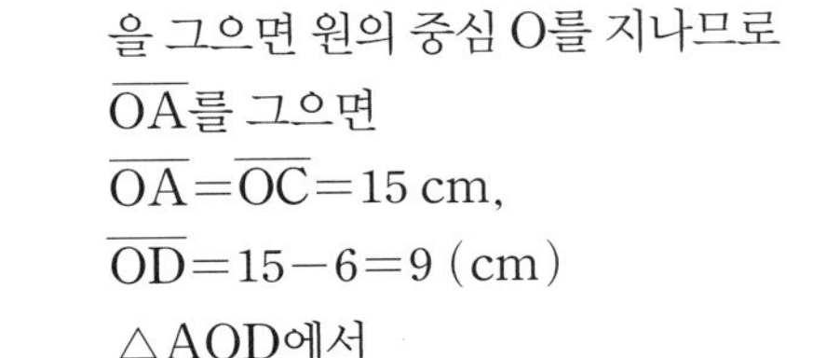

$\overline{OA}=\overline{OC}=15$ cm,
$\overline{OD}=15-6=9\ (cm)$
$\triangle AOD$에서
$\overline{AD}=\sqrt{15^2-9^2}=\sqrt{144}=12\ (cm)$

4 오른쪽 그림과 같이 원의 중심 O에서 $\overline{AB}$에 내린 수선의 발을 M이라 하고 $\overline{OA}$를 그으면

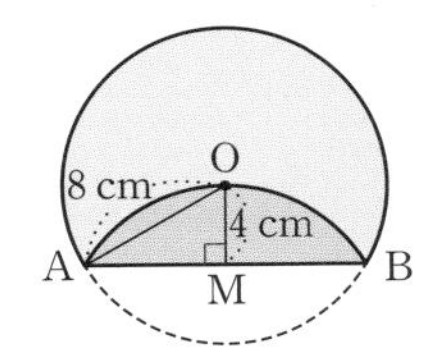

$\overline{OA}=8$ cm,
$\overline{OM}=\frac{1}{2}\overline{OA}=\frac{1}{2}\times8=4\ (cm)$
$\triangle OAM$에서
$\overline{AM}=\sqrt{8^2-4^2}=\sqrt{48}=4\sqrt{3}\ (cm)$
$\therefore\ \overline{AB}=2\overline{AM}=2\times4\sqrt{3}=8\sqrt{3}\ (cm)$

5 $\overline{OM}=\overline{ON}$이므로 $\overline{CD}=\overline{AB}=8$ cm
$\therefore\ \overline{CN}=\frac{1}{2}\overline{CD}=\frac{1}{2}\times8=4\ (cm)$
$\triangle OCN$에서
$\overline{OC}=\sqrt{4^2+5^2}=\sqrt{41}\ (cm)$

6 오른쪽 그림과 같이 원의 중심 O에서 $\overline{CD}$에 내린 수선의 발을 N이라 하면

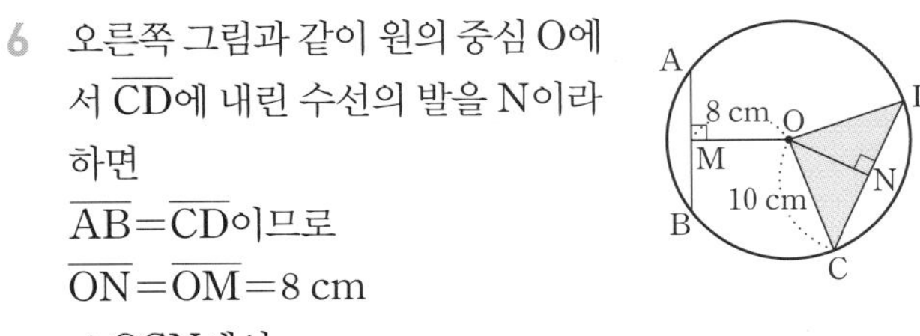

$\overline{AB}=\overline{CD}$이므로
$\overline{ON}=\overline{OM}=8$ cm
$\triangle OCN$에서
$\overline{CN}=\sqrt{10^2-8^2}=\sqrt{36}=6\ (cm)$
따라서 $\overline{CD}=2\overline{CN}=2\times6=12\ (cm)$이므로
$\triangle OCD=\frac{1}{2}\times12\times8=48\ (cm^2)$

7 □AMON에서

$\angle MAN = 360^\circ - (90^\circ + 130^\circ + 90^\circ) = 50^\circ$

이때 $\overline{OM} = \overline{ON}$이므로 $\overline{AB} = \overline{AC}$

즉 △ABC는 이등변삼각형이므로

$\angle x = \frac{1}{2} \times (180^\circ - 50^\circ) = 65^\circ$

8 $\overline{OD} = \overline{OE} = \overline{OF}$이므로 $\overline{AB} = \overline{BC} = \overline{CA}$

즉 △ABC는 정삼각형이다.

$\overline{AB} = \overline{AC} = 2\overline{AD} = 2 \times 6 = 12$ (cm),

$\angle BAC = 60^\circ$이므로

$\triangle ABC = \frac{1}{2} \times 12 \times 12 \times \sin 60^\circ$

$= \frac{1}{2} \times 12 \times 12 \times \frac{\sqrt{3}}{2}$

$= 36\sqrt{3}$ (cm²)

5일 원과 접선

시험지 속 개념 문제 | 45쪽

1 ㉠ $\overline{PO}$ ㉡ $\overline{OA} = \overline{OB}$
2 (1) $\sqrt{21}$ (2) 80
3 8 cm
4 30 cm
5 (1) 18 (2) 7

2 (1) △POA에서

$\overline{PA} = \sqrt{5^2 - 2^2} = \sqrt{21}$ (cm)

이때 $\overline{PB} = \overline{PA} = \sqrt{21}$ cm이므로 $x = \sqrt{21}$

(2) $\overline{PA} = \overline{PB}$이므로 △PBA는 이등변삼각형이다.

$\therefore \angle APB = 180^\circ - (50^\circ + 50^\circ) = 80^\circ$

$\therefore x = 80$

3 $\overline{AD} = \overline{AF} = \overline{AC} - \overline{CF} = 9 - 6 = 3$ (cm)

$\overline{CE} = \overline{CF} = 6$ cm이므로

$\overline{BD} = \overline{BE} = \overline{BC} - \overline{CE} = 11 - 6 = 5$ (cm)

$\therefore \overline{AB} = \overline{AD} + \overline{BD} = 3 + 5 = 8$ (cm)

4 $\overline{AD} = \overline{AF} = 3$ cm,

$\overline{BE} = \overline{BD} = 8$ cm,

$\overline{CF} = \overline{CE} = 4$ cm

∴ (△ABC의 둘레의 길이)

$= \overline{AB} + \overline{BC} + \overline{CA}$

$= (3+8) + (8+4) + (4+3)$

$= 11 + 12 + 7 = 30$ (cm)

다른 풀이

(△ABC의 둘레의 길이) $= 2 \times (8 + 4 + 3)$

$= 2 \times 15 = 30$ (cm)

5 (1) $\overline{AB} + \overline{DC} = \overline{AD} + \overline{BC}$이므로

$16 + 12 = 10 + x$ $\therefore x = 18$

(2) $\overline{AB} + \overline{DC} = \overline{AD} + \overline{BC}$이므로

$7 + (3 + x) = 5 + 12$ $\therefore x = 7$

중간

교과서 기출 베스트 1회 46쪽~47쪽

1 $2\sqrt{21}$ cm	2 4 cm	3 7 cm	4 $4\sqrt{5}$ cm
5 $4\sqrt{15}$	6 $\frac{7}{2}$ cm	7 1 cm	8 12

1 △AOP에서
$\overline{PA}=\sqrt{10^2-4^2}=\sqrt{84}=2\sqrt{21}$ (cm)
$\therefore \overline{PB}=\overline{PA}=2\sqrt{21}$ cm

2 $\overline{PA}=\overline{PB}$이므로 △PBA는 이등변삼각형이다.
$\therefore \angle PAB=\angle PBA=\frac{1}{2}\times(180^\circ-60^\circ)=60^\circ$
즉 △PBA는 정삼각형이므로
$\overline{AB}=\overline{PA}=4$ cm

3 $\overline{AC}=\overline{PC}-\overline{PA}=10-7=3$ (cm)이므로
$\overline{AD}=\overline{AC}=3$ cm
또 $\overline{PE}=\overline{PC}=10$ cm이므로
$\overline{BE}=\overline{PE}-\overline{PB}=10-6=4$ (cm)
$\therefore \overline{BD}=\overline{BE}=4$ cm
$\therefore \overline{AB}=\overline{AD}+\overline{BD}=3+4=7$ (cm)

4 원의 접선은 그 접점을 지나는 원의 반지름과 수직이므로 $\angle ATO=90^\circ$
△OAT에서
$\overline{AT}=\sqrt{6^2-4^2}=\sqrt{20}=2\sqrt{5}$ (cm)
$\therefore \overline{AB}=2\overline{AT}=2\times2\sqrt{5}=4\sqrt{5}$ (cm)

5 $\overline{DE}=\overline{DA}=10$, $\overline{CE}=\overline{CB}=6$이므로
$\overline{DC}=\overline{DE}+\overline{CE}=10+6=16$
오른쪽 그림과 같이 꼭짓점 C에서 $\overline{AD}$에 내린 수선의 발을 H라 하면

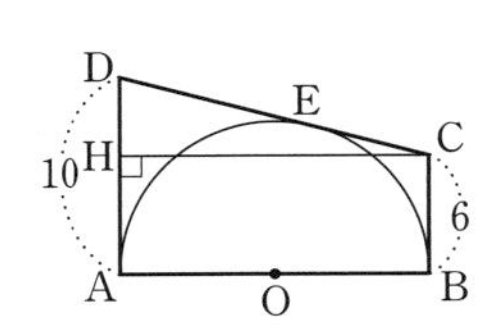

$\overline{HA}=\overline{CB}=6$,
$\overline{DH}=\overline{DA}-\overline{HA}=10-6=4$
△CDH에서
$\overline{CH}=\sqrt{16^2-4^2}=\sqrt{240}=4\sqrt{15}$
$\therefore \overline{AB}=\overline{CH}=4\sqrt{15}$

6 $\overline{AD}=x$ cm라 하면
$\overline{BE}=\overline{BD}=(8-x)$ cm
$\overline{AF}=\overline{AD}=x$ cm이므로
$\overline{CE}=\overline{CF}=(9-x)$ cm
이때 $\overline{BC}=\overline{BE}+\overline{CE}$이므로
$10=(8-x)+(9-x)$, $2x=7$
$\therefore x=\frac{7}{2}$
따라서 $\overline{AD}$의 길이는 $\frac{7}{2}$ cm이다.

7 오른쪽 그림과 같이 $\overline{OD}$, $\overline{OF}$를 긋고 원 O의 반지름의 길이를 r cm라 하면 □ADOF는 정사각형이므로

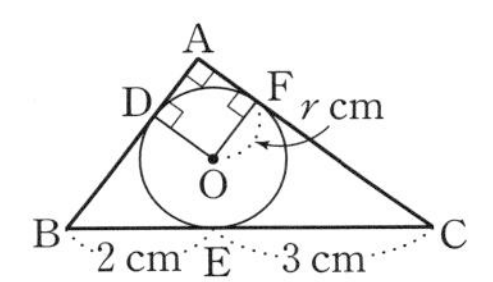

$\overline{AD}=\overline{AF}=r$ cm
또 $\overline{BD}=\overline{BE}=2$ cm, $\overline{CF}=\overline{CE}=3$ cm이므로
△ABC에서
$5^2=(r+2)^2+(r+3)^2$
$r^2+5r-6=0$, $(r-1)(r+6)=0$
$\therefore r=1$ ($\because r>0$)
따라서 원 O의 반지름의 길이는 1 cm이다.

8 $\overline{BP}=\overline{BQ}=5$ cm이므로
$\overline{AP}=\overline{AB}-\overline{BP}=9-5=4$ (cm)
$\therefore x=4$
또 $\overline{AB}+\overline{DC}=\overline{AD}+\overline{BC}$이므로
$9+14=y+(5+10)$ $\quad\therefore y=8$
$\therefore x+y=4+8=12$

교과서 기출 베스트 2회 | 48쪽~49쪽

1 34 cm	2 25°	3 ④	4 $2\sqrt{7}$ cm
5 $4\sqrt{6}$ cm	6 5 cm	7 3 cm	8 7 cm

1 $\overline{OC}=\overline{OA}=5$ cm, $\angle OAP=90°$이므로
△AOP에서
$\overline{AP}=\sqrt{13^2-5^2}=\sqrt{144}=12$ (cm)
이때 $\overline{BP}=\overline{AP}=12$ cm이므로
(□AOBP의 둘레의 길이)$=\overline{AO}+\overline{OB}+\overline{BP}+\overline{AP}$
$=5+5+12+12$
$=34$ (cm)

2 △APB에서 $\overline{PA}=\overline{PB}$이므로
$\angle PAB=\frac{1}{2}\times(180°-50°)=65°$
이때 $\angle PAO=90°$이므로
$\angle x=90°-65°=25°$

3 $\overline{CF}=x$라 하면 $\overline{CE}=\overline{CF}=x$
$\overline{BE}=\overline{BC}-\overline{CE}=9-x$이므로
$\overline{BD}=\overline{BE}=9-x$
이때 $\overline{AD}=\overline{AF}$이므로
$11+(9-x)=8+x$, $2x=12$
$\therefore x=6$
따라서 $\overline{CF}$의 길이는 6이다.

4 오른쪽 그림과 같이 원의 중심 O에서 $\overline{AB}$에 내린 수선의 발을 H라 하고 $\overline{OA}$를 그으면 △OAH에서
$\overline{AH}=\sqrt{4^2-3^2}=\sqrt{7}$ (cm)
$\therefore \overline{AB}=2\overline{AH}=2\sqrt{7}$ (cm)

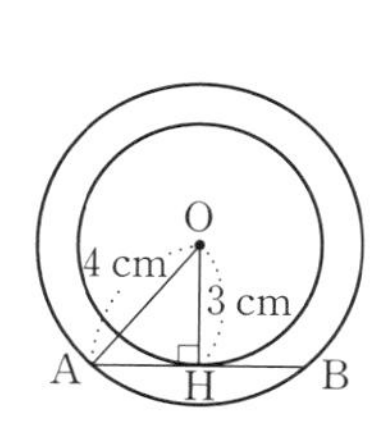

5 $\overline{DE}=\overline{DA}=3$ cm, $\overline{CE}=\overline{CB}=8$ cm이므로
$\overline{DC}=\overline{DE}+\overline{CE}=3+8=11$ (cm)
오른쪽 그림과 같이 꼭짓점 D에서 $\overline{BC}$에 내린 수선의 발을 H라 하면
$\overline{BH}=\overline{AD}=3$ cm이므로
$\overline{HC}=\overline{BC}-\overline{BH}$
$=8-3=5$ (cm)
△DHC에서
$\overline{DH}=\sqrt{11^2-5^2}=\sqrt{96}=4\sqrt{6}$ (cm)
$\therefore \overline{AB}=\overline{DH}=4\sqrt{6}$ cm

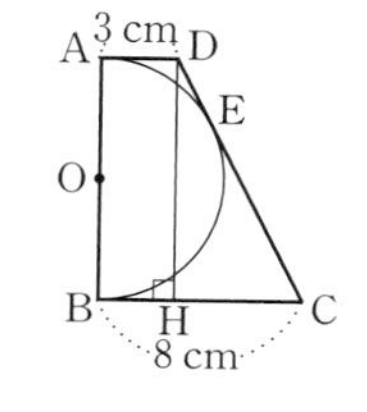

6 $\overline{BE}=\overline{BD}=9$ cm, $\overline{CF}=\overline{CE}=7$ cm
$\overline{AF}=x$ cm라 하면 $\overline{AD}=\overline{AF}=x$ cm
이때 △ABC의 둘레의 길이가 42 cm이므로
$(x+9)+(9+7)+(x+7)=42$
$2x=10$ $\therefore x=5$
따라서 $\overline{AF}$의 길이는 5 cm이다.

7 오른쪽 그림과 같이 $\overline{OE}$, $\overline{OF}$를 긋고 원 O의 반지름의 길이를 r cm라 하면 □OECF는 정사각형이므로
$\overline{CE}=\overline{CF}=r$ cm
이때 $\overline{AD}=\overline{AF}=(12-r)$ cm,
$\overline{BD}=\overline{BE}=(9-r)$ cm이므로
$\overline{AB}=\overline{AD}+\overline{BD}$에서
$15=(12-r)+(9-r)$
$2r=6$ $\therefore r=3$
따라서 원 O의 반지름의 길이는 3 cm이다.

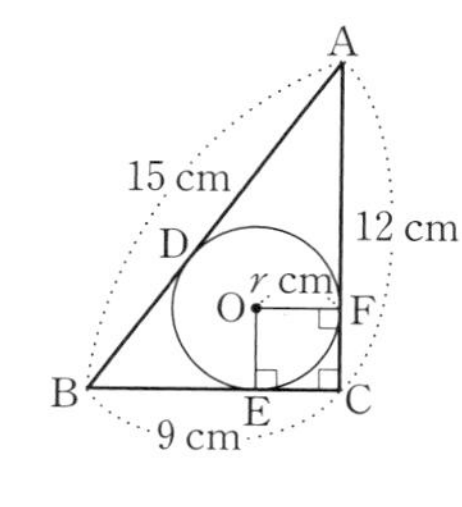

8 $\overline{AB}+\overline{DC}=\overline{AD}+\overline{BC}$이고
□ABCD의 둘레의 길이가 24 cm이므로
$\overline{AD}+\overline{BC}=\frac{1}{2}\times24=12$ (cm)
즉 $5+\overline{BC}=12$에서 $\overline{BC}=7$ (cm)

중간

누구나 100점 테스트 1회

50쪽~51쪽

1 현수	**2** $3\sqrt{3}$ cm	**3** $\frac{6\sqrt{13}}{13}$	**4** $\frac{15}{17}$
5 $2\sqrt{3}$ cm	**6** ④	**7** 0	**8** ③
9 $12\sqrt{3}$ cm^2	**10** 57 cm^2		

1 현수 : $\sin C=\frac{\overline{AB}}{\overline{AC}}=\frac{12}{13}$

2 $\sin A=\frac{\overline{BC}}{6}=\frac{1}{2}$에서 $\overline{BC}=3$ (cm)

$\therefore\ \overline{AB}=\sqrt{6^2-3^2}=\sqrt{27}=3\sqrt{3}$ (cm)

3 주어진 조건을 만족하는 가장 간단한 직각삼각형을 그리면 오른쪽 그림과 같으므로

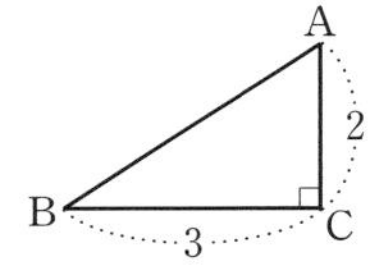

$\overline{AB}=\sqrt{3^2+2^2}=\sqrt{13}$

따라서 $\sin A=\frac{\overline{BC}}{\overline{AB}}=\frac{3}{\sqrt{13}}=\frac{3\sqrt{13}}{13}$,

$\cos B=\frac{\overline{BC}}{\overline{AB}}=\frac{3}{\sqrt{13}}=\frac{3\sqrt{13}}{13}$이므로

$\sin A+\cos B=\frac{3\sqrt{13}}{13}+\frac{3\sqrt{13}}{13}=\frac{6\sqrt{13}}{13}$

4 $\triangle ABC \backsim \triangle EBD$ (AA 닮음)이므로

$\angle BCA=\angle BDE=x$

$\triangle ABC$에서

$\overline{AB}=\sqrt{17^2-8^2}=\sqrt{225}=15$

$\therefore\ \sin x=\sin(\angle BCA)=\frac{\overline{AB}}{\overline{BC}}=\frac{15}{17}$

5 $\triangle BDC$에서

$\sin 45^\circ=\frac{\sqrt{2}}{\overline{BC}}=\frac{\sqrt{2}}{2}$ $\quad\therefore\ \overline{BC}=2$ (cm)

$\triangle ABC$에서

$\tan 30^\circ=\frac{2}{\overline{AB}}=\frac{\sqrt{3}}{3}$ $\quad\therefore\ \overline{AB}=2\sqrt{3}$ (cm)

6 $\tan 46^\circ=\frac{\overline{CD}}{\overline{OD}}=\frac{\overline{CD}}{1}=1.04$

7 $\cos 0^\circ\times\tan 45^\circ-\sin 90^\circ=1\times1-1$

$=1-1=0$

8 오른쪽 그림과 같이 꼭짓점 C에서 $\overline{AB}$에 내린 수선의 발을 H라 하면

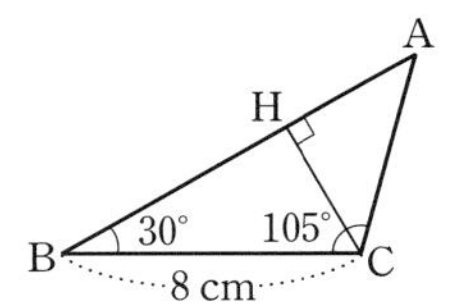

$\triangle BCH$에서

$\overline{CH}=8\sin 30^\circ=8\times\frac{1}{2}=4$ (cm)

$\triangle ABC$에서

$\angle A=180^\circ-(30^\circ+105^\circ)=45^\circ$이므로

$\triangle AHC$에서

$\overline{AC}=\frac{4}{\sin 45^\circ}=4\div\frac{\sqrt{2}}{2}=4\sqrt{2}$ (cm)

9 $\triangle ABC=\frac{1}{2}\times6\times8\times\sin(180^\circ-120^\circ)$

$=\frac{1}{2}\times6\times8\times\frac{\sqrt{3}}{2}$

$=12\sqrt{3}$ (cm^2)

10 △BCD에서

$\overline{BD}=\dfrac{6\sqrt{2}}{\sin 45^\circ}=6\sqrt{2}\div\dfrac{\sqrt{2}}{2}=12\ (\text{cm})$

$\overline{BC}=\dfrac{6\sqrt{2}}{\tan 45^\circ}=6\sqrt{2}\div 1=6\sqrt{2}\ (\text{cm})$

$\therefore\ \square ABCD=\triangle ABD+\triangle BCD$

$=\dfrac{1}{2}\times 7\times 12\times\sin 30^\circ+\dfrac{1}{2}\times 6\sqrt{2}\times 6\sqrt{2}$

$=\dfrac{1}{2}\times 7\times 12\times\dfrac{1}{2}+\dfrac{1}{2}\times 6\sqrt{2}\times 6\sqrt{2}$

$=21+36=57\ (\text{cm}^2)$

누구나 100점 테스트 2회 | 52쪽~53쪽

1 $2\sqrt{3}$ cm	**2** 9 cm	**3** 7 cm	**4** 8
5 126°	**6** 13π cm²	**7** 6 cm	**8** $4\sqrt{10}$ cm
9 6 cm	**10** 3		

1 △OAM에서

$\overline{AM}=\sqrt{2^2-1^2}=\sqrt{3}\ (\text{cm})$

$\therefore\ \overline{AB}=2\overline{AM}=2\times\sqrt{3}=2\sqrt{3}\ (\text{cm})$

2 오른쪽 그림과 같이 $\overline{CM}$의 연장선을 그으면 원의 중심 O를 지나므로 $\overline{OA}$를 그으면

$\overline{OA}=\overline{OC}=17$ cm

이때 $\overline{AM}=\dfrac{1}{2}\overline{AB}=\dfrac{1}{2}\times 30=15\ (\text{cm})$이므로

△AOM에서

$\overline{OM}=\sqrt{17^2-15^2}=\sqrt{64}=8\ (\text{cm})$

$\therefore\ \overline{CM}=17-8=9\ (\text{cm})$

3 $\overline{AB}=2\overline{AM}=2\times 8=16\ (\text{cm})$이므로

$\overline{AB}=\overline{CD}$

$\therefore\ \overline{ON}=\overline{OM}=7$ cm

4 △OAM에서

$\overline{AM}=\sqrt{5^2-3^2}=\sqrt{16}=4$

$\therefore\ \overline{AB}=2\overline{AM}=2\times 4=8$

이때 $\overline{OM}=\overline{ON}$이므로 $\overline{CD}=\overline{AB}=8$

5 $\overline{OM}=\overline{ON}$이므로 $\overline{AB}=\overline{AC}$

즉 △ABC는 이등변삼각형이므로

$\angle BAC=180^\circ-(63^\circ+63^\circ)=54^\circ$

따라서 □AMON에서

$\angle MON=360^\circ-(54^\circ+90^\circ+90^\circ)=126^\circ$

6 $\angle PAO=\angle PBO=90^\circ$이므로

□APBO에서

$\angle AOB=360^\circ-(90^\circ+50^\circ+90^\circ)=130^\circ$

∴ (색칠한 부분의 넓이)$=\pi\times 6^2\times\dfrac{130}{360}$

$=13\pi\ (\text{cm}^2)$

7 $\overline{BD}=\overline{AD}-\overline{AB}=10-6=4\ (\text{cm})$

$\therefore\ \overline{BE}=\overline{BD}=4$ cm

$\overline{AF}=\overline{AD}=10$ cm이므로

$\overline{CF}=\overline{AF}-\overline{AC}=10-8=2\ (\text{cm})$

$\therefore\ \overline{CE}=\overline{CF}=2$ cm

$\therefore\ \overline{BC}=\overline{BE}+\overline{CE}=4+2=6\ (\text{cm})$

8 $\overline{DE}=\overline{DA}=4$ cm, $\overline{CE}=\overline{CB}=10$ cm이므로

$\overline{CD}=\overline{DE}+\overline{CE}=4+10=14\ (\text{cm})$

오른쪽 그림과 같이 꼭짓점 D에서 $\overline{BC}$에 내린 수선의 발을 H라 하면

$\overline{BH}=\overline{AD}=4$ cm

$\therefore\ \overline{CH}=\overline{BC}-\overline{BH}$

$=10-4=6\ (\text{cm})$

△CDH에서

$\overline{DH}=\sqrt{14^2-6^2}=\sqrt{160}=4\sqrt{10}\ (\text{cm})$

$\therefore\ \overline{AB}=\overline{DH}=4\sqrt{10}$ cm

9 $\overline{CE}=x$ cm라 하면
$\overline{BD}=\overline{BE}=(16-x)$ cm
$\overline{CF}=\overline{CE}=x$ cm이므로
$\overline{AD}=\overline{AF}=(10-x)$ cm
이때 $\overline{AB}=\overline{AD}+\overline{BD}$이므로
$14=(10-x)+(16-x)$, $2x=12$
$\therefore x=6$
따라서 $\overline{CE}$의 길이는 6 cm이다.

10 $\overline{BP}=\overline{BQ}=5$이고
$\overline{AB}+\overline{DC}=\overline{AD}+\overline{BC}$이므로
$(x+5)+9=(3x-2)+10$
$2x=6$ $\therefore x=3$

서술형·사고력 **테스트**

54쪽~55쪽

1 $\frac{4}{9}$ **2** 40° **3** 27π cm^3
4 $2(\sqrt{3}+1)$ **5** 11 cm
6 (1) 10 cm (2) 2 cm (3) 4π cm^2

1 $\overline{AB}=\sqrt{2^2+(\sqrt{5})^2}=\sqrt{9}=3$ …… (가)
따라서 $\sin A=\frac{\overline{BC}}{\overline{AB}}=\frac{2}{3}$,
$\cos B=\frac{\overline{BC}}{\overline{AB}}=\frac{2}{3}$이므로 …… (나)
$\sin A\times\cos B=\frac{2}{3}\times\frac{2}{3}=\frac{4}{9}$ …… (다)

채점 기준	비율
(가) $\overline{AB}$의 길이 구하기	20 %
(나) $\sin A$, $\cos B$의 값 각각 구하기	60 %
(다) $\sin A\times\cos B$의 값 구하기	20 %

2 $\sin C=\frac{\overline{AB}}{\overline{AC}}=\frac{6428}{10000}=0.6428$ …… (가)
이때 삼각비의 표에서 $\sin 40^\circ=0.6428$이므로
$\angle C=40^\circ$ …… (나)

채점 기준	비율
(가) $\sin C$의 값 구하기	50 %
(나) $\angle C$의 크기 구하기	50 %

3 $\triangle ABH$에서
$\overline{AH}=6\sin 30^\circ=6\times\frac{1}{2}=3$ (cm) …… (가)
$\overline{BH}=6\cos 30^\circ=6\times\frac{\sqrt{3}}{2}=3\sqrt{3}$ (cm) …… (나)
$\therefore$ (원뿔의 부피)$=\frac{1}{3}\pi\times(3\sqrt{3})^2\times3$
$=27\pi$ (cm^3) …… (다)

채점 기준	비율
(가) $\overline{AH}$의 길이 구하기	30 %
(나) $\overline{BH}$의 길이 구하기	30 %
(다) 원뿔의 부피 구하기	40 %

4 $\triangle ABH$에서
$\angle BAH=180^\circ-(30^\circ+90^\circ)=60^\circ$이므로
$\overline{BH}=h\tan 60^\circ=\sqrt{3}h$ …… (가)
$\triangle ACH$에서 $\angle CAH=135^\circ-90^\circ=45^\circ$이므로
$\overline{CH}=h\tan 45^\circ=h$ …… (나)
이때 $\overline{BC}=\overline{BH}-\overline{CH}$이므로
$4=\sqrt{3}h-h$, $(\sqrt{3}-1)h=4$
$\therefore h=\frac{4}{\sqrt{3}-1}=\frac{4(\sqrt{3}+1)}{(\sqrt{3}-1)(\sqrt{3}+1)}$
$=2(\sqrt{3}+1)$ …… (다)

채점 기준	비율
(가) $\overline{BH}$의 길이를 h를 사용하여 나타내기	30 %
(나) $\overline{CH}$의 길이를 h를 사용하여 나타내기	30 %
(다) h의 값 구하기	40 %

5 $\overline{AF}=\overline{AD}=3$ cm,
$\overline{CE}=\overline{CF}=5$ cm,
$\overline{BD}=\overline{BE}$이므로
($\triangle$ABC의 둘레의 길이)
$=\overline{AB}+\overline{BC}+\overline{CA}$
$=(3+\overline{BD})+(\overline{BE}+5)+(5+3)$
$=16+2\overline{BE}$ …… (가)
즉 $28=16+2\overline{BE}$이므로
$2\overline{BE}=12$ $\quad\therefore \overline{BE}=6$ (cm) …… (나)
$\therefore \overline{BC}=\overline{BE}+\overline{CE}=6+5=11$ (cm) …… (다)

채점 기준	비율
(가) $\triangle$ABC의 둘레의 길이를 $\overline{BE}$를 사용하여 나타내기	50 %
(나) $\overline{BE}$의 길이 구하기	30 %
(다) $\overline{BC}$의 길이 구하기	20 %

6 (1) $\triangle$ABC에서
$\overline{AB}=\sqrt{8^2+6^2}=\sqrt{100}=10$ (cm) …… (가)
(2) 오른쪽 그림과 같이 $\overline{OE}$, $\overline{OF}$를 긋고 원 O의 반지름의 길이를 r cm라 하면 □OECF는 정사각형이므로
$\overline{CE}=\overline{CF}=r$ cm,
$\overline{BD}=\overline{BE}=(8-r)$ cm,
$\overline{AD}=\overline{AF}=(6-r)$ cm

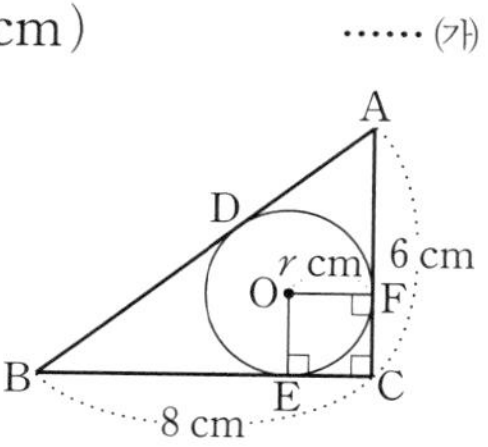

이때 $\overline{AB}=\overline{AD}+\overline{BD}$이므로
$10=(6-r)+(8-r)$
$2r=4$ $\quad\therefore r=2$
따라서 원 O의 반지름의 길이는 2 cm이다. …… (나)
(3) 원 O의 반지름의 길이가 2 cm이므로
(원 O의 넓이)$=\pi\times2^2=4\pi$ (cm^2) …… (다)

채점 기준	비율
(가) $\overline{AB}$의 길이 구하기	20 %
(나) 원 O의 반지름의 길이 구하기	60 %
(다) 원 O의 넓이 구하기	20 %

창의·융합·코딩 **테스트** | 56쪽~57쪽

1 (1) 8 (2) 4 (3) $4\sqrt{5}$ (4) $\frac{2}{5}$ **2** $(6+6\sqrt{3})$ m
3 17 cm **4** 16π m^2

1 (1) $y=\frac{1}{2}x+4$에 $y=0$을 대입하면
$0=\frac{1}{2}x+4$에서 $x=-8$
$\therefore$ A$(-8, 0)$
따라서 $\overline{OA}$의 길이는 8이다.
(2) $y=\frac{1}{2}x+4$에 $x=0$을 대입하면
$y=4$
$\therefore$ B$(0, 4)$
따라서 $\overline{OB}$의 길이는 4이다.
(3) $\triangle$AOB에서
$\overline{AB}=\sqrt{8^2+4^2}=\sqrt{80}=4\sqrt{5}$
(4) $\cos a=\frac{\overline{AO}}{\overline{AB}}=\frac{8}{4\sqrt{5}}=\frac{2\sqrt{5}}{5}$
$\cos b=\frac{\overline{OB}}{\overline{AB}}=\frac{4}{4\sqrt{5}}=\frac{\sqrt{5}}{5}$
$\therefore \cos a\times\cos b=\frac{2\sqrt{5}}{5}\times\frac{\sqrt{5}}{5}=\frac{2}{5}$

2 $\overline{AB}=12\cos 60^\circ=12\times\frac{1}{2}=6$ (m)

$\overline{AC}=12\sin 60^\circ=12\times\frac{\sqrt{3}}{2}=6\sqrt{3}$ (m)

따라서 쓰러지기 전의 나무의 높이는

$\overline{AB}+\overline{AC}=6+6\sqrt{3}$ (m)

3 오른쪽 그림과 같이 $\overline{CD}$의 연장선을 그으면 원의 중심 O를 지나므로 $\overline{OA}$를 긋고 깨지기 전 접시의 반지름의 길이를 r cm라 하면

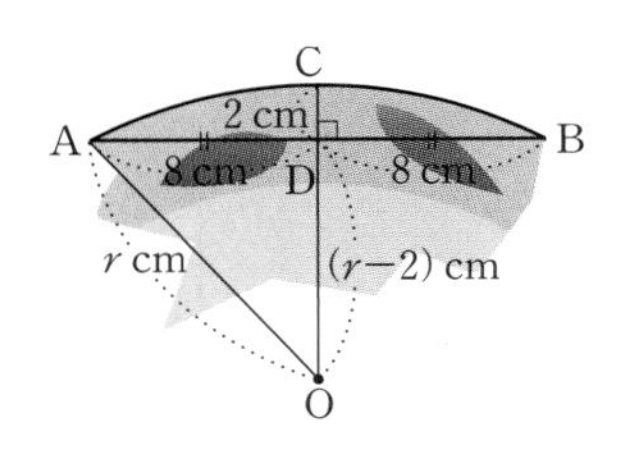

$\overline{OA}=\overline{OC}=r$ cm, $\overline{OD}=(r-2)$ cm이므로

$\triangle$AOD에서

$r^2=8^2+(r-2)^2$, $4r=68$

$\therefore r=17$

따라서 깨지기 전 원 모양의 접시의 반지름의 길이는 17 cm이다.

4 오른쪽 그림과 같이 원의 중심 O에서 $\overline{AB}$에 내린 수선의 발을 M이라 하면

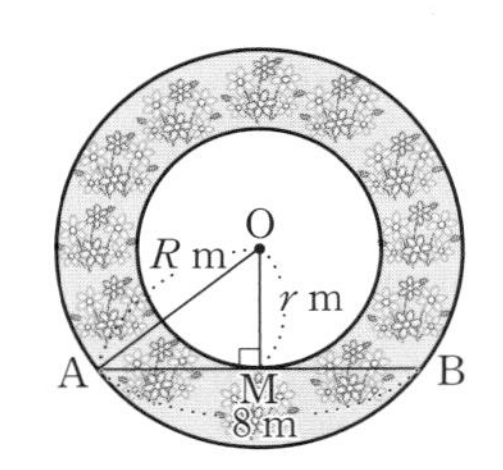

$\overline{AM}=\frac{1}{2}\overline{AB}$

$=\frac{1}{2}\times 8=4$ (m)

이때 $\overline{OA}=R$ m, $\overline{OM}=r$ m라 하면

$\triangle$OAM에서

$R^2=4^2+r^2$ $\therefore R^2-r^2=16$

$\therefore$ (꽃밭의 넓이)=(큰 원의 넓이)−(작은 원의 넓이)

$=\pi R^2-\pi r^2$

$=\pi(R^2-r^2)$

$=16\pi$ (m²)

7일

중간고사 기본 테스트 1회 | 58쪽~61쪽

1 ⑤	**2** ④	**3** ⑤	**4** ⑤
5 ①	**6** ④	**7** ①	**8** ③
9 ③	**10** ②	**11** ⑤	**12** ⑤
13 ②	**14** ④	**15** ①	**16** ③
17 ②	**18** $\sqrt{6}$	**19** $\frac{100\sqrt{6}}{3}$ m	**20** $6\sqrt{3}$ cm

1 $\overline{BC}=\sqrt{10^2-8^2}=\sqrt{36}=6$

① $\sin A=\frac{\overline{BC}}{\overline{AB}}=\frac{6}{10}=\frac{3}{5}$

② $\cos A=\frac{\overline{AC}}{\overline{AB}}=\frac{8}{10}=\frac{4}{5}$

③ $\sin B=\frac{\overline{AC}}{\overline{AB}}=\frac{8}{10}=\frac{4}{5}$

④ $\cos B=\frac{\overline{BC}}{\overline{AB}}=\frac{6}{10}=\frac{3}{5}$

⑤ $\tan B=\frac{\overline{AC}}{\overline{BC}}=\frac{8}{6}=\frac{4}{3}$

따라서 옳은 것은 ⑤이다.

2 주어진 조건을 만족하는 가장 간단한 직각삼각형 ABC를 그리면 오른쪽 그림과 같으므로

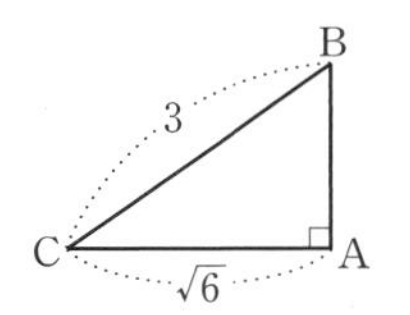

$\overline{AB}=\sqrt{3^2-(\sqrt{6})^2}=\sqrt{3}$

$\therefore \tan B=\frac{\overline{AC}}{\overline{AB}}=\frac{\sqrt{6}}{\sqrt{3}}=\sqrt{2}$

3 $\triangle ABC\backsim\triangle EDC$ (AA 닮음)이므로

$\angle ABC=\angle EDC=x$

$\triangle$ABC에서

$\overline{BC}=\sqrt{4^2+(2\sqrt{5})^2}=\sqrt{36}=6$

$\therefore \sin x = \sin(\angle ABC)$

$= \dfrac{\overline{AC}}{\overline{BC}} = \dfrac{2\sqrt{5}}{6} = \dfrac{\sqrt{5}}{3}$

4 $\triangle ABC \backsim \triangle CBD$ (AA 닮음)이므로

$\angle BAC = \angle BCD = x$

$\triangle ABC \backsim \triangle ACD$ (AA 닮음)이므로

$\angle ABC = \angle ACD = y$

$\triangle ABC$에서 $\overline{AB} = \sqrt{3^2+4^2} = \sqrt{25} = 5$

따라서 $\sin x = \sin(\angle BAC) = \dfrac{\overline{BC}}{\overline{AB}} = \dfrac{3}{5}$,

$\sin y = \sin(\angle ABC) = \dfrac{\overline{AC}}{\overline{AB}} = \dfrac{4}{5}$이므로

$\sin x + \sin y = \dfrac{3}{5} + \dfrac{4}{5} = \dfrac{7}{5}$

5 ㉠ $\sin x = \dfrac{\overline{BC}}{\overline{AC}} = \dfrac{\overline{BC}}{1} = \overline{BC}$

㉡ $\tan x = \dfrac{\overline{DE}}{\overline{AD}} = \dfrac{\overline{DE}}{1} = \overline{DE}$

㉢ $\sin y = \dfrac{\overline{AB}}{\overline{AC}} = \dfrac{\overline{AB}}{1} = \overline{AB}$

㉣ $\cos y = \dfrac{\overline{BC}}{\overline{AC}} = \dfrac{\overline{BC}}{1} = \overline{BC}$

따라서 옳은 것은 ㉠, ㉡이다.

6 $\sin 30^\circ \times \cos 45^\circ \times \tan 60^\circ \times \sin 90^\circ$

$= \dfrac{1}{2} \times \dfrac{\sqrt{2}}{2} \times \sqrt{3} \times 1$

$= \dfrac{\sqrt{6}}{4}$

7 $\overline{BC} = 50 \sin 40^\circ = 50 \times 0.6428 = 32.14$ (m)

$\therefore \overline{BD} = \overline{BC} + \overline{CD} = 32.14 + 1.6 = 33.74$ (m)

따라서 지면에서 연까지의 높이는 33.74 m이다.

8 오른쪽 그림과 같이 꼭짓점 A에서 $\overline{BC}$에 내린 수선의 발을 H라 하면 $\triangle ABH$에서

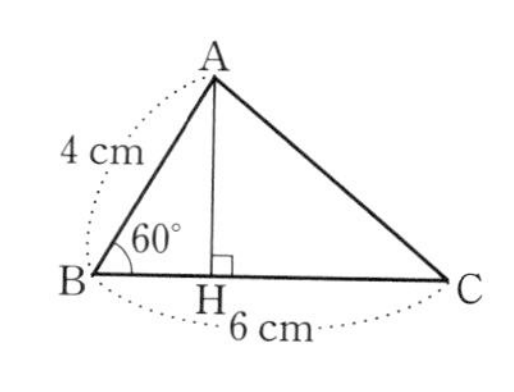

$\overline{AH} = 4 \sin 60^\circ$

$= 4 \times \dfrac{\sqrt{3}}{2} = 2\sqrt{3}$ (cm)

$\overline{BH} = 4 \cos 60^\circ = 4 \times \dfrac{1}{2} = 2$ (cm)

$\therefore \overline{CH} = \overline{BC} - \overline{BH} = 6 - 2 = 4$ (cm)

따라서 $\triangle AHC$에서

$\overline{AC} = \sqrt{(2\sqrt{3})^2 + 4^2} = \sqrt{28} = 2\sqrt{7}$ (cm)

9 (삼각형의 넓이) $= \dfrac{1}{2} \times 8 \times 6 \times \sin 45^\circ$

$= \dfrac{1}{2} \times 8 \times 6 \times \dfrac{\sqrt{2}}{2}$

$= 12\sqrt{2}$ (cm^2)

10 오른쪽 그림과 같이 $\overline{BD}$를 그으면

$\square ABCD$

$= \triangle ABD + \triangle BCD$

$= \dfrac{1}{2} \times 2 \times \sqrt{3} \times \sin(180^\circ - 150^\circ)$

$+ \dfrac{1}{2} \times 4 \times 3 \times \sin 60^\circ$

$= \dfrac{1}{2} \times 2 \times \sqrt{3} \times \dfrac{1}{2} + \dfrac{1}{2} \times 4 \times 3 \times \dfrac{\sqrt{3}}{2}$

$= \dfrac{\sqrt{3}}{2} + 3\sqrt{3} = \dfrac{7\sqrt{3}}{2}$ (cm^2)

11 $\angle COM = 180^\circ - 135^\circ = 45^\circ$

$\overline{CM} = \dfrac{1}{2}\overline{BC} = \dfrac{1}{2} \times 6\sqrt{2} = 3\sqrt{2}$ (cm)이므로

$\triangle OCM$에서

$\overline{OC} = \dfrac{3\sqrt{2}}{\sin 45^\circ} = 3\sqrt{2} \div \dfrac{\sqrt{2}}{2} = 6$ (cm)

12 오른쪽 그림과 같이 $\overline{CD}$의 연장선을 그으면 원의 중심 O를 지나므로 $\overline{OA}$를 긋고 원 O의 반지름의 길이를 r cm라 하면

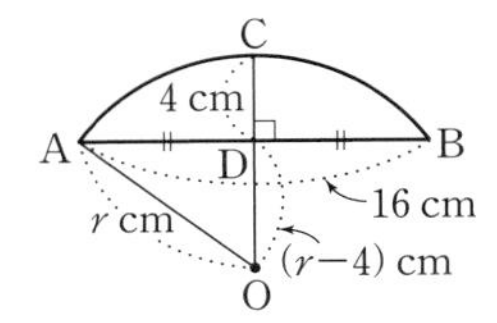

$\overline{OA}=\overline{OC}=r$ cm,

$\overline{OD}=(r-4)$ cm

$\overline{AD}=\frac{1}{2}\overline{AB}=\frac{1}{2}\times16=8$ (cm)

△AOD에서

$r^2=8^2+(r-4)^2$, $8r=80$

$\therefore r=10$

따라서 원의 넓이는 $\pi\times10^2=100\pi$ (cm^2)

13 △AOM에서

$\overline{AM}=\sqrt{5^2-3^2}=\sqrt{16}=4$

$\therefore \overline{AB}=2\overline{AM}=2\times4=8$

이때 $\overline{OM}=\overline{ON}$이므로 $\overline{CD}=\overline{AB}=8$

$\therefore x=8$

14 $\overline{OM}=\overline{ON}$이므로 $\overline{AB}=\overline{AC}$

즉 △ABC는 이등변삼각형이므로

$\angle ABC=\frac{1}{2}\times(180^\circ-46^\circ)=67^\circ$

15 $\overline{PB}=\overline{PA}=12$ cm이고 $\angle PBO=90^\circ$이므로

△PBO에서

$\overline{PO}=\sqrt{12^2+5^2}=\sqrt{169}=13$ (cm)

16 $\overline{BD}=x$라 하면 $\overline{AF}=\overline{AD}=20-x$

$\overline{BE}=\overline{BD}=x$이므로 $\overline{CF}=\overline{CE}=16-x$

이때 $\overline{AC}=\overline{AF}+\overline{CF}$이므로

$14=(20-x)+(16-x)$, $2x=22$

$\therefore x=11$

따라서 $\overline{BD}$의 길이는 11이다.

17 $\overline{DG}=\overline{DH}=3$ cm이므로

$\overline{AD}+\overline{BC}=\overline{AB}+\overline{DC}$

$=13+(3+5)=21$ (cm)

∴ (□ABCD의 둘레의 길이)

$=\overline{AB}+\overline{BC}+\overline{CD}+\overline{DA}$

$=(\overline{AB}+\overline{CD})+(\overline{BC}+\overline{DA})$

$=21+21=42$ (cm)

18 △ABC에서

$\overline{AC}=4\sin45^\circ=4\times\frac{\sqrt{2}}{2}=2\sqrt{2}$ ······ ㈎

△ACD에서

$\overline{CD}=2\sqrt{2}\sin60^\circ=2\sqrt{2}\times\frac{\sqrt{3}}{2}=\sqrt{6}$ ······ ㈏

채점 기준	비율
㈎ $\overline{AC}$의 길이 구하기	50 %
㈏ $\overline{CD}$의 길이 구하기	50 %

19 오른쪽 그림과 같이 꼭짓점 B에서 $\overline{AC}$에 내린 수선의 발을 H라 하면

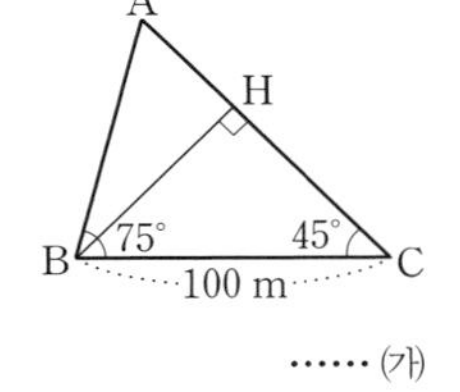

△BCH에서

$\overline{BH}=100\sin45^\circ$

$=100\times\frac{\sqrt{2}}{2}=50\sqrt{2}$ (m) ······ ㈎

△ABC에서

$\angle A=180^\circ-(75^\circ+45^\circ)=60^\circ$이므로 ······ ㈏

△ABH에서

$\overline{AB}=\frac{50\sqrt{2}}{\sin60^\circ}=50\sqrt{2}\div\frac{\sqrt{3}}{2}=\frac{100\sqrt{6}}{3}$ (m)

따라서 두 지점 A, B 사이의 거리는 $\frac{100\sqrt{6}}{3}$ m이다. ······ ㈐

채점 기준	비율
㈎ $\overline{BH}$의 길이 구하기	40 %
㈏ ∠A의 크기 구하기	20 %
㈐ 두 지점 A, B 사이의 거리 구하기	40 %

20 오른쪽 그림과 같이 원의 중심 O에서 $\overline{AB}$에 내린 수선의 발을 M이라 하면

$\overline{OA}=6$ cm,

$\overline{OM}=\frac{1}{2}\times 6=3$ (cm) ······ (가)

△OAM에서

$\overline{AM}=\sqrt{6^2-3^2}=\sqrt{27}=3\sqrt{3}$ (cm) ······ (나)

$\therefore$ $\overline{AB}=2\overline{AM}=2\times 3\sqrt{3}=6\sqrt{3}$ (cm) ······ (다)

채점 기준	비율
(가) $\overline{OA}$, $\overline{OM}$의 길이 각각 구하기	40 %
(나) $\overline{AM}$의 길이 구하기	30 %
(다) $\overline{AB}$의 길이 구하기	30 %

중간고사 기본 테스트 2회

62쪽~65쪽

1 ⑤	**2** ③	**3** ④	**4** ②
5 ①	**6** ③	**7** ②	**8** ③
9 ③	**10** ①	**11** ④	**12** ②
13 ②	**14** ③	**15** ③	**16** ③
17 ②			

18 (1) 10 cm (2) $x=\angle ACB$, $y=\angle BAC$ (3) $\frac{8}{5}$

19 $(2\sqrt{6}+6\sqrt{3})$ cm^2　**20** 4 m

1 $\overline{AB}=\sqrt{12^2+5^2}=\sqrt{169}=13$

따라서 $\sin A=\frac{\overline{BC}}{\overline{AB}}=\frac{12}{13}$,

$\cos A=\frac{\overline{AC}}{\overline{AB}}=\frac{5}{13}$이므로

$\sin A-\cos A=\frac{12}{13}-\frac{5}{13}=\frac{7}{13}$

2 주어진 조건을 만족하는 가장 간단한 직각삼각형 ABC를 그리면 오른쪽 그림과 같으므로

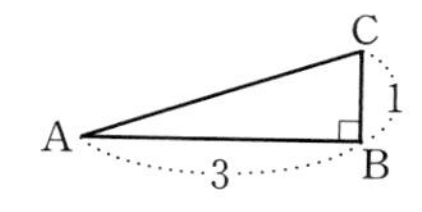

$\overline{AC}=\sqrt{3^2+1^2}=\sqrt{10}$

따라서 $\cos A=\frac{3}{\sqrt{10}}=\frac{3\sqrt{10}}{10}$,

$\sin A=\frac{1}{\sqrt{10}}=\frac{\sqrt{10}}{10}$이므로

$\cos A\times\sin A=\frac{3\sqrt{10}}{10}\times\frac{\sqrt{10}}{10}=\frac{3}{10}$

3 △ABC에서

$\overline{BC}=\sqrt{2}\tan 60^\circ=\sqrt{2}\times\sqrt{3}=\sqrt{6}$

△BCD에서

$\overline{BD}=\frac{\sqrt{6}}{\sin 45^\circ}=\sqrt{6}\div\frac{\sqrt{2}}{2}=2\sqrt{3}$

4 $\cos x=\frac{\overline{AC}}{\overline{AB}}=\frac{\overline{AC}}{1}=\overline{AC}$

5 $\cos 30^\circ\times\tan 60^\circ\div\sin 90^\circ-\tan 45^\circ$

$=\frac{\sqrt{3}}{2}\times\sqrt{3}\div 1-1$

$=\frac{3}{2}-1=\frac{1}{2}$

6 $\overline{AB}=10\cos 23^\circ$

$\overline{BC}=10\sin 23^\circ$

7 $\overline{BC}=5\tan 61^\circ=5\times 1.8040=9.02$ (m)

$\therefore$ $\overline{BD}=\overline{BC}+\overline{CD}=9.02+1.3=10.32$ (m)

따라서 다보탑의 높이 $\overline{BD}$의 길이는 10.32 m이다.

8 $\overline{CH}=h$ m라 하면

$\triangle CAH$에서

$\angle ACH=180°-(30°+90°)=60°$이므로

$\overline{AH}=h\tan 60°=\sqrt{3}h$ (m)

$\triangle CHB$에서

$\angle BCH=180°-(45°+90°)=45°$이므로

$\overline{BH}=h\tan 45°=h$ (m)

이때 $\overline{AB}=\overline{AH}+\overline{BH}$이므로

$20=\sqrt{3}h+h$, $(\sqrt{3}+1)h=20$

$\therefore h=\dfrac{20}{\sqrt{3}+1}=\dfrac{20(\sqrt{3}-1)}{(\sqrt{3}+1)(\sqrt{3}-1)}$

$=10(\sqrt{3}-1)$

따라서 나무의 높이 $\overline{CH}$의 길이는 $10(\sqrt{3}-1)$ m이다.

9 $\angle B=180°-(60°+75°)=45°$이므로

$\triangle ABC=\dfrac{1}{2}\times 8\times 9\times \sin 45°$

$=\dfrac{1}{2}\times 8\times 9\times \dfrac{\sqrt{2}}{2}$

$=18\sqrt{2}$

10 $\overline{AM}=\dfrac{1}{2}\overline{AB}=\dfrac{1}{2}\times 24=12$

$\triangle OAM$에서

$\overline{OA}=\sqrt{12^2+5^2}=\sqrt{169}=13$

$\therefore x=13$

11 오른쪽 그림과 같이 $\overline{OA}$를 긋고 원 O의 반지름의 길이를 r라 하면

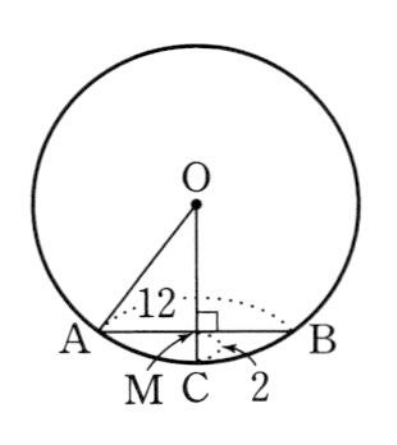

$\overline{OA}=\overline{OC}=r$, $\overline{OM}=r-2$

$\overline{AM}=\dfrac{1}{2}\overline{AB}=\dfrac{1}{2}\times 12=6$

$\triangle OAM$에서

$r^2=6^2+(r-2)^2$, $4r=40$

$\therefore r=10$

따라서 원 O의 반지름의 길이는 10이다.

12 $\overline{AB}=\overline{CD}$이므로 $\overline{ON}=\overline{OM}=6$ cm

$\therefore x=6$

$\overline{BM}=\dfrac{1}{2}\overline{AB}=\dfrac{1}{2}\times 16=8$ (cm)이므로

$\triangle OBM$에서

$\overline{OB}=\sqrt{6^2+8^2}=\sqrt{100}=10$ (cm)

$\therefore y=10$

$\therefore x+y=6+10=16$

13 $\overline{OD}=\overline{OE}=\overline{OF}$이므로 $\overline{AB}=\overline{BC}=\overline{CA}$

즉 $\triangle ABC$는 정삼각형이므로

$\angle BAC=60°$

오른쪽 그림과 같이 $\overline{OA}$를 그으면

$\angle OAD=\dfrac{1}{2}\angle BAC$

$=\dfrac{1}{2}\times 60°=30°$

$\triangle ADO$에서

$\overline{OA}=\dfrac{2\sqrt{3}}{\cos 30°}=2\sqrt{3}\div\dfrac{\sqrt{3}}{2}=4$ (cm)

따라서 원 O의 넓이는

$\pi\times 4^2=16\pi$ (cm^2)

14 $\overline{PA}=\overline{PB}$이므로 $\triangle PBA$는 이등변삼각형이다.

$\therefore \angle x=180°-(74°+74°)=32°$

15 오른쪽 그림과 같이 원의 중심 O에서 $\overline{AB}$에 내린 수선의 발을 H라 하고 $\overline{OA}$를 그으면

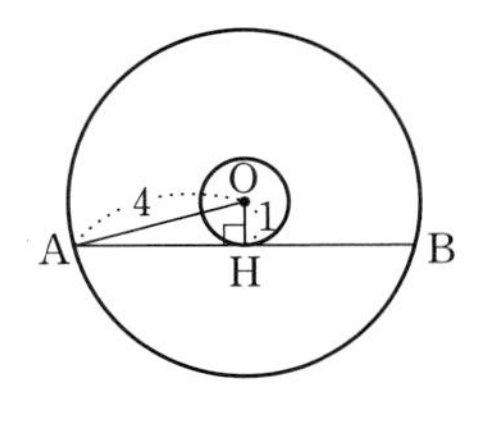

$\triangle OAH$에서

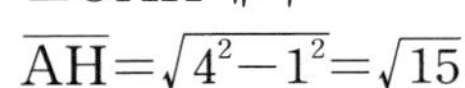

$\overline{AH}=\sqrt{4^2-1^2}=\sqrt{15}$

$\therefore \overline{AB}=2\overline{AH}=2\sqrt{15}$

16 $\overline{CA}=\overline{PA}-\overline{PC}=9-6=3\ (cm)$

$\therefore\ \overline{CE}=\overline{CA}=3\ cm$

$\overline{PB}=\overline{PA}=9\ cm$이므로

$\overline{DB}=\overline{PB}-\overline{PD}=9-8=1\ (cm)$

$\therefore\ \overline{DE}=\overline{DB}=1\ cm$

$\therefore\ \overline{CD}=\overline{CE}+\overline{DE}=3+1=4\ (cm)$

17 $\overline{AP}=\overline{AB}=2\ cm$, $\overline{DP}=\overline{DC}=4\ cm$이므로

$\overline{AD}=\overline{AP}+\overline{DP}=2+4=6\ (cm)$

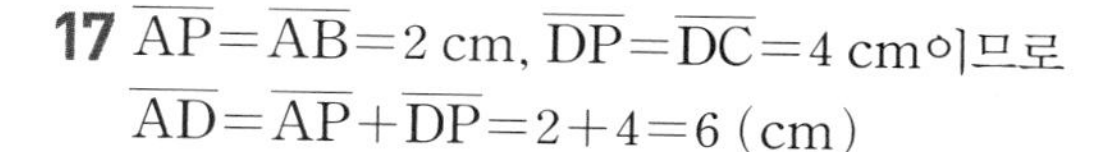

오른쪽 그림과 같이 꼭짓점 A에서 $\overline{CD}$에 내린 수선의 발을 H라 하면

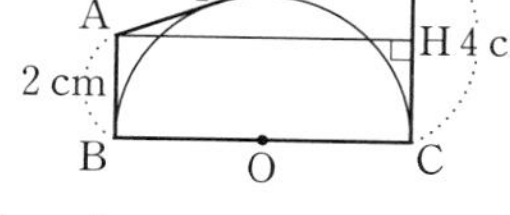

$\overline{HC}=\overline{AB}=2\ cm$

$\overline{DH}=\overline{DC}-\overline{HC}=4-2=2\ (cm)$

$\triangle AHD$에서

$\overline{AH}=\sqrt{6^2-2^2}=\sqrt{32}=4\sqrt{2}\ (cm)$

$\therefore\ \overline{BC}=\overline{AH}=4\sqrt{2}\ cm$

따라서 반원 O의 반지름의 길이는

$\frac{1}{2}\times 4\sqrt{2}=2\sqrt{2}\ (cm)$

18 (1) $\triangle ABC$에서

$\overline{AC}=\sqrt{6^2+8^2}=\sqrt{100}=10\ (cm)$ ······ (가)

(2) $\triangle ABC \backsim \triangle ADB$ (AA 닮음)이므로

$\angle ACB=\angle ABD=x$

$\triangle ABC \backsim \triangle BDC$ (AA 닮음)이므로

$\angle BAC=\angle DBC=y$ ······ (나)

(3) $\sin x=\sin(\angle ACB)$

$=\frac{\overline{AB}}{\overline{AC}}=\frac{8}{10}=\frac{4}{5}$

$\cos y=\cos(\angle BAC)$

$=\frac{\overline{AB}}{\overline{AC}}=\frac{8}{10}=\frac{4}{5}$

$\therefore\ \sin x+\cos y=\frac{4}{5}+\frac{4}{5}=\frac{8}{5}$ ······ (다)

채점 기준	비율
(가) $\overline{AC}$의 길이 구하기	20 %
(나) x, y와 크기가 같은 각 각각 말하기	40 %
(다) $\sin x+\cos y$의 값 구하기	40 %

19 $\triangle BCD$에서

$\overline{BD}=\frac{2\sqrt{3}}{\sin 30^\circ}=2\sqrt{3}\div\frac{1}{2}=4\sqrt{3}\ (cm)$

$\overline{BC}=\frac{2\sqrt{3}}{\tan 30^\circ}=2\sqrt{3}\div\frac{\sqrt{3}}{3}=6\ (cm)$ ······ (가)

$\triangle ABD=\frac{1}{2}\times 2\times 4\sqrt{3}\times \sin 45^\circ$

$=\frac{1}{2}\times 2\times 4\sqrt{3}\times\frac{\sqrt{2}}{2}=2\sqrt{6}\ (cm^2)$ ······ (나)

$\triangle BCD=\frac{1}{2}\times 6\times 2\sqrt{3}=6\sqrt{3}\ (cm^2)$ ······ (다)

$\therefore\ \square ABCD=\triangle ABD+\triangle BCD$

$=2\sqrt{6}+6\sqrt{3}\ (cm^2)$ ······ (라)

채점 기준	비율
(가) $\overline{BD}$, $\overline{BC}$의 길이 각각 구하기	20 %
(나) $\triangle ABD$의 넓이 구하기	30 %
(다) $\triangle BCD$의 넓이 구하기	30 %
(라) $\square ABCD$의 넓이 구하기	20 %

20 $\overline{BP}=\overline{BQ}=5\ m$ ······ (가)

이때 $\overline{AB}+\overline{DC}=\overline{AD}+\overline{BC}$이므로

$(\overline{AP}+5)+10=8+11$ ······ (나)

$\therefore\ \overline{AP}=4\ (m)$ ······ (다)

채점 기준	비율
(가) $\overline{BP}$의 길이 구하기	20 %
(나) $\overline{AB}+\overline{DC}=\overline{AD}+\overline{BC}$임을 이용하여 식 세우기	40 %
(다) $\overline{AP}$의 길이 구하기	40 %

memo

기말 대비

정답과 풀이

1일 30

2일 33

3일 37

4일 40

5일 43

6일 46

7일 50

1일 원주각

시험지 속 개념 문제 | 9쪽, 11쪽

1 (1) 58° (2) 20° (3) 126° (4) 216°
2 100°
3 40°
4 (1) $\angle x=35°$, $\angle y=45°$ (2) $\angle x=70°$, $\angle y=25°$
5 $\angle x=34°$, $\angle y=68°$
6 (1) $\angle x=60°$, $\angle y=25°$ (2) $\angle x=28°$, $\angle y=117°$
7 (1) 50° (2) 45°
8 25°
9 (1) 40° (2) 65°
10 (1) 3 (2) 75
11 70°
12 3 cm

1 (1) $\angle x=\frac{1}{2}\angle AOB=\frac{1}{2}\times116°=58°$

(2) $\angle x=\frac{1}{2}\angle AOB=\frac{1}{2}\times40°=20°$

(3) $\angle x=2\angle APB=2\times63°=126°$

(4) $\angle x=2\angle APB=2\times108°=216°$

2 $\angle x=\frac{1}{2}\times(360°-160°)=100°$

3 $\angle BOC=2\angle BAC=2\times50°=100°$
$\triangle OBC$는 $\overline{OB}=\overline{OC}$인 이등변삼각형이므로
$\angle x=\frac{1}{2}\times(180°-100°)=40°$

4 (1) $\angle x=\angle ADB=35°$
$\angle y=\angle DBC=45°$

(2) $\angle x=\angle BAC=70°$
$\angle y=\angle ACD=25°$

5 $\angle x=\angle AQB=34°$
$\angle y=2\angle AQB=2\times34°=68°$

6 (1) $\angle x=\angle BAC=60°$
$\triangle DPC$에서 $\angle y=85°-60°=25°$

(2) $\angle x=\angle DAC=28°$
$\triangle CPB$에서 $\angle CPB=180°-(35°+28°)=117°$
$\therefore \angle y=\angle CPB=117°$ (맞꼭지각)

7 (1) $\overline{AB}$가 원 O의 지름이므로 $\angle ACB=90°$
따라서 $\triangle ABC$에서
$\angle x=180°-(90°+40°)=50°$

(2) $\overline{AB}$가 원 O의 지름이므로 $\angle ACB=90°$
이때 $\overline{AC}=\overline{BC}$이므로 $\triangle ABC$에서
$\angle x=\frac{1}{2}\times(180°-90°)=45°$

8 $\overline{AB}$가 원 O의 지름이므로 $\angle APB=90°$
$\triangle PAO$는 $\overline{OP}=\overline{OA}$인 이등변삼각형이므로
$\angle OPA=\angle PAO=65°$
$\therefore \angle x=90°-65°=25°$

9 (1) $\overline{AC}$가 원 O의 지름이므로 $\angle ABC=90°$
$\angle ACB=\angle ADB=50°$
따라서 $\triangle ABC$에서
$\angle x=180°-(90°+50°)=40°$

(2) $\overline{AC}$가 원 O의 지름이므로 $\angle ADC=90°$
$\angle BDC=\angle BAC=25°$
$\therefore \angle x=90°-25°=65°$

10 (1) $\angle APB = \angle CQD$이므로 $\overset{\frown}{AB} = \overset{\frown}{CD}$

$\therefore x = 3$

(2) $\angle APB : \angle AQC = \overset{\frown}{AB} : \overset{\frown}{AC}$에서

$30^\circ : x^\circ = 10 : (10+15)$이므로

$30 : x = 2 : 5$

$2x = 150 \qquad \therefore x = 75$

11 오른쪽 그림과 같이 $\overline{PB}$를 그으면

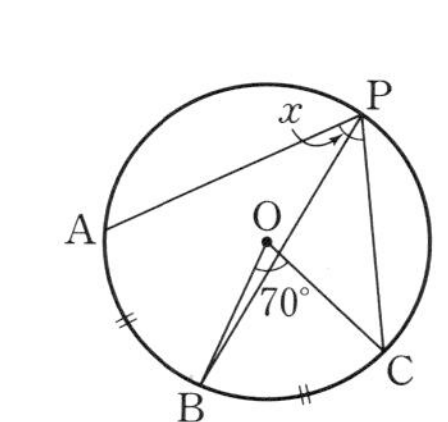

$\angle BPC = \frac{1}{2}\angle BOC$

$= \frac{1}{2} \times 70^\circ = 35^\circ$

이때 $\overset{\frown}{AB} = \overset{\frown}{BC}$이므로

$\angle APB = \angle BPC = 35^\circ$

$\therefore \angle x = \angle APB + \angle BPC$

$= 35^\circ + 35^\circ = 70^\circ$

12 $\triangle PCB$에서 $\angle PCB = 80^\circ - 20^\circ = 60^\circ$

$\angle ABC : \angle DCB = \overset{\frown}{AC} : \overset{\frown}{DB}$에서

$20^\circ : 60^\circ = \overset{\frown}{AC} : 9$이므로

$1 : 3 = \overset{\frown}{AC} : 9$

$3\overset{\frown}{AC} = 9 \qquad \therefore \overset{\frown}{AC} = 3\,(\text{cm})$

교과서 기출 베스트 1회 | 12쪽~13쪽

1 36°	2 20°	3 30°	4 70°
5 16 cm^2	6 58°	7 60°	8 108°

1 $\angle AOB = 2\angle ACB = 2 \times 72^\circ = 144^\circ$

이때 $\angle PAO = \angle PBO = 90^\circ$이므로

$\angle x = 180^\circ - 144^\circ = 36^\circ$

2 오른쪽 그림과 같이 $\overline{EC}$를 그으면

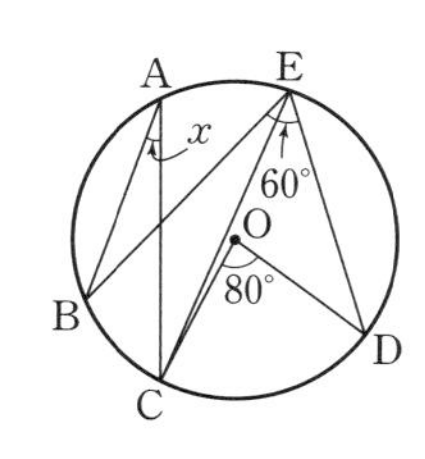

$\angle CED = \frac{1}{2}\angle COD$

$= \frac{1}{2} \times 80^\circ = 40^\circ$

$\angle BEC = 60^\circ - 40^\circ = 20^\circ$

$\therefore \angle x = \angle BEC = 20^\circ$

3 오른쪽 그림과 같이 $\overline{AD}$를 그으면

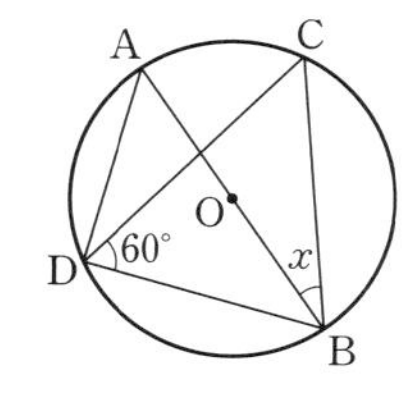

$\overline{AB}$가 원 O의 지름이므로

$\angle ADB = 90^\circ$

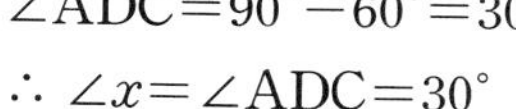

$\angle ADC = 90^\circ - 60^\circ = 30^\circ$

$\therefore \angle x = \angle ADC = 30^\circ$

4 오른쪽 그림과 같이 $\overline{DB}$를 그으면 $\overline{AB}$가 반원 O의 지름이므로

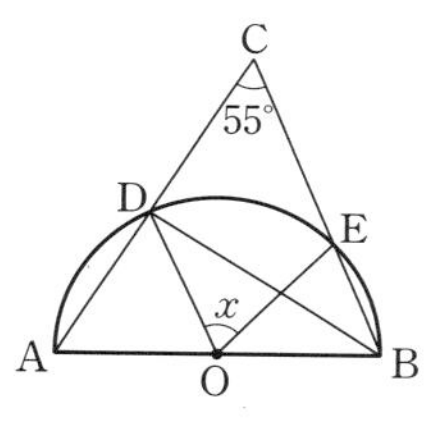

$\angle ADB = 90^\circ$

$\triangle CDB$에서

$\angle DBC = 90^\circ - 55^\circ = 35^\circ$

$\therefore \angle x = 2\angle DBE$

$= 2 \times 35^\circ = 70^\circ$

5 $\angle BOC = 2\angle BAC = 2 \times 75^\circ = 150^\circ$

$\therefore \triangle OBC = \frac{1}{2} \times 8 \times 8 \times \sin(180^\circ - 150^\circ)$

$= \frac{1}{2} \times 8 \times 8 \times \frac{1}{2}$

$= 16\,(\text{cm}^2)$

6 $\overset{\frown}{AB} = \overset{\frown}{CD}$이므로

$\angle DBC = \angle ACB = 29^\circ$

따라서 $\triangle PBC$에서

$\angle x = 29^\circ + 29^\circ = 58^\circ$

기말

7 $\angle C : \angle A : \angle B = \widehat{AB} : \widehat{BC} : \widehat{CA}$

$= 5 : 6 : 7$

이때 $\angle A + \angle B + \angle C = 180°$이므로

$\angle x = \frac{6}{5+6+7} \times 180°$

$= \frac{1}{3} \times 180° = 60°$

8 오른쪽 그림과 같이 $\overline{BC}$를 그으면

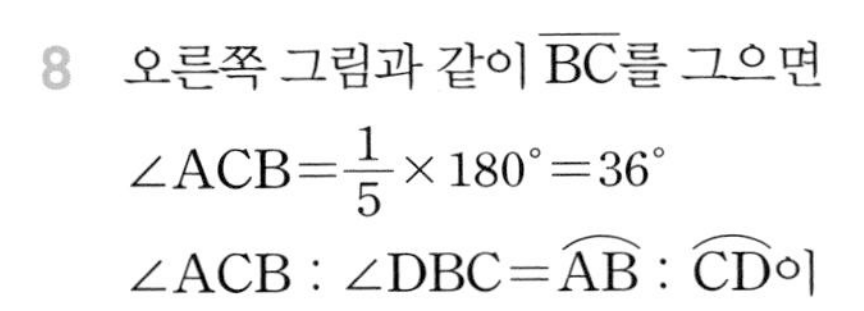

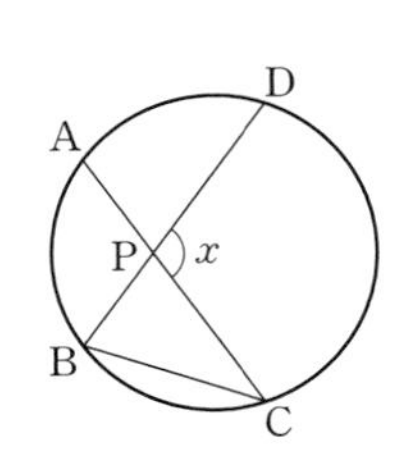

$\angle ACB = \frac{1}{5} \times 180° = 36°$

$\angle ACB : \angle DBC = \widehat{AB} : \widehat{CD}$이므로

$36° : \angle DBC = 1 : 2$

$\therefore \angle DBC = 72°$

따라서 $\triangle PBC$에서

$\angle x = 72° + 36° = 108°$

교과서 기출 베스트 ②회 | 14쪽~15쪽

1 ④	2 55°	3 55°	4 ④
5 5 cm	6 45°	7 36°	8 ③

1 오른쪽 그림과 같이 $\overline{OA}$, $\overline{OB}$를 그으면

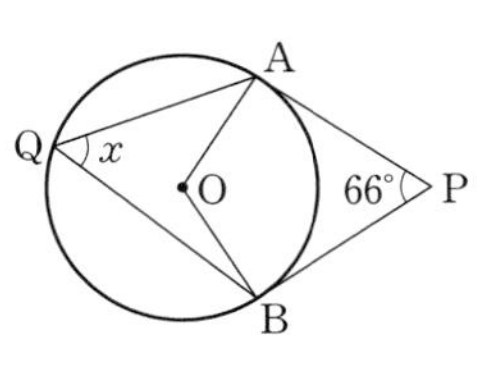

$\angle PAO = \angle PBO = 90°$이므로

$\angle AOB = 180° - 66° = 114°$

$\therefore \angle x = \frac{1}{2} \angle AOB$

$= \frac{1}{2} \times 114° = 57°$

2 오른쪽 그림과 같이 $\overline{QC}$를 그으면

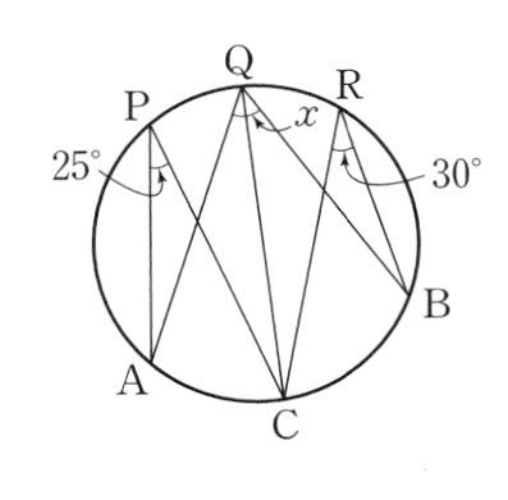

$\angle AQC = \angle APC = 25°$

$\angle CQB = \angle CRB = 30°$

$\therefore \angle x = \angle AQC + \angle CQB$

$= 25° + 30° = 55°$

3 오른쪽 그림과 같이 $\overline{DB}$를 그으면 $\overline{AB}$가 원 O의 지름이므로

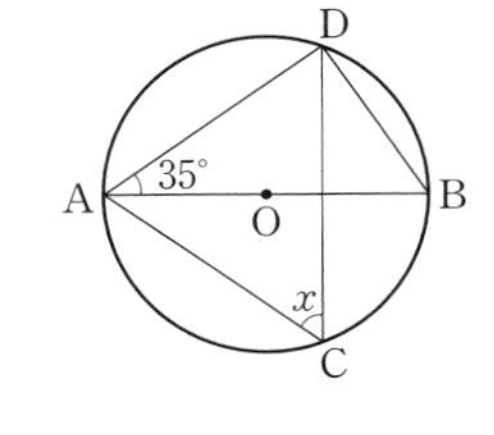

$\angle ADB = 90°$

$\triangle DAB$에서

$\angle DBA = 180° - (90° + 35°)$

$= 55°$

$\therefore \angle x = \angle DBA = 55°$

4 오른쪽 그림과 같이 $\overline{AD}$를 그으면 $\overline{AB}$가 반원 O의 지름이므로

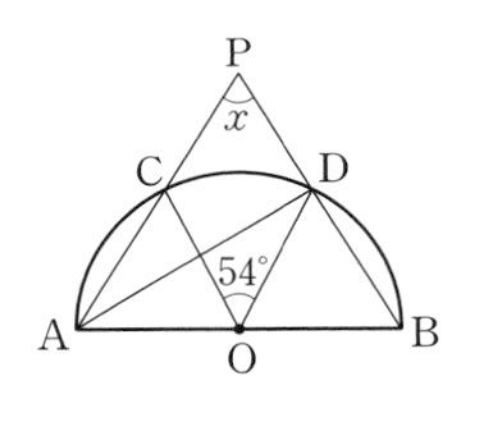

$\angle ADB = 90°$

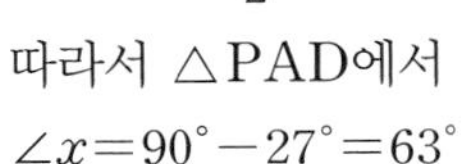

$\angle CAD = \frac{1}{2} \angle COD$

$= \frac{1}{2} \times 54° = 27°$

따라서 $\triangle PAD$에서

$\angle x = 90° - 27° = 63°$

5 $\overline{AB}$가 원 O의 지름이므로 $\angle ACB = 90°$

즉 $\triangle ABC$가 직각삼각형이므로

$\overline{AB} = \frac{5}{\sin 30°} = 5 \div \frac{1}{2} = 10$ (cm)

따라서 원 O의 반지름의 길이는

$\frac{1}{2}\overline{AB} = \frac{1}{2} \times 10 = 5$ (cm)

6 $\angle ACB=\angle ADB=30^\circ$
$\widehat{AB}=\widehat{BC}$이므로 $\angle BDC=\angle ADB=30^\circ$
따라서 $\triangle DBC$에서
$\angle x=180^\circ-(30^\circ+75^\circ+30^\circ)=45^\circ$

7 $\overline{AB}$가 원 O의 지름이므로 $\angle ACB=90^\circ$
즉 $\angle ABC+\angle BAC=90^\circ$이고
$\angle ABC : \angle BAC=\widehat{AC} : \widehat{CB}=2 : 3$이므로
$\angle x=\frac{2}{2+3}\times 90^\circ$
$=\frac{2}{5}\times 90^\circ=36^\circ$

8 오른쪽 그림과 같이 $\overline{BC}$를 그으면

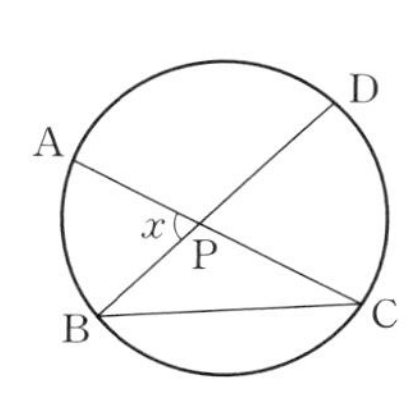

$\angle ACB=\frac{1}{6}\times 180^\circ=30^\circ$
$\widehat{CD}=\frac{4}{3}\widehat{AB}$이므로
$\angle DBC=\frac{4}{3}\angle ACB$
$=\frac{4}{3}\times 30^\circ=40^\circ$
따라서 $\triangle PBC$에서
$\angle x=40^\circ+30^\circ=70^\circ$

2일 원주각의 활용

시험지 속 개념 문제 | 19쪽, 21쪽

1 ㉡, ㉣
2 (1) $\angle x=60^\circ$, $\angle y=105^\circ$ (2) $\angle x=100^\circ$, $\angle y=80^\circ$
3 $\angle x=70^\circ$, $\angle y=140^\circ$
4 $\angle x=70^\circ$, $\angle y=74^\circ$
5 85°
6 50°
7 ㉠, ㉡
8 (1) 65° (2) 55°
9 (1) 45° (2) 108°
10 45°
11 30°
12 80°

1 ㉠ $\angle BAC\neq\angle BDC$이므로 네 점 A, B, C, D는 한 원 위에 있지 않다.
㉡ $\angle DAC=\angle DBC$이므로 네 점 A, B, C, D는 한 원 위에 있다.
㉢ $\angle BAC\neq\angle BDC$이므로 네 점 A, B, C, D는 한 원 위에 있지 않다.
㉣ $\angle BDC=110^\circ-80^\circ=30^\circ$
이때 $\angle BAC=\angle BDC$이므로 네 점 A, B, C, D는 한 원 위에 있다.
따라서 네 점 A, B, C, D가 한 원 위에 있는 것은 ㉡, ㉣이다.

2 (1) $120^\circ+\angle x=180^\circ$이므로
$\angle x=60^\circ$
$75^\circ+\angle y=180^\circ$이므로
$\angle y=105^\circ$
(2) $\triangle ABC$에서
$\angle x=180^\circ-(43^\circ+37^\circ)=100^\circ$
$100^\circ+\angle y=180^\circ$이므로
$\angle y=80^\circ$

기말

3 $\angle x+110°=180°$이므로 $\angle x=70°$
$\therefore \angle y=2\angle x=2\times 70°=140°$

4 $\angle x=\angle BAD=70°$
$\angle y+106°=180°$이므로 $\angle y=74°$

5 $\triangle ACD$에서
$\angle ADC=180°-(50°+45°)=85°$
$\therefore \angle x=\angle ADC=85°$

6 $\angle BAC=\angle BDC=50°$
이때 $\angle BAD=\angle DCE=100°$이므로
$50°+\angle x=100°$ $\therefore \angle x=50°$

7 ㉠ $\angle DCE=\angle BAD$이므로 $\square ABCD$는 원에 내접한다.
㉡ $\angle DAC=\angle DBC$이므로 $\square ABCD$는 원에 내접한다.
㉢ $\angle BAC=85°-55°=30°$
이때 $\angle BAC\neq\angle BDC$이므로 $\square ABCD$는 원에 내접하지 않는다.
㉣ $\angle BAD=180°-85°=95°$
이때 $\angle DCE\neq\angle BAD$이므로 $\square ABCD$는 원에 내접하지 않는다.
따라서 $\square ABCD$가 원에 내접하는 것은 ㉠, ㉡이다.

8 (1) $\angle B+\angle D=180°$이어야 하므로
$115°+\angle x=180°$ $\therefore \angle x=65°$
(2) $\angle DCB=\angle BAE$이어야 하므로
$\angle x=55°$

9 (1) $\angle x=\angle CAT=45°$
(2) $\angle x=\angle BCA=108°$

10 $\angle CBA=\angle CAT=80°$
따라서 $\triangle ABC$에서
$\angle x=180°-(55°+80°)=45°$

11 $\angle BCA=\angle BAT=60°$
$\overline{BC}$가 원 O의 지름이므로 $\angle CAB=90°$
따라서 $\triangle ABC$에서
$\angle x=180°-(60°+90°)=30°$

12 $\angle BCA=\angle BAT=40°$
$\therefore \angle x=2\angle BCA$
$=2\times 40°=80°$

교과서 기출 베스트 1회 22쪽~23쪽

1 $90°$	2 $135°$	3 $80°$	4 $220°$
5 $54°$	6 $81°$	7 $55°$	8 $34°$

1 네 점 A, B, C, D가 한 원에 있으므로
$\angle DBC=\angle DAC=40°$
$\angle ACD=\angle ABD=30°$
따라서 $\triangle DBC$에서
$\angle x=180°-(40°+20°+30°)=90°$

2 $\overline{BC}$가 원 O의 지름이므로 $\angle BAC=90°$
이때 $\overline{AB}=\overline{AC}$이므로

△ABC에서

$\angle ABC=\frac{1}{2}\times(180^\circ-90^\circ)=45^\circ$

□ABCD가 원 O에 내접하므로

$\angle x=180^\circ-45^\circ=135^\circ$

3 오른쪽 그림과 같이 $\overline{BD}$를 그으면

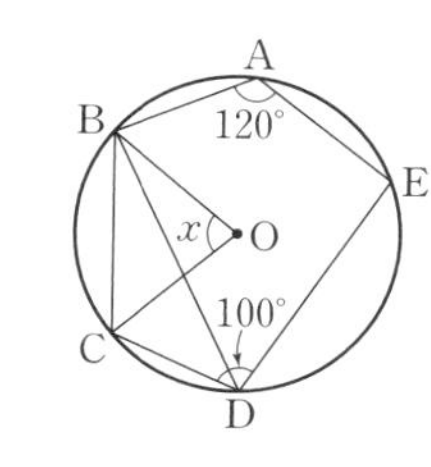

□ABDE가 원 O에 내접하므로

$\angle BDE=180^\circ-120^\circ=60^\circ$

$\angle BDC=100^\circ-60^\circ=40^\circ$

$\therefore\ \angle x=2\angle BDC=2\times40^\circ=80^\circ$

4 $\angle x=\frac{1}{2}\times220^\circ=110^\circ$

□ABCD가 원 O에 내접하므로

$\angle y=\angle x=110^\circ$

$\therefore\ \angle x+\angle y=110^\circ+110^\circ=220^\circ$

5 □ABCD가 원에 내접하므로

$\angle CDQ=\angle ABC=\angle x$

△PBC에서 $\angle PCQ=\angle x+25^\circ$

△DCQ에서

$\angle x+(\angle x+25^\circ)+47^\circ=180^\circ$

$2\angle x=108^\circ$　　$\therefore\ \angle x=54^\circ$

6 $\angle ADB=\angle ACB$이므로 □ABCD는 원에 내접한다.

따라서 $\angle ABC+\angle ADC=180^\circ$이므로

$74^\circ+(25^\circ+\angle x)=180^\circ$　　$\therefore\ \angle x=81^\circ$

7 □ABCD가 원에 내접하므로

$\angle BCD=180^\circ-95^\circ=85^\circ$

△BCD에서 $\angle DBC=180^\circ-(85^\circ+40^\circ)=55^\circ$

$\therefore\ \angle x=\angle DBC=55^\circ$

8 오른쪽 그림과 같이 $\overline{CA}$를 그으면

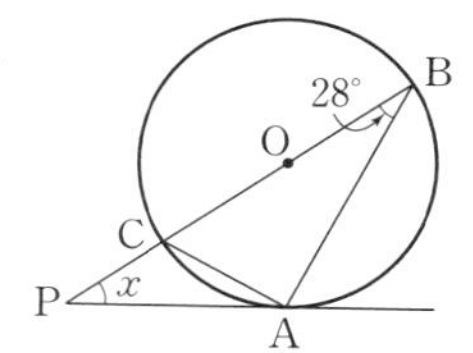

$\overline{BC}$가 원 O의 지름이므로

$\angle CAB=90^\circ$

$\angle CAP=\angle CBA=28^\circ$

따라서 △BPA에서

$\angle x=180^\circ-(28^\circ+90^\circ+28^\circ)$

$=34^\circ$

교과서 기출 베스트 2회 | 24쪽~25쪽

1 25°	2 ④	3 72°	4 ②
5 40°	6 ③	7 ③	8 52°

1 △APC에서 $\angle ACP=180^\circ-(100^\circ+55^\circ)=25^\circ$

네 점 A, B, C, D가 한 원 위에 있으려면

$\angle x=\angle ACB=25^\circ$

2 $\overline{BC}$가 원 O의 지름이므로 $\angle BAC=90^\circ$

□ABCD가 원 O에 내접하므로

$\angle BAD+\angle BCD=180^\circ$

$(90^\circ+25^\circ)+(20^\circ+\angle x)=180^\circ$

$\therefore\ \angle x=45^\circ$

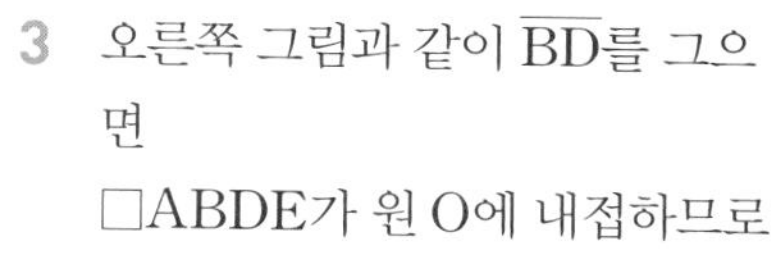

3 오른쪽 그림과 같이 $\overline{BD}$를 그으면

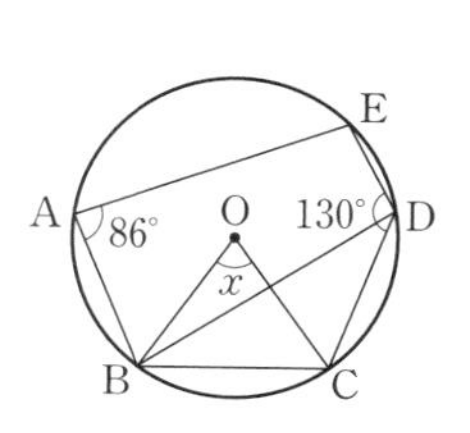

□ABDE가 원 O에 내접하므로

$\angle EDB=180^\circ-86^\circ=94^\circ$

$\angle BDC=130^\circ-94^\circ=36^\circ$

$\therefore\ \angle x=2\angle BDC=2\times36^\circ=72^\circ$

4 □ABCD가 원에 내접하므로
$\angle ADC = \angle ABE = 100°$
$\angle BDC = \angle BAC = 53°$
$\therefore \angle x = 100° - 53° = 47°$
$\angle ABD = 180° - (100° + 48°) = 32°$이므로
$\angle y = \angle ABD = 32°$
$\therefore \angle x - \angle y = 47° - 32° = 15°$

5 □ABCD가 원에 내접하므로
$\angle FAB = \angle DCB = 60°$
$\triangle EBC$에서
$\angle EBF = 20° + 60° = 80°$
따라서 $\triangle AFB$에서
$\angle x = 180° - (60° + 80°) = 40°$

6 ① $\angle DCE = \angle BAD$이므로 □ABCD는 원에 내접한다.
② $\angle A + \angle C = 180°$이므로 □ABCD는 원에 내접한다.
③ $\angle ACD = 180° - (47° + 105°) = 28°$
이때 $\angle ABD \neq \angle ACD$이므로 □ABCD는 원에 내접하지 않는다.
④ $\angle BAC = \angle BDC$이므로 □ABCD는 원에 내접한다.
⑤ $\triangle ABC$에서 $\angle B = 180° - (55° + 45°) = 80°$
이때 $\angle B + \angle D = 180°$이므로 □ABCD는 원에 내접한다.
따라서 □ABCD가 원에 내접하지 않는 것은 ③이다.

7 $\widehat{AB} = \widehat{BC}$이므로 $\angle BAC = \angle ACB = 41°$
$\angle DAC = \angle DCT = \angle x$
□ABCD가 원에 내접하므로
$\angle BAD + \angle BCD = 180°$
$(41° + \angle x) + (41° + 53°) = 180°$
$\therefore \angle x = 45°$

8 오른쪽 그림과 같이 $\overline{AD}$를 그으면 $\overline{CD}$가 원 O의 지름이므로

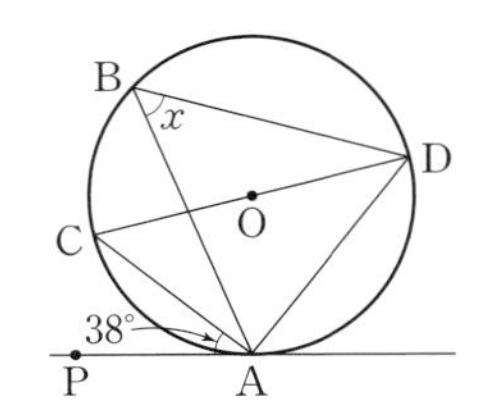

$\angle CAD = 90°$
$\angle CDA = \angle CAP = 38°$
$\triangle CAD$에서
$\angle DCA = 180° - (90° + 38°)$
$= 52°$
$\therefore \angle x = \angle DCA = 52°$

3일 대푯값

시험지 속 개념 문제 | 29쪽

1 (1) 9 (2) 166
2 (1) 21 (2) 6, 9
3 7.5
4 ③
5 ④
6 (1) ○ (2) × (3) ○ (4) ×

1 (1) 변량을 작은 값부터 크기순으로 나열하면
5, 6, 8, 9, 10, 14, 17
이므로 중앙값은 9이다.
(2) 변량을 작은 값부터 크기순으로 나열하면
77, 160, 164, 168, 171, 171
이므로 (중앙값)$=\frac{164+168}{2}=166$

3 (평균)$=\frac{7+8+3+6+8+4}{6}=\frac{36}{6}=6$
$\therefore a=6$
변량을 작은 값부터 크기순으로 나열하면
3, 4, 6, 7, 8, 8
이므로 (중앙값)$=\frac{6+7}{2}=6.5$
$\therefore b=6.5$
최빈값은 8이므로 $c=8$
$\therefore a-b+c=6-6.5+8=7.5$

4 ③ 극단적인 값 70이 있으므로 평균을 대푯값으로 정하기에 적절하지 않다.

6 (2) 주어진 자료의 변량 중에 매우 크거나 매우 작은 값이 있는 경우에는 대푯값으로 중앙값이 가장 적절하다.
(4) 주어진 자료의 변량의 개수가 짝수이면 변량을 작은 값부터 크기순으로 나열할 때 한가운데에 놓인 두 값의 평균이 중앙값이다. 따라서 중앙값은 주어진 자료의 변량 중에 없을 수도 있다.

교과서 기출 베스트 1회 | 30쪽~31쪽

1 4.5	2 6	3 중앙값, 7회	4 12
5 6시간	6 7.5	7 6	8 2

1 변량을 작은 값부터 크기순으로 나열하면
1, 1, 1, 2, 3, 4, 4, 5, 6, 6
이므로 (중앙값)$=\frac{3+4}{2}=3.5$
$\therefore a=3.5$
최빈값은 1이므로 $b=1$
$\therefore a+b=3.5+1=4.5$

2 주어진 변량이 13개이므로 중앙값은 변량을 작은 값부터 크기순으로 나열할 때 7번째 값인 18초이다.
$\therefore a=18$
최빈값은 24초이므로 $b=24$
$\therefore b-a=24-18=6$

3 극단적인 값 24회가 있으므로 대푯값으로 평균보다 중앙값이 더 적절하다.
변량을 작은 값부터 크기순으로 나열하면
5, 6, 7, 7, 7, 8, 8, 24
이므로 (중앙값)$=\frac{7+7}{2}=7$(회)

4 중앙값은 5번째와 6번째 값의 평균이므로

$\frac{8+x}{2}=10$

$8+x=20$ $\therefore x=12$

5 평균이 6시간이므로

$\frac{6+7+8+x+4+6}{6}=6$

$\frac{x+31}{6}=6$, $x+31=36$ $\therefore x=5$

변량을 작은 값부터 크기순으로 나열하면

4, 5, 6, 6, 7, 8

이므로 (중앙값)$=\frac{6+6}{2}=6$(시간)

6 평균이 7이므로

$\frac{3+7+9+x+8+y+10+4}{8}=7$

$\frac{x+y+41}{8}=7$, $x+y+41=56$

$\therefore x+y=15$ ······ ㉠

x, y를 제외한 6개의 변량이 모두 다르고 최빈값이 9이므로 x, y 중 적어도 하나는 9이다.

$x=9$이면 ㉠에서 $y=6$

$y=9$이면 ㉠에서 $x=6$

따라서 변량을 작은 값부터 크기순으로 나열하면

3, 4, 6, 7, 8, 9, 9, 10

이므로 (중앙값)$=\frac{7+8}{2}=7.5$

7 x를 제외한 4개의 변량이 모두 다르므로 최빈값은 x이다.

이때 평균과 최빈값이 같으므로

$\frac{3+5+6+10+x}{5}=x$

$\frac{x+24}{5}=x$, $x+24=5x$

$4x=24$ $\therefore x=6$

8 8, a, 4, 12에서 a를 제외한 변량을 작은 값부터 크기순으로 나열하면

4, 8, 12

이고 중앙값이 7이므로 $4<a<8$

즉 $\frac{a+8}{2}=7$이므로

$a+8=14$ $\therefore a=6$

또 5, 6, b, 1, 2에서 b를 제외한 변량을 작은 값부터 크기순으로 나열하면

1, 2, 5, 6

이고 중앙값이 4이므로 $b=4$

$\therefore a-b=6-4=2$

교과서 기출 베스트 2회

32쪽~33쪽

1 ⑤　2 ②　3 고은, 우식　4 8시간

5 중앙값 : 87.5점, 최빈값 : 85점　6 ③

7 11　8 ④

1 (평균)$=\frac{4+7+5+13+6+4+3}{7}=\frac{42}{7}=6$

$\therefore a=6$

변량을 작은 값부터 크기순으로 나열하면

3, 4, 4, 5, 6, 7, 13

이므로 중앙값은 5이다.

$\therefore b=5$

최빈값은 4이므로 $c=4$

$\therefore a+b+c=6+5+4=15$

2 주어진 변량이 14개이므로 중앙값은 변량을 작은 값부터 크기순으로 나열할 때 7번째와 8번째 값의 평균이다.

즉 (중앙값)$=\frac{90+95}{2}=92.5$(호)이므로 $a=92.5$

최빈값은 90호이므로 $b=90$

$\therefore a-b=92.5-90=2.5$

3 하나 : 회원이 10명이므로

$1+2+3+x+1+1=10$

$x+8=10 \qquad \therefore x=2$

성철 : 최빈값은 3권이다.

고은 : 주어진 변량이 10개이므로 중앙값은 변량을 작은 값부터 크기순으로 나열할 때 5번째와 6번째 값의 평균이다.

$\therefore$ (중앙값)$=\dfrac{3+3}{2}=3$(권)

우식 : (평균)$=\dfrac{1\times1+2\times2+3\times3+4\times2+5\times1+21\times1}{10}$

$=\dfrac{48}{10}=4.8$(권)

지우 : 극단적인 값 21권이 있으므로 대푯값으로 평균보다 중앙값이 더 적절하다.

따라서 옳은 설명을 하는 학생은 고은, 우식이다.

4 중앙값은 3번째와 4번째 값의 평균이므로

$\dfrac{6+x}{2}=7$

$6+x=14 \qquad \therefore x=8$

$\therefore$ (평균)$=\dfrac{3+4+6+8+12+15}{6}$

$=\dfrac{48}{6}=8$(시간)

5 평균이 90점이므로

$\dfrac{100+85+100+95+x+90+85+80}{8}=90$

$\dfrac{x+635}{8}=90,\ x+635=720 \qquad \therefore x=85$

변량을 작은 값부터 크기순으로 나열하면

80, 85, 85, 85, 90, 95, 100, 100

이므로 (중앙값)$=\dfrac{85+90}{2}=87.5$(점)

최빈값은 85점이다.

6 평균이 1이므로

$\dfrac{3+a+6+b+(-3)+8}{6}=1$

$\dfrac{a+b+14}{6}=1,\ a+b+14=6$

$\therefore a+b=-8 \qquad \cdots\cdots ㉠$

a, b를 제외한 4개의 변량이 모두 다르고 최빈값이 -3이므로 a, b 중 적어도 하나는 -3이다.

$a=-3$이면 ㉠에서 $b=-5$

$b=-3$이면 ㉠에서 $a=-5$

따라서 변량을 작은 값부터 크기순으로 나열하면

$-5,\ -3,\ -3,\ 3,\ 6,\ 8$

이므로 (중앙값)$=\dfrac{-3+3}{2}=0$

7 x의 값에 관계없이 8이 가장 많이 나타나므로 최빈값은 8이다.

이때 평균과 최빈값이 같으므로

$\dfrac{8+9+10+x+6+4+8+8}{8}=8$

$\dfrac{x+53}{8}=8,\ x+53=64 \qquad \therefore x=11$

8 3, 5, a, 9, 8에서 a를 제외한 변량을 작은 값부터 크기순으로 나열하면

3, 5, 8, 9

이고 중앙값이 6이므로 $a=6$

또 2, 7, 6, b, 10, 12에서 b를 제외한 변량을 작은 값부터 크기순으로 나열하면

2, 6, 7, 10, 12

이고 중앙값이 8이므로 $7<b<10$

즉 $\dfrac{7+b}{2}=8$이므로

$7+b=16 \qquad \therefore b=9$

$\therefore ab=6\times9=54$

4일 산포도

시험지 속 개념 문제 | 37쪽

1 (1) -2 (2) 75점 (3) 2점
2 (1) 7점 (2) 풀이 참조 (3) 4 (4) 2점
3 $2\sqrt{2}$회
4 분산 : 3, 표준편차 : $\sqrt{3}$
5 병찬

1 (1) 편차의 총합은 0이므로
$x+(-5)+7+(-4)+4=0$
$\therefore x=-2$
(2) (영어 성적)$=80+(-5)=75$(점)
(3) 국어 성적과 사회 성적의 차는
$-2-(-4)=2$(점)

2 (1) (평균)$=\dfrac{6+10+8+7+4}{5}=\dfrac{35}{5}=7$(점)
(2)

성적(점)	6	10	8	7	4
편차(점)	-1	3	1	0	-3
(편차)^2	1	9	1	0	9

(3) (분산)$=\dfrac{1+9+1+0+9}{5}=\dfrac{20}{5}=4$
(4) (표준편차)$=\sqrt{4}=2$(점)

3 (분산)$=\dfrac{(-2)^2+(-5)^2+3^2+1^2+3^2+0^2}{6}$
$=\dfrac{48}{6}=8$
$\therefore$ (표준편차)$=\sqrt{8}=2\sqrt{2}$(회)

4 (평균)$=\dfrac{12+9+10+7+12+10}{6}=\dfrac{60}{6}=10$
$\therefore$ (분산)$=\dfrac{2^2+(-1)^2+0^2+(-3)^2+2^2+0^2}{6}$
$=\dfrac{18}{6}=3$
(표준편차)$=\sqrt{3}$

5 수학 성적의 표준편차가 과학 성적의 표준편차보다 작으므로 수학 성적이 과학 성적보다 더 고르다.
따라서 옳은 설명을 한 학생은 병찬이다.

교과서 기출 베스트 1회 | 38쪽~39쪽

1 76점	2 $\dfrac{34}{5}$	3 $\sqrt{10}$시간	4 2
5 ⑤	6 2, 3	7 ②, ④	8 ③

1 학생 D의 영어 성적의 편차를 x점이라고 하면
편차의 총합은 0이므로
$3+(-2)+(-4)+x+1+(-2)=0$
$\therefore x=4$
따라서 학생 D의 영어 성적은
$72+4=76$(점)

2 편차의 총합은 0이므로
$4+(-3)+x+2+(-1)=0$
$\therefore x=-2$
$\therefore$ (분산)$=\dfrac{4^2+(-3)^2+(-2)^2+2^2+(-1)^2}{5}$
$=\dfrac{34}{5}$

3 (평균)$=\dfrac{7+6+10+15+14+8+10}{7}$
$=\dfrac{70}{7}=10$(시간)

$(\text{분산})=\dfrac{(-3)^2+(-4)^2+0^2+5^2+4^2+(-2)^2+0^2}{7}$

$=\dfrac{70}{7}=10$

$\therefore$ (표준편차)$=\sqrt{10}$(시간)

4 평균이 5점이므로

$\dfrac{5+3+6+x+7}{5}=5$

$21+x=25 \qquad \therefore x=4$

$\therefore (\text{분산})=\dfrac{0^2+(-2)^2+1^2+(-1)^2+2^2}{5}$

$=\dfrac{10}{5}=2$

5 평균이 3이므로

$\dfrac{x+y+1+2+6}{5}=3$

$x+y+9=15 \qquad \therefore x+y=6$ ······ ㉠

표준편차가 2이므로

$\dfrac{(x-3)^2+(y-3)^2+(-2)^2+(-1)^2+3^2}{5}=2^2$

$x^2+y^2-6(x+y)+32=20$ ······ ㉡

㉠을 ㉡에 대입하면

$x^2+y^2-6\times6+32=20$

$\therefore x^2+y^2=24$

6 $(\text{평균})=\dfrac{6+10+12+(x+1)+(6-x)}{5}=\dfrac{35}{5}=7$

분산이 12이므로

$\dfrac{(-1)^2+3^2+5^2+(x-6)^2+(-x-1)^2}{5}=12$

$2x^2-10x+72=60$, $2x^2-10x+12=0$

$x^2-5x+6=0$, $(x-2)(x-3)=0$

$\therefore x=2$ 또는 $x=3$

7 ① 분산이 클수록 자료의 분포가 고르지 않다고 할 수 있다.

③ 편차의 절댓값이 클수록 그 변량은 평균에서 멀리 떨어져 있다.

⑤ 표준편차가 작을수록 변량들이 평균을 중심으로 가까이 모여 있다.

8 ① 각 반의 학생 수는 알 수 없다.

② 3반에 국어 성적이 90점 이상인 학생이 있는지 알 수 없다.

③ 4반의 국어 성적의 표준편차가 3반의 국어 성적의 표준편차보다 작으므로 4반의 국어 성적이 3반의 국어 성적보다 더 고르다.

④ 국어 성적이 가장 낮은 학생이 어느 반에 있는지 알 수 없다.

⑤ 국어 성적이 80점 이상인 학생이 어느 반에 더 많이 있는지 알 수 없다.

따라서 옳은 것은 ③이다.

교과서 기출 베스트 2회 | 40쪽~41쪽

1 ④	2 ⑤	3 ①	4 ③
5 ④	6 8	7 수지	8 ④

1 편차의 총합은 0이므로

$3+(-3)+x+2+0+4=0$

$\therefore x=-6$

따라서 수요일에 친 안타 수는

$12+(-6)=6$(개)

2 ① 편차의 총합은 0이므로

$-2+3+(-3)+x+1=0 \qquad \therefore x=1$

따라서 학생 D의 편차는 1점이다.

② $(\text{분산})=\dfrac{(-2)^2+3^2+(-3)^2+1^2+1^2}{5}=\dfrac{24}{5}$

③ 학생 A와 학생 B의 사회 성적의 차는
$3-(-2)=5$(점)
④ 편차가 가장 큰 학생은 B이므로 사회 성적이 가장 높은 학생은 B이다.
⑤ 학생 D의 사회 성적은
$70+1=71$(점)
따라서 옳은 것은 ⑤이다.

3 (평균)$=\dfrac{3+6+4+7+5}{5}$
$=\dfrac{25}{5}=5$(시간)
(분산)$=\dfrac{(-2)^2+1^2+(-1)^2+2^2+0^2}{5}$
$=\dfrac{10}{5}=2$
$\therefore$ (표준편차)$=\sqrt{2}$(시간)

4 평균이 20회이므로
$\dfrac{18+21+20+x+17}{5}=20$
$76+x=100 \qquad \therefore x=24$
$\therefore$ (분산)$=\dfrac{(-2)^2+1^2+0^2+4^2+(-3)^2}{5}$
$=\dfrac{30}{5}=6$

5 평균이 12이므로
$\dfrac{10+11+12+x+y}{5}=12$
$33+x+y=60$
$\therefore x+y=27$ ······ ㉠
분산이 4이므로
$\dfrac{(-2)^2+(-1)^2+0^2+(x-12)^2+(y-12)^2}{5}=4$
$x^2+y^2-24(x+y)+293=20$ ······ ㉡
㉠을 ㉡에 대입하면
$x^2+y^2-24\times27+293=20$
$\therefore x^2+y^2=375$

6 (평균)$=\dfrac{7+x+6+(8-x)+4}{5}=\dfrac{25}{5}=5$
표준편차가 $\sqrt{2}$이므로
$\dfrac{2^2+(x-5)^2+1^2+(3-x)^2+(-1)^2}{5}=(\sqrt{2})^2$
$2x^2-16x+40=10$, $2x^2-16x+30=0$
$x^2-8x+15=0$, $(x-3)(x-5)=0$
$\therefore x=3$ 또는 $x=5$
따라서 모든 x의 값의 합은 $3+5=8$

7 주익 : 표준편차는 분산의 음이 아닌 제곱근이다.
현규 : 분산이 작을수록 표준편차도 작다.
지나 : 산포도에는 분산, 표준편차 등이 있다.
선경 : 편차의 절댓값이 작을수록 그 변량은 평균에 가까이 있다.
따라서 옳은 설명을 한 학생은 수지이다.

8 ① 각 반의 학생 수는 알 수 없다.
② 수학 성적이 가장 높은 학생이 어느 반에 있는지 알 수 없다.
③ 각 반의 학생 수를 알 수 없으므로 전체 학생들의 수학 성적의 평균을 구할 수 없다.
④ A반의 수학 성적의 표준편차가 가장 작으므로 수학 성적이 가장 고른 반은 A반이다.
⑤ 수학 성적이 85점 이상인 학생이 어느 반에 더 많이 있는지 알 수 없다.
따라서 옳은 것은 ④이다.

5일 산점도와 상관관계

시험지 속 개념 문제 | 45쪽, 47쪽

1 (1) 풀이 참조 (2) 7명 (3) 6명 (4) 5명
2 (1) 8명 (2) 5명 (3) 2명 (4) 1.2
3 ④, ⑤
4 ①
5 ⑤
6 ③

1 (1)

(2) 수학 성적과 영어 성적이 같은 학생 수는 오른쪽 산점도에서 직선 l 위에 있는 점의 개수와 같으므로 7명이다.

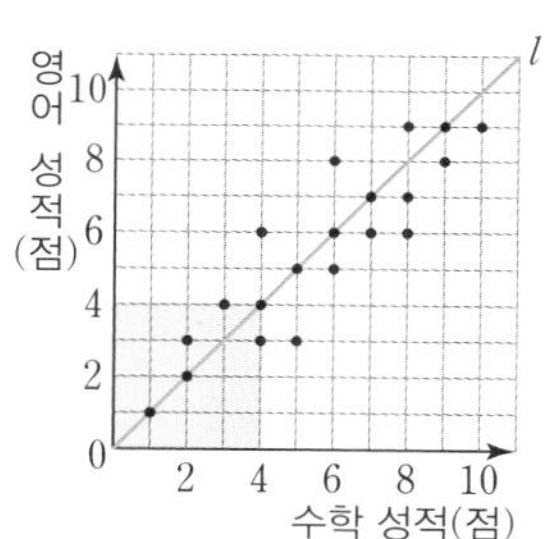

(3) 수학 성적과 영어 성적이 모두 4점 이하인 학생 수는 위 산점도에서 색칠한 부분에 속하는 점의 개수와 같으므로 6명이다.

(4) 영어 성적이 수학 성적보다 높은 학생 수는 위 산점도에서 직선 l을 제외하고 직선 l의 위쪽에 속하는 점의 개수와 같으므로 5명이다.

2

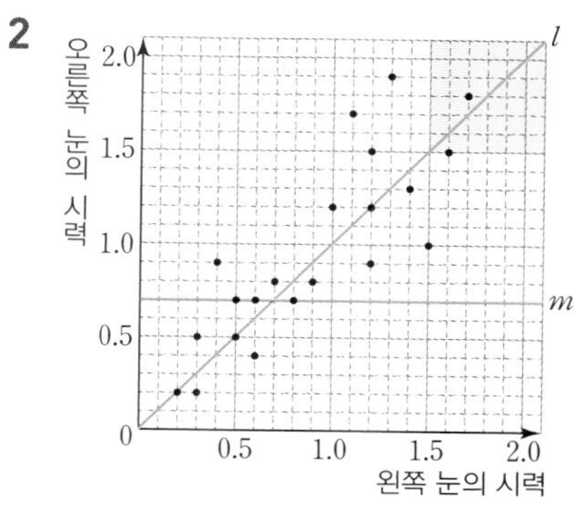

(1) 왼쪽 눈의 시력이 오른쪽 눈의 시력보다 좋은 학생 수는 위 산점도에서 직선 l을 제외하고 직선 l의 아래쪽에 속하는 점의 개수와 같으므로 8명이다.

(2) 오른쪽 눈의 시력이 0.7 미만인 학생 수는 위 산점도에서 직선 m을 제외하고 직선 m의 아래쪽에 속하는 점의 개수와 같으므로 5명이다.

(3) 왼쪽 눈의 시력과 오른쪽 눈의 시력이 모두 1.5 이상인 학생 수는 위 산점도에서 색칠한 부분에 속하는 점의 개수와 같으므로 2명이다.

(4) 왼쪽 눈의 시력이 1.2인 학생들의 오른쪽 눈의 시력은 0.9, 1.2, 1.5이므로 그 평균은

$$\frac{0.9+1.2+1.5}{3}=1.2$$

3 ①, ②, ③ 상관관계가 없다.
④ 양의 상관관계
⑤ 음의 상관관계

4 수학 성적이 좋을수록 과학 성적도 좋은 경향이 있는 반의 산점도는 양의 상관관계가 있는 ①, ④이고 이 중 수학 성적이 좋을수록 과학 성적도 좋은 경향이 가장 뚜렷한 반의 산점도는 강한 양의 상관관계가 있는 ①이다.

5 ⑤ 음의 상관관계에서 점들이 한 직선에 가까이 모여 있을수록 상관관계가 강하다.

6 ①, ②, ④ 양의 상관관계
③ 음의 상관관계
⑤ 상관관계가 없다.

교과서 기출 베스트 1회 | 48쪽~49쪽

1 6	2 40 %	3 7명	4 7명
5 ㉡, ㉤, ㉥	6 ④	7 C	8 재우

1 수학 성적과 과학 성적이 같은 학생 수는 오른쪽 산점도에서 직선 l 위에 있는 점의 개수와 같으므로 2명이다.
$\therefore a=2$
수학 성적보다 과학 성적이 높은 학생 수는 위 산점도에서 직선 l을 제외하고 직선 l의 위쪽에 속하는 점의 개수와 같으므로 8명이다.
$\therefore b=8$
$\therefore b-a=8-2=6$

2 국어 성적과 영어 성적이 모두 60점 이상인 학생 수는 오른쪽 산점도에서 색칠한 부분에 속하는 점의 개수와 같으므로 6명이다.

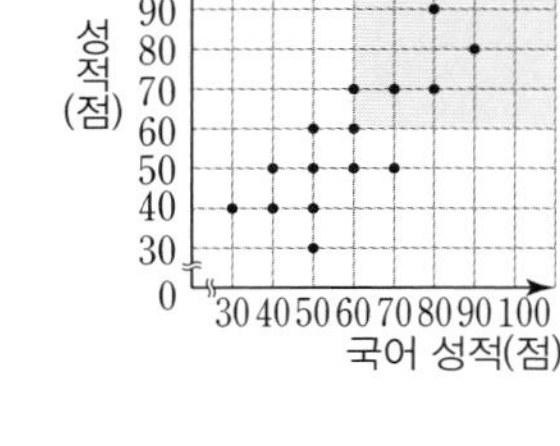

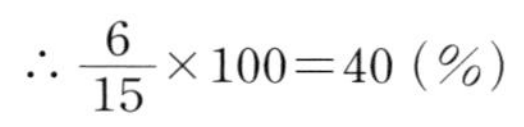
$\therefore \frac{6}{15}\times 100=40\ (\%)$

3 미술 실기 점수와 필기 점수의 차가 20점 이상인 학생 수는 오른쪽 산점도에서 색칠한 부분에 속하는 점의 개수와 같으므로 7명이다.

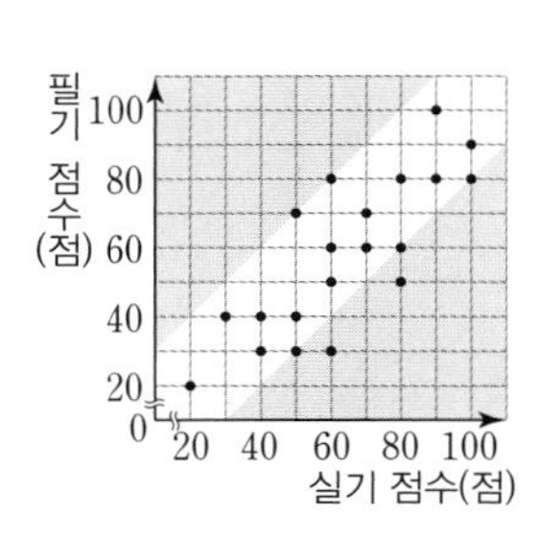

4 수학 성적과 영어 성적의 평균이 70점 이상인 학생은 수학 성적과 영어 성적의 합이 140점 이상인 학생이다.
따라서 수학 성적과 영어 성적의 평균이 70점 이상인 학생 수는 오른쪽 산점도에서 직선 l을 포함하고 직선 l의 위쪽에 속하는 점의 개수와 같으므로 7명이다.

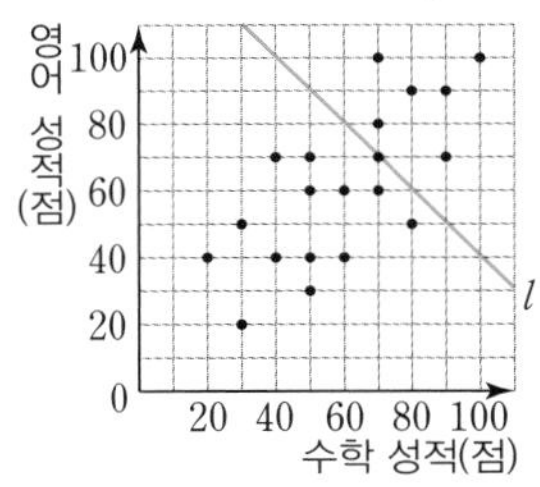

5 ㉠, ㉣ 음의 상관관계
㉡, ㉤, ㉥ 상관관계가 없다.
㉢ 양의 상관관계

6 주어진 산점도는 양의 상관관계를 나타낸다.
① 상관관계가 없다.
②, ③, ⑤ 음의 상관관계
④ 양의 상관관계

7 국어 성적에 비해 독서량이 가장 많은 학생은 오른쪽 산점도에서 대각선의 위쪽에 있는 학생 중 대각선에서 가장 멀리 떨어진 학생이므로 C이다.

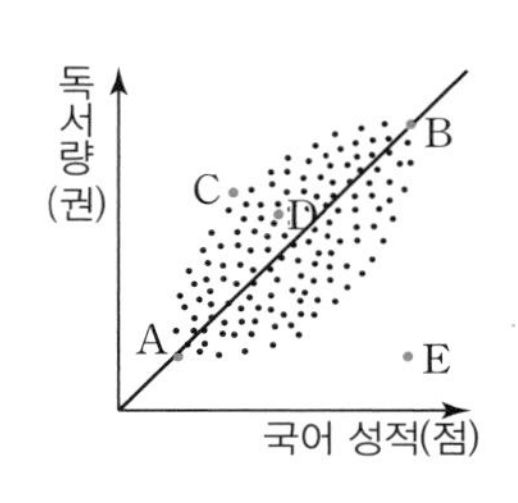

8 재우 : 과학 성적과 수학 성적의 차가 가장 큰 학생은 대각선에서 가장 멀리 떨어진 학생이므로 B이다.

교과서 기출 베스트 2회 | 50쪽~51쪽

1 ④	2 8.6점	3 ④	4 4명
5 ②	6 ②	7 ⑤	8 ②, ④

1 게임 시간보다 독서 시간이 더 많은 학생 수는 오른쪽 산점도에서 직선 l을 제외하고 직선 l의 아래쪽에 있는 점의 개수와 같으므로 9명이다.

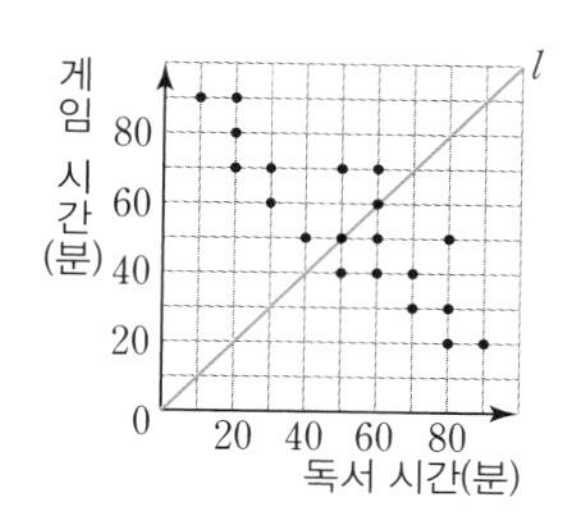

$\therefore \frac{9}{20} \times 100 = 45\ (\%)$

2 2차 점수가 9점 이상인 학생들의 1차 점수는 7점, 8점, 9점, 9점, 10점이므로 그 평균은

$\frac{7+8+9+9+10}{5} = \frac{43}{5} = 8.6$(점)

3 ② 1학기 성적과 2학기 성적이 같은 학생 수는 오른쪽 산점도에서 직선 l 위에 있는 점의 개수와 같으므로 5명이다.

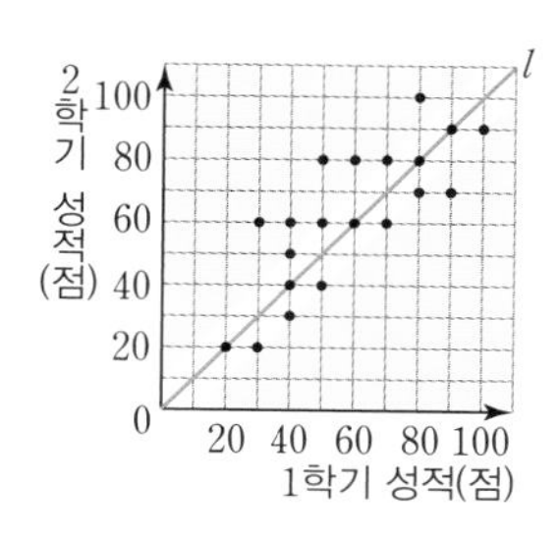

$\therefore \frac{5}{20} \times 100 = 25\ (\%)$

③ 2학기 성적이 1학기 성적보다 높은 학생 수는 위 산점도에서 직선 l을 제외하고 직선 l의 위쪽에 있는 점의 개수와 같으므로 8명이다.

④ 1학기 성적과 2학기 성적이 모두 100점인 학생은 없다.

⑤ 1학기 성적과 2학기 성적의 차가 10점 이상인 학생 수는 위 산점도에서 색칠한 부분에 속하는 점의 개수와 같으므로 15명이다.

따라서 옳지 않은 것은 ④이다.

4 국어 성적과 수학 성적의 평균이 85점 이상인 학생은 국어 성적과 수학 성적의 합이 170점 이상인 학생이다.

따라서 국어 성적과 수학 성적의 평균이 85점 이상인 학생 수는 오른쪽 산점도에서 직선 l을 포함하고 직선 l의 위쪽에 속하는 점의 개수와 같으므로 4명이다.

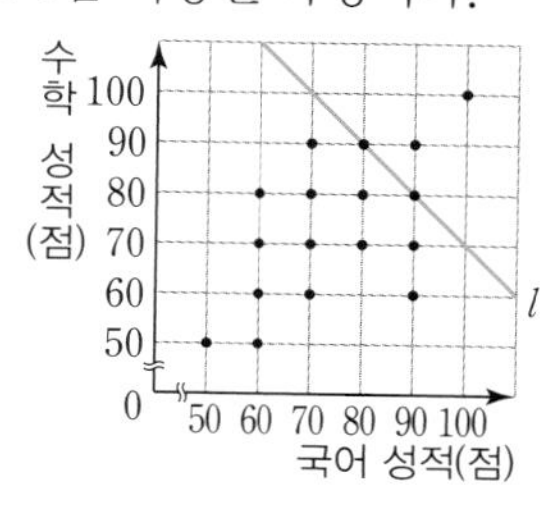

5 감자의 생산량과 감자의 가격 사이에는 음의 상관관계가 있다.

① 양의 상관관계

② 음의 상관관계

③, ④, ⑤ 상관관계가 없다.

6 주어진 산점도는 상관관계가 없다.

①, ③ 양의 상관관계

② 상관관계가 없다.

④, ⑤ 음의 상관관계

7 키에 비해 몸무게가 가장 많이 나가는 학생은 오른쪽 산점도에서 대각선의 아래쪽에 있는 학생 중 대각선에서 가장 멀리 떨어진 학생이므로 E이다.

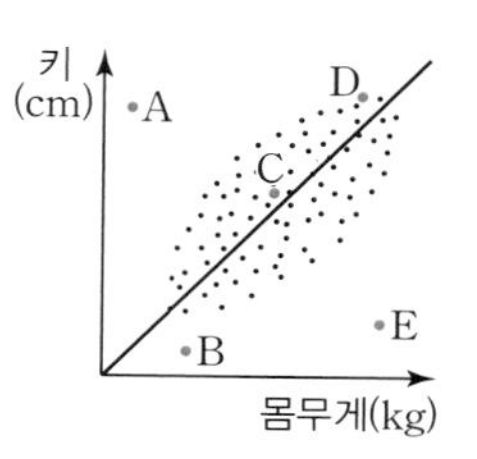

8 ① B는 C보다 수학 성적이 낮다.

③ C는 대각선의 아래쪽에 있으므로 과학 성적보다 수학 성적이 높다.

⑤ 수학 성적과 과학 성적 사이에는 양의 상관관계가 있다.

누구나 100점 테스트 1회

52쪽~53쪽

1 ②	**2** ④	**3** 16°	**4** 55°
5 ③	**6** ⑤	**7** ③	**8** 110°
9 65°	**10** 35°		

1 $\angle APB=\frac{1}{2}\times(360°-150°)=105°$

2 $\angle x=\angle PCB=55°$
$\angle y=\angle APC=40°$
$\therefore\ \angle x+\angle y=55°+40°=95°$

3 오른쪽 그림과 같이
$\overline{BD}$를 그으면

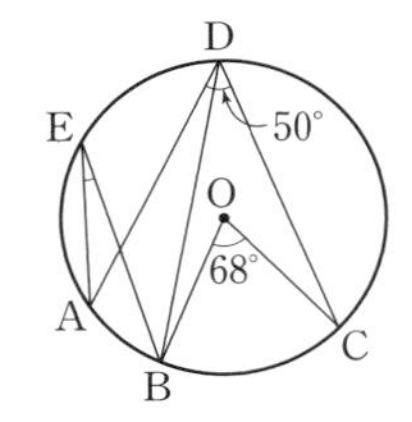

$\angle BDC=\frac{1}{2}\angle BOC$
$=\frac{1}{2}\times 68°=34°$
$\angle ADB=50°-34°=16°$
$\therefore\ \angle AEB=\angle ADB=16°$

4 $\overline{BD}$는 원 O의 지름이므로 $\angle BCD=90°$
$\triangle BCD$에서
$\angle BDC=180°-(35°+90°)=55°$
$\therefore\ \angle x=\angle BDC=55°$

5 $\angle APB : \angle BPC=\widehat{AB} : \widehat{BC}$에서
$20° : 30°=\widehat{AB} : 6$이므로
$2 : 3=\widehat{AB} : 6$
$3\widehat{AB}=12 \qquad \therefore\ \widehat{AB}=4\ (\text{cm})$

6 $95°+\angle x=180°$에서 $\angle x=85°$
$110°+\angle y=180°$에서 $\angle y=70°$
$\therefore\ \angle x-\angle y=85°-70°=15°$

7 □ABCD가 원 O에 내접하므로
$\angle BAD=180°-140°=40°$
$\therefore\ \angle x=2\angle BAD=2\times 40°=80°$

8 $\angle x=\angle BDC=35°$
□ABCD가 원에 내접하므로
$\angle y=\angle BAD=40°+35°=75°$
$\therefore\ \angle x+\angle y=35°+75°=110°$

9 $\angle CBA=\angle CAT=40°$
따라서 $\triangle ABC$에서
$\angle x=180°-(40°+75°)=65°$

10 $\angle CBA=\angle CAT=55°$
$\angle COA=2\angle CBA=2\times 55°=110°$
이때 $\overline{OA}=\overline{OC}$이므로 $\triangle OCA$에서
$\angle x=\frac{1}{2}\times(180°-110°)=35°$

누구나 100점 테스트 2회

54쪽~55쪽

1 13	**2** ④	**3** 13	**4** 5
5 ③	**6** ①	**7** ②	**8** ④
9 ②	**10** ①		

1 $(\text{평균})=\dfrac{4+2+6+4+9}{5}=\dfrac{25}{5}=5$

$\therefore a=5$

변량을 작은 값부터 크기순으로 나열하면

2, 4, 4, 6, 9

이므로 중앙값은 4이다.

$\therefore b=4$

최빈값은 4이므로 $c=4$

$\therefore a+b+c=5+4+4=13$

3 3, 16, a, 9에서 a를 제외한 변량을 작은 값부터 크기순으로 나열하면

3, 9, 16

이고 중앙값이 11이므로 $9<a<16$

즉 $\dfrac{9+a}{2}=11$이므로

$9+a=22 \qquad \therefore a=13$

4 편차의 총합은 0이므로

$-2+(-3)+x+4+(-4)=0$

$\therefore x=5$

5 $(\text{분산})=\dfrac{(-1)^2+2^2+0^2+(-3)^2+2^2}{5}$

$=\dfrac{18}{5}=3.6$

6 성적이 가장 고른 과목은 표준편차가 가장 작은 국어이다.

7 1차 시험 점수보다 2차 시험 점수가 향상된 학생 수는 오른쪽 산점도에서 직선 l을 제외하고 직선 l의 위쪽에 속하는 점의 개수와 같으므로 9명이다.

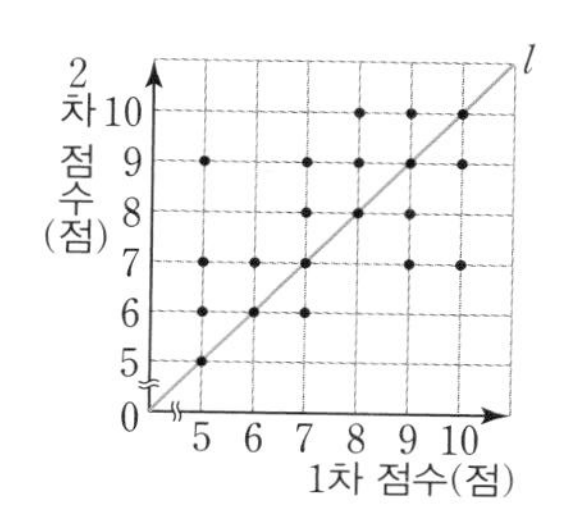

8 국어 성적과 영어 성적이 모두 70점 이상인 학생 수는 오른쪽 산점도에서 색칠한 부분에 속하는 점의 개수와 같으므로 7명이다.

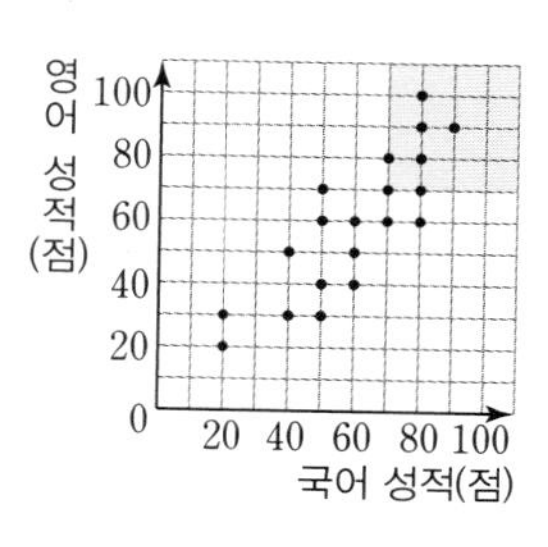

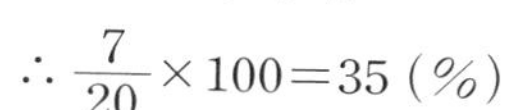

$\therefore \dfrac{7}{20}\times 100=35\ (\%)$

10 영어 성적에 비해 수학 성적이 가장 높은 학생은 오른쪽 산점도에서 대각선의 위쪽에 있는 학생 중 대각선에서 가장 멀리 떨어진 학생이므로 A이다.

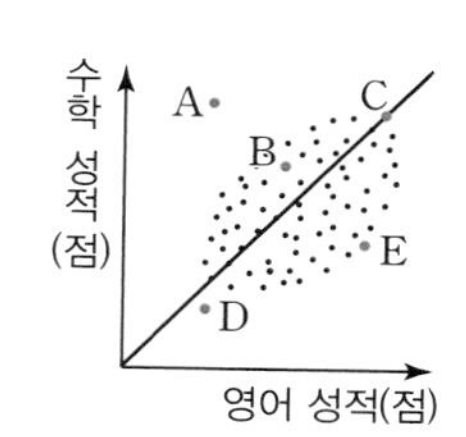

서술형·사고력 테스트 | 56쪽~57쪽

1 9 cm

2 69°

3 (1) 평균 : 370 kWh, 중앙값 : 210 kWh, 최빈값 : 200 kWh
(2) 중앙값, 풀이 참조

4 (1) 9 (2) 55 (3) 13

1 오른쪽 그림과 같이 $\overline{OA}$, $\overline{OB}$를 그으면

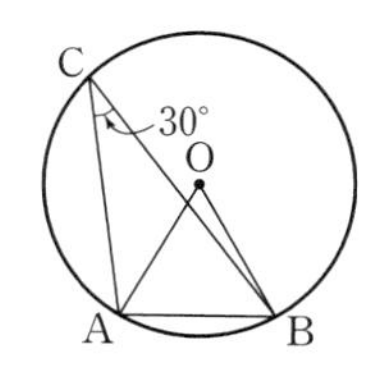

$\angle AOB=2\angle ACB$

$=2\times 30^\circ=60^\circ$ …… (가)

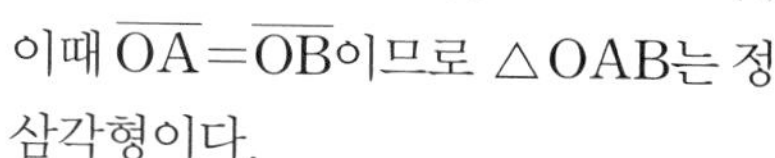

이때 $\overline{OA}=\overline{OB}$이므로 $\triangle OAB$는 정삼각형이다. …… (나)

$\therefore \overline{AB}=\overline{OA}=\overline{OB}=9\text{ cm}$ …… (다)

채점 기준	비율
(가) $\angle AOB$의 크기 구하기	30 %
(나) $\triangle OAB$가 어떤 삼각형인지 알기	40 %
(다) $\overline{AB}$의 길이 구하기	30 %

기말

2 $\angle AFD=\angle DEF=48°$ …… (가)

$\triangle FEC$에서 $\overline{CE}=\overline{CF}$이므로

$\angle CFE=\frac{1}{2}\times(180°-54°)=63°$ …… (나)

$\therefore \angle DFE=180°-(48°+63°)=69°$ …… (다)

채점 기준	비율
(가) $\angle AFD$의 크기 구하기	30 %
(나) $\angle CFE$의 크기 구하기	50 %
(다) $\angle DFE$의 크기 구하기	20 %

3 (1) (평균)$=\frac{1}{12}\times(190+210+200+230+210+220+2160+200+220+200+280+120)$

$=\frac{1}{12}\times4440=370$ (kWh) …… (가)

변량을 작은 값부터 크기순으로 나열하면

120, 190, 200, 200, 200, 210, 210, 220, 220, 230, 280, 2160이므로

(중앙값)$=\frac{210+210}{2}=210$ (kWh) …… (나)

변량 중 가장 많이 나타나는 값은 200이므로 최빈값은 200 kWh이다. ……(다)

(2) 극단적인 값 2160 kWh가 있으므로 대푯값으로 평균보다 중앙값이 더 적절하다. …… (라)

채점 기준	비율
(가) 평균 구하기	20 %
(나) 중앙값 구하기	30 %
(다) 최빈값 구하기	20 %
(라) 평균, 중앙값 중 대푯값으로 더 적절한 것을 고르고 그 이유 말하기	30 %

4 (1) 평균이 5이므로

$\frac{4+a+5+b+7}{5}=5$

$a+b+16=25$ $\therefore a+b=9$ …… ㉠ …… (가)

(2) 표준편차가 2이므로

$\frac{(-1)^2+(a-5)^2+0^2+(b-5)^2+2^2}{5}=2^2$

$a^2+b^2-10(a+b)+55=20$ …… ㉡

㉠을 ㉡에 대입하면

$a^2+b^2-10\times9+55=20$

$\therefore a^2+b^2=55$ …… (나)

(3) $a^2+b^2=(a+b)^2-2ab$이므로

$55=9^2-2ab$, $2ab=26$

$\therefore ab=13$ …… (다)

채점 기준	비율
(가) $a+b$의 값 구하기	30 %
(나) a^2+b^2의 값 구하기	40 %
(다) ab의 값 구하기	30 %

창의·융합·코딩 테스트 | 58쪽~59쪽

1 $(36+54\pi)\ \mathrm{m}^2$
2 $\frac{3}{5}$
3 3.2
4 7
5 서은, 풀이 참조
6 (1) A 선수 : 8점, B 선수 : 8점, C 선수 : 8점
(2) A 선수 : $\sqrt{0.8}$점, B 선수 : $\sqrt{0.4}$점, C 선수 : $\sqrt{1.2}$점
(3) B 선수

1 오른쪽 그림과 같이 원의 중심을 O라 하고 $\overline{OA}$, $\overline{OB}$를 그으면

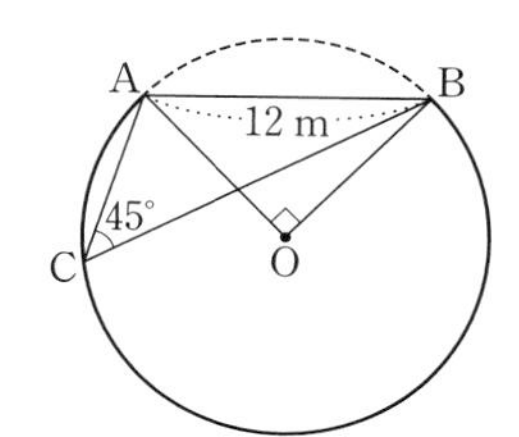

$\angle AOB=2\angle ACB$
$=2\times 45°=90°$
이때 $\overline{OA}=\overline{OB}$이므로
$\triangle AOB$에서
$\angle OAB=\frac{1}{2}\times(180°-90°)$
$=45°$
$\overline{OA}=\overline{AB}\cos 45°=12\times\frac{\sqrt{2}}{2}=6\sqrt{2}\ (\mathrm{m})$이므로
$\triangle AOB=\frac{1}{2}\times 6\sqrt{2}\times 6\sqrt{2}=36\ (\mathrm{m}^2)$
따라서 무대를 제외한 공연장의 넓이는
$36+\pi\times(6\sqrt{2})^2\times\frac{270}{360}$
$=36+54\pi\ (\mathrm{m}^2)$

2 $\overline{AB}=2\overline{OA}=2\times 5=10$
$\overline{AB}$는 원 O의 지름이므로 $\angle ACB=90°$
$\triangle ABC$에서 $\overline{AC}=\sqrt{10^2-8^2}=6$
$\therefore \sin x=\frac{6}{10}=\frac{3}{5}$

3 □ABCD가 원 O에 내접하므로
$\angle CDA=180°-125°=55°$
$\overline{CD}$는 원 O의 지름이므로 $\angle DAC=90°$
$\triangle DAC$에서
$\angle DCA=180°-(55°+90°)=35°$
$\therefore \overline{AC}=\overline{CD}\cos 35°=4\times 0.8=3.2$

4 a, b, c의 평균이 6이므로
$\frac{a+b+c}{3}=6$ $\quad\therefore a+b+c=18$
따라서 5, a, b, c, 12의 평균은
$\frac{5+a+b+c+12}{5}=\frac{5+18+12}{5}=\frac{35}{5}=7$

5 주어진 꺾은선 그래프를 표로 정리하면 다음과 같다.

(단위 : 명)

영화 \ 평점	5점	6점	7점	8점	9점	합계
A	1	3	4	2	1	11
B	3	2	1	5	0	11
C	0	1	3	4	3	11

〈주원〉
(A 영화의 평점의 평균)
$=\frac{5\times1+6\times3+7\times4+8\times2+9\times1}{11}=\frac{76}{11}$(점)
(C 영화의 평점의 평균)
$=\frac{6\times1+7\times3+8\times4+9\times3}{11}=\frac{86}{11}$(점)
이므로 A 영화의 평점의 평균보다 C 영화의 평점의 평균이 더 높다.
〈서은〉
변량을 작은 값부터 크기순으로 나열하면 6번째 변량이 중앙값이므로 A 영화의 평점의 중앙값은 7점, B 영화의 평점의 중앙값은 7점, C 영화의 평점의 중앙값은 8점이다.
〈수현〉
A 영화의 평점의 최빈값은 7점, B 영화의 평점의 최빈값은 8점, C 영화의 평점의 최빈값은 8점이므로 A 영화의 평점의 최빈값이 가장 낮다.
따라서 옳지 않은 설명을 한 학생은 서은이다.

6 (1) (A 선수의 점수의 평균)

$=\frac{7\times2+8\times1+9\times2}{5}=\frac{40}{5}=8$(점)

(B 선수의 점수의 평균)

$=\frac{7\times1+8\times3+9\times1}{5}=\frac{40}{5}=8$(점)

(C 선수의 점수의 평균)

$=\frac{7\times2+8\times2+10\times1}{5}=\frac{40}{5}=8$(점)

(2) (A 선수의 점수의 분산)

$=\frac{(-1)^2\times2+0^2\times1+1^2\times2}{5}=\frac{4}{5}=0.8$

$\therefore$ (A 선수의 점수의 표준편차)$=\sqrt{0.8}$(점)

(B 선수의 점수의 분산)

$=\frac{(-1)^2\times1+0^2\times3+1^2\times1}{5}=\frac{2}{5}=0.4$

$\therefore$ (B 선수의 점수의 표준편차)$=\sqrt{0.4}$(점)

(C 선수의 점수의 분산)

$=\frac{(-1)^2\times2+0^2\times2+2^2\times1}{5}=\frac{6}{5}=1.2$

$\therefore$ (C 선수의 점수의 표준편차)$=\sqrt{1.2}$(점)

(3) B 선수의 점수의 표준편차가 가장 작으므로 B 선수의 사격 점수가 가장 고르다.
따라서 B 선수를 경기에 출전시켜야 한다.

기말고사 기본 테스트 1회

60쪽~63쪽

1 ⑤	2 ③	3 ⑤	4 ④
5 ③	6 ②	7 ①, ④	8 ⑤
9 ①	10 ④	11 ④	12 ②
13 ①	14 ④	15 ③	16 ①, ⑤
17 ⑤	18 65°	19 60°	
20 (1) $a=6, b=-1$ (2) 3			

1 $\angle x=2\angle APB=2\times46°=92°$

$\angle y=\frac{1}{2}\times(360°-136°)=112°$

$\therefore \angle x+\angle y=92°+112°=204°$

2 오른쪽 그림과 같이 $\overline{BD}$를 그으면

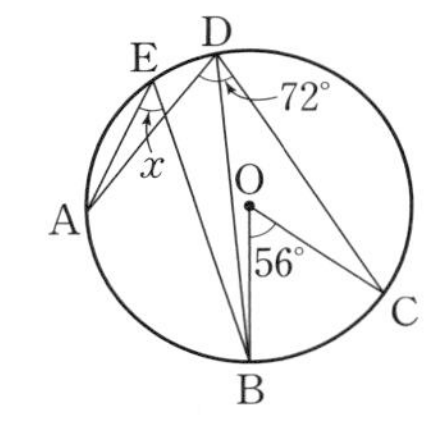

$\angle BDC=\frac{1}{2}\angle BOC$

$=\frac{1}{2}\times56°=28°$

$\angle ADB=72°-28°=44°$

$\therefore \angle x=\angle ADB=44°$

3 오른쪽 그림과 같이 $\overline{BC}$를 그으면

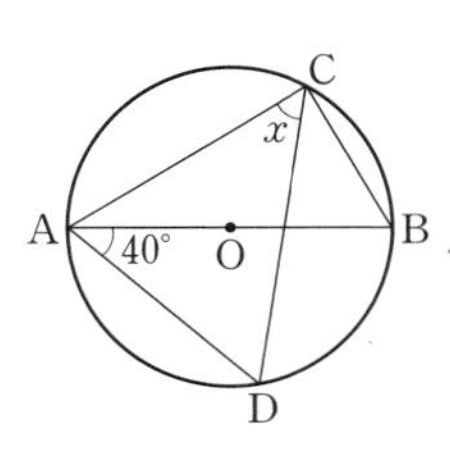

$\overline{AB}$가 원 O의 지름이므로

$\angle ACB=90°$

$\angle BCD=\angle BAD=40°$이므로

$\angle x=90°-40°=50°$

4 $\angle APB:\angle AQC=\widehat{AB}:\widehat{AC}$에서

$20°:70°=5:\widehat{AC}$이므로

$2:7=5:\widehat{AC}$

$2\widehat{AC}=35 \quad \therefore \widehat{AC}=\frac{35}{2}$ (cm)

5 □ABCD가 원 O에 내접하므로

$\angle x=180°-150°=30°$

$\angle y=2\angle BAD=2\times 30°=60°$

$\therefore \angle x+\angle y=30°+60°=90°$

6 □ABCD가 원에 내접하므로

$\angle x=\angle BAD=70°$

$\angle y=180°-90°=90°$

$\therefore \angle y-\angle x=90°-70°=20°$

7 ① $\angle BAC=70°-30°=40°$

이때 $\angle BAC=\angle BDC$이므로 □ABCD는 원에 내접한다.

② $\angle ABC\neq\angle CDE$이므로 □ABCD는 원에 내접하지 않는다.

③ $\angle DAC\neq\angle DBC$이므로 □ABCD는 원에 내접하지 않는다.

④ △ABC에서 $\angle B=180°-(46°+54°)=80°$

이때 $\angle B+\angle D=180°$이므로 □ABCD는 원에 내접한다.

⑤ $\angle A+\angle C\neq 180°$이므로 □ABCD는 원에 내접하지 않는다.

따라서 □ABCD가 원에 내접하는 것은 ①, ④이다.

8 $\angle BCA=\angle BAT=58°$

△ABC는 $\overline{AB}=\overline{BC}$인 이등변삼각형이므로

$\angle BAC=\angle BCA=58°$

$\therefore \angle x=180°-(58°+58°)=64°$

9 중앙값을 각각 구하면

① $\frac{5+7}{2}=6$ ② 3 ③ $\frac{2+5}{2}=3.5$

④ $\frac{5+6}{2}=5.5$ ⑤ 4

따라서 중앙값이 가장 큰 것은 ①이다.

10 19, 23, 25, 30, a의 중앙값이 25이므로 변량을 작은 값부터 크기순으로 나열하면 19, 23, 25, a, 30 또는 19, 23, 25, 30, a이어야 한다.

$\therefore a\geq 25$ ······ ㉠

27, 25, 40, a의 중앙값이 26이므로 변량을 작은 값부터 크기순으로 나열하면 a, 25, 27, 40이어야 한다.

$\therefore a\leq 25$ ······ ㉡

㉠, ㉡에서 $a=25$

11 ㉠ 편차의 총합은 0이므로

$-3+x+0+2=0$ $\therefore x=1$

㉡ 학생 C의 편차가 0점이므로 학생 C의 수학 성적은 평균과 같다.

㉢ 두 학생 A, B의 수학 성적의 차는

$1-(-3)=4$(점)

따라서 옳은 것은 ㉡, ㉢이다.

12 ① (평균)$=\frac{9+10+10+8+7+8+10+9+9+10}{10}$

$=\frac{90}{10}=9$

②, ⑤ 편차의 제곱의 총합은

$0^2+1^2+1^2+(-1)^2+(-2)^2+(-1)^2$

$+1^2+0^2+0^2+1^2=10$

이므로 (분산)$=\frac{10}{10}=1$

③ (표준편차)$=\sqrt{1}=1$

④ 편차의 총합은 항상 0이다.

따라서 옳은 것은 ②이다.

13 (평균)$=\frac{(12-a)+12+(12+a)}{3}=\frac{36}{3}=12$

분산이 24이므로

$\frac{(-a)^2+0^2+a^2}{3}=24$

$2a^2=72,\ a^2=36$ $\therefore a=6\ (\because a>0)$

14 ㉠ B반의 국어 성적의 표준편차가 가장 크므로 분산이 가장 큰 반은 B반이다.

㉡ 편차의 총합은 항상 0으로 모든 반이 같다.

㉢ A반의 국어 성적의 표준편차가 B반의 국어 성적의 표준편차보다 작으므로 A반의 국어 성적이 B반의 국어 성적보다 더 고르다.

㉣ E반의 국어 성적의 표준편차가 가장 작으므로 국어 성적이 가장 고른 반은 E반이다.

따라서 옳은 것은 ㉠, ㉢, ㉣이다.

15 ② 영어 성적과 수학 성적이 같은 학생 수는 오른쪽 산점도에서 직선 l 위에 있는 점의 개수와 같으므로 5명이다.

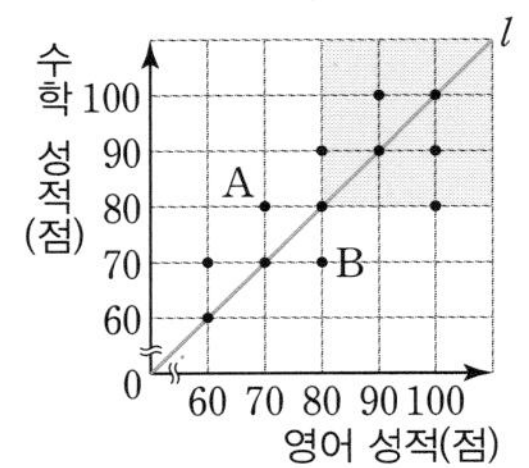

③ 영어 성적과 수학 성적이 모두 80점 이상인 학생 수는 위 산점도에서 색칠한 부분에 속하는 점의 개수와 같으므로 7명이다.

⑤ 수학 성적보다 영어 성적이 높은 학생 수는 위 산점도에서 직선 l을 제외하고 직선 l의 아래쪽에 속하는 점의 개수와 같으므로 3명이다.

따라서 옳지 않은 것은 ③이다.

16 주어진 산점도는 양의 상관관계를 나타낸다.

①, ⑤ 양의 상관관계

②, ④ 음의 상관관계

③ 상관관계가 없다.

17 ⑤ 몸무게와 키는 양의 상관관계가 있다.

18 $\angle PAO=\angle PBO=90^\circ$이므로

$\angle AOB=180^\circ-50^\circ=130^\circ$ …… (가)

$\therefore \angle ACB=\frac{1}{2}\angle AOB=\frac{1}{2}\times 130^\circ=65^\circ$ …… (나)

채점 기준	비율
(가) ∠AOB의 크기 구하기	50 %
(나) ∠ACB의 크기 구하기	50 %

19 □APCB가 원에 내접하므로

$\angle APC=180^\circ-110^\circ=70^\circ$ …… (가)

$\angle ACP=\angle APT=50^\circ$ …… (나)

따라서 △APC에서

$\angle x=180^\circ-(70^\circ+50^\circ)=60^\circ$ …… (다)

채점 기준	비율
(가) ∠APC의 크기 구하기	40 %
(나) ∠ACP의 크기 구하기	40 %
(다) $\angle x$의 크기 구하기	20 %

20 (1) 평균이 3이므로

$$\frac{a+6+(-2)+b+9+11+(-5)+0}{8}=3$$

$a+b+19=24$

$\therefore a+b=5$ …… ㉠ …… (가)

a, b를 제외한 변량이 모두 다르고 최빈값이 6이므로 a, b 중 적어도 하나는 6이다.

$a=6$이면 ㉠에서 $b=-1$

$b=6$이면 ㉠에서 $a=-1$

이때 $a>b$이므로 $a=6$, $b=-1$ …… (나)

(2) 변량을 작은 값부터 크기순으로 나열하면

$-5, -2, -1, 0, 6, 6, 9, 11$

이므로 (중앙값)$=\frac{0+6}{2}=3$ …… (다)

채점 기준	비율
(가) $a+b$의 값 구하기	20 %
(나) a, b의 값 각각 구하기	40 %
(다) 중앙값 구하기	40 %

기말고사 기본 테스트 2회 | 64쪽~67쪽

1 ④	2 ④	3 ③	4 ④
5 ③	6 ②	7 ①	8 ③
9 ⑤	10 ①	11 ②	12 ②
13 ④	14 ⑤	15 ⑤	16 ①
17 ②	18 $73°$	19 $8\sqrt{3}$ cm^2	

20 중앙값 : 6.5시간, 최빈값 : 6시간

1 $\angle x=2\angle APB=2\times 40°=80°$
$\angle y=\angle APB=40°$

2 $\angle ABD=\angle ACD=35°$
따라서 $\triangle ABP$에서
$\angle x=30°+35°=65°$

3 오른쪽 그림과 같이
$\overline{AD}$를 그으면
$\overline{AB}$가 반원 O의 지름이므로
$\angle ADB=90°$
$\triangle PAD$에서
$\angle PAD=90°-66°=24°$
$\therefore \angle x=2\angle CAD=2\times 24°=48°$

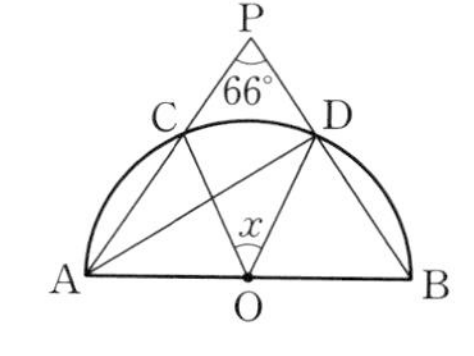

4 $\triangle ABE$에서 $\angle ABE=80°-20°=60°$
$\angle BAC : \angle ABD=\widehat{BC} : \widehat{AD}$에서
$20° : 60°=6 : \widehat{AD}$이므로
$1 : 3=6 : \widehat{AD}$
$\therefore \widehat{AD}=18$ (cm)

5 오른쪽 그림과 같이
$\overline{CE}$를 그으면
$\angle CED=\frac{1}{2}\angle COD$
$=\frac{1}{2}\times 48°=24°$

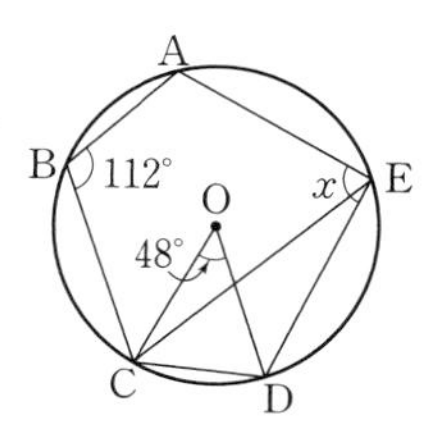

$\square ABCE$가 원 O에 내접하므로
$\angle AEC=180°-112°=68°$
$\therefore \angle x=68°+24°=92°$

6 $\square ABCD$가 원에 내접하므로
$\angle CDQ=\angle ABC=50°$
$\triangle PBC$에서 $\angle PCQ=30°+50°=80°$
따라서 $\triangle DCQ$에서
$\angle x=180°-(50°+80°)=50°$

7 $\square ABCD$가 원에 내접하려면
$\angle ADC=180°-65°=115°$
따라서 $\triangle ACD$에서
$\angle x=180°-(115°+35°)=30°$

8 오른쪽 그림과 같이
$\overline{CT}$를 그으면
$\overline{BC}$는 원 O의 지름이므로
$\angle BTC=90°$
$\angle BCT=\angle BTP=60°$
$\triangle BTC$에서
$\angle CBT=180°-(90°+60°)=30°$
$\therefore \angle x=\angle CBT=30°$

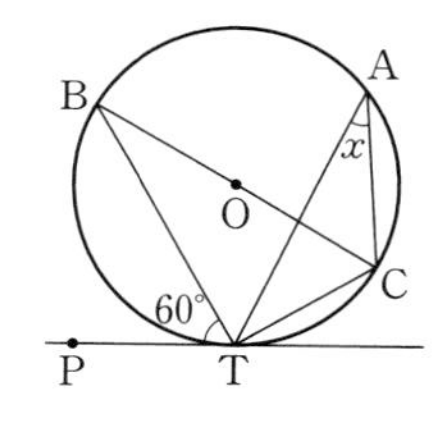

9 최빈값을 각각 구하면
① 6 ② 3 ③ 4 ④ 5 ⑤ 7
따라서 최빈값이 가장 큰 것은 ⑤이다.

10 중앙값이 7이므로 평균이 7이다.
즉 $\frac{3+6+7+9+a}{5}=7$이므로
$25+a=35$ $\therefore a=10$

기
말

11 편차의 총합은 0이므로

$4+(-3)+5+(-4)+x=0$ $\therefore x=-2$

따라서 5회의 영어 성적은

$76+(-2)=74$(점)

12 $(\text{평균})=\frac{12+10+14+16+13}{5}=\frac{65}{5}=13$

$(\text{분산})=\frac{(-1)^2+(-3)+1^2+3^2+0^2}{5}=\frac{20}{5}=4$

$\therefore$ (표준편차)$=\sqrt{4}=2$

13 평균이 6이므로

$\frac{9+5+11+x+y}{5}=6$

$25+x+y=30$ $\therefore x+y=5$ …… ㉠

분산이 12이므로

$\frac{3^2+(-1)^2+5^2+(x-6)^2+(y-6)^2}{5}=12$

$x^2+y^2-12(x+y)+107=60$ …… ㉡

㉠을 ㉡에 대입하면

$x^2+y^2-12\times5+107=60$

$\therefore x^2+y^2=13$

14 ① 각 반의 학생 수는 알 수 없다.

② 1반의 국어 성적의 평균이 3반의 국어 성적의 평균보다 높으므로 1반의 국어 성적이 3반의 국어 성적보다 우수하다.

③, ⑤ 1반의 국어 성적의 표준편차가 가장 작으므로 국어 성적의 산포도가 가장 작은 반은 1반이고 1반의 국어 성적이 가장 고르다.

④ 국어 성적이 가장 높은 학생이 어느 반에 있는지 알 수 없다.

따라서 옳은 것은 ⑤이다.

15 ㉢ 수면 시간이 7시간 이상인 학생은 오른쪽 산점도에서 직선 l을 포함하고 직선 l의 오른쪽에 속하는 점이므로 이 학생들의 휴대폰 사용 시간의 평균은

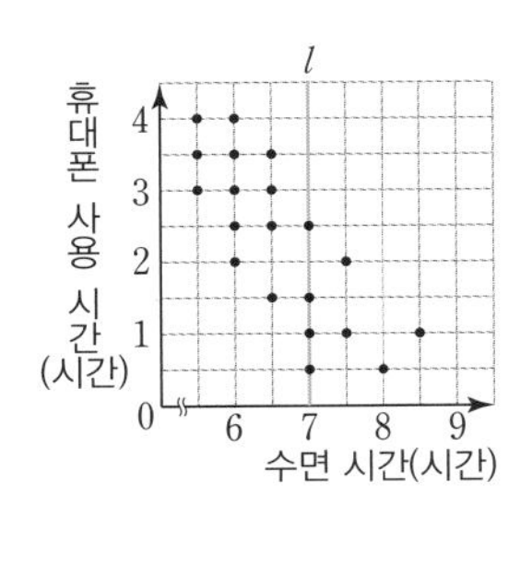

$\frac{0.5\times2+1\times3+1.5\times1+2\times1+2.5\times1}{2+3+1+1+1}$

$=\frac{10}{8}=\frac{5}{4}$(시간)

따라서 옳은 것은 ㉠, ㉡, ㉢이다.

16 오래매달리기 기록과 제자리멀리뛰기 기록 사이에는 양의 상관관계가 있다.

① 양의 상관관계

②, ③, ④ 상관관계가 없다.

⑤ 음의 상관관계

17 수학 성적과 과학 성적의 차가 가장 큰 학생은 오른쪽 산점도의 대각선에서 가장 멀리 떨어진 학생이므로 B이다.

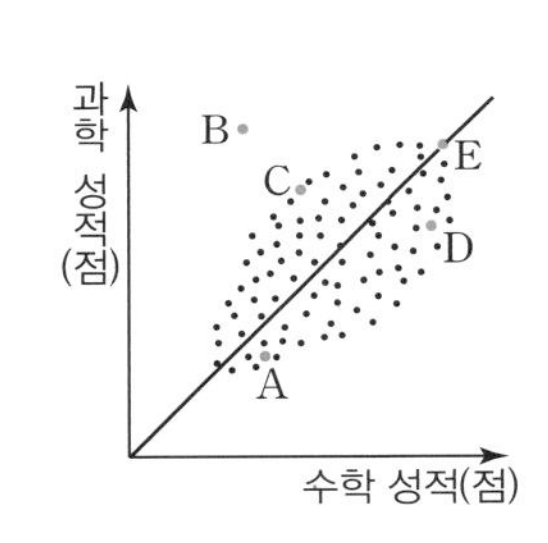

18 $\angle BAD=\frac{1}{2}\angle BOD=\frac{1}{2}\times146^\circ=73^\circ$ …… (가)

□ABCD가 원 O에 내접하므로

$\angle x=\angle BAD=73^\circ$ …… (나)

채점 기준	비율
(가) $\angle BAD$의 크기 구하기	50 %
(나) $\angle x$의 크기 구하기	50 %

19 $\overline{AB}$가 원 O의 지름이므로

$\angle ATB=90°$ …… (가)

$\angle ABT=\angle ATP=30°$ …… (나)

$\overline{AB}=2\times4=8$ (cm)이므로 △ATB에서

$\overline{BT}=\overline{AB}\cos 30°$

$=8\times\frac{\sqrt{3}}{2}=4\sqrt{3}$ (cm) …… (다)

$\therefore$ △ATB$=\frac{1}{2}\times8\times4\sqrt{3}\times\sin 30°$

$=\frac{1}{2}\times8\times4\sqrt{3}\times\frac{1}{2}$

$=8\sqrt{3}$ (cm^2) …… (라)

채점 기준	비율
(가) ∠ATB의 크기 구하기	10 %
(나) ∠ABT의 크기 구하기	20 %
(다) $\overline{BT}$의 길이 구하기	40 %
(라) △ATB의 넓이 구하기	30 %

20 평균이 6.8시간이므로

$\frac{5+5+6+7+x+8+6+8+10+6}{10}=6.8$

$\frac{61+x}{10}=6.8$, $61+x=68$ $\therefore x=7$ …… (가)

변량을 작은 값부터 크기순으로 나열하면

5, 5, 6, 6, 6, 7, 7, 8, 8, 10

이므로 (중앙값)$=\frac{6+7}{2}=6.5$(시간) …… (나)

최빈값은 6시간이다. …… (다)

채점 기준	비율
(가) x의 값 구하기	40 %
(나) 중앙값 구하기	40 %
(다) 최빈값 구하기	20 %

기말

memo

배움으로 행복한 내일을 꿈꾸는

천재교육 커뮤니티 안내

교재 안내부터 구매까지 한 번에!

천재교육 홈페이지

천재교육 홈페이지에서는 자사가 발행하는 참고서,
교과서에 대한 소개는 물론 도서 구매도 할 수 있습니다.
회원에게 지급되는 별을 모아 다양한 상품 응모에도
도전해 보세요.

구독, 좋아요는 필수! 핵유용 정보 가득한

천재교육 유튜브 <천재TV>

신간에 대한 자세한 정보가 궁금하세요?
참고서를 어떻게 활용해야 할지 고민인가요?
공부 외 다양한 고민을 해결해 줄 채널이 필요한가요?
학생들에게 꼭 필요한 콘텐츠로 가득한 천재TV로 놀러 오세요!

다양한 교육 꿀팁에 깜짝 이벤트는 덤!

천재교육 인스타그램

천재교육의 새롭고 중요한 소식을 가장 먼저 접하고 싶다면?
천재교육 인스타그램 팔로우가 필수!
누구보다 빠르고 재미있게 천재교육의 소식을 전달합니다.
깜짝 이벤트도 수시로 진행되니 놓치지 마세요!

book.chunjae.co.kr

교재 내용 문의 ··············· 교재 홈페이지 ▸ 중등 ▸ 교재상담
교재 내용 외 문의 ··············· 교재 홈페이지 ▸ 고객센터 ▸ 1:1문의
발간 후 발견되는 오류 ··············· 교재 홈페이지 ▸ 중등 ▸ 학습지원 ▸ 학습자료실